Hera Lind ist hauptberuflich Sängerin und lebt in Köln. Ihr Bestseller »Ein Mann für jede Tonart« wurde verfilmt. Die Fortsetzung des Romans erschien in der Reihe ›Die Frau in der Gesellschaft‹ unter dem Titel »Frau zu sein bedarf es wenig« (Band 11057). Ihr dritter Roman »Das Superweib« (Band 12227) erreichte bisher eine Auflage von 1,5 Millionen Exemplare und wurde unter der Regie von Sönke Wortmann verfilmt. Seit März 1996 ist ›Das Superweib‹ im Kino zu sehen. Im Oktober 1995 erschien ihr vierter Roman »Die Zauberfrau« (Band 12938) und eroberte sofort Platz Nr. 1 der Taschenbuch-Bestsellerliste.

Die Heldin des Romans ist eine Musikstudentin, Mitte Zwanzig, die, kaum daß sie der streng moralischen Erziehung ihrer Tante Lilli entronnen ist, beginnt, das Leben in vollen Zügen zu genießen. Sie verdingt sich als Sängerin bei Konzerten westdeutscher Kleinstadtkultur und sieht sich alsbald durch zwei zähe Verehrer mit ernsthaften Absichten zur umschwärmten Perfektfrau und Vorstadt-Callas gemacht. Prekäre Situation: Sie läßt sich, emanzipiert und lebensfroh, wie sie ist, sowohl mit dem verheirateten Arzt als auch mit dem einflußreichen Kritiker ein. Als sie schwanger wird und durch allzumenschliches Versagen eine Welturaufführung platzen läßt, bricht die Illusion vom fröhlich-freien Künstlerinnendasein jäh zusammen. Doch wie jede gute Geschichte nimmt auch diese eine überraschende Wendung...

Mit Sinn für komische Situationen, überraschende Slapstickszenen und witzige Dialoge schrieb Hera Lind einen frechen, amüsanten Roman.

Hera Lind

Ein Mann für jede Tonart

Roman

Fischer Taschenbuch Verlag

Die Frau in der Gesellschaft
Herausgegeben von Ingeborg Mues

941.–990. Tausend: April 1996

Originalausgabe
Veröffentlicht im Fischer Taschenbuch Verlag GmbH,
Frankfurt am Main, Dezember 1989

© 1989 Fischer Taschenbuch Verlag GmbH, Frankfurt am Main
Umschlaggestaltung: Ingrid Hensinger, Hamburg
Gesamtherstellung: Clausen & Bosse, Leck
Printed in Germany
ISBN 3-596-24750-0

Gedruckt auf chlor- und säurefreiem Papier

Nebenan trällerte ein Sopran.

Recht hübsch soweit. Richtig mit Talent.

Die Stimme klang ausgeschlafen, geradezu jungfräulich und auch ein bißchen selbstverliebt.

»Duaa duaa duaa«, drang es durch die Hoteltapete. (»Die Klarinett, die Klarinett, macht dua dua dua gar so nett.«)

Ich gähnte, reckte mich unfein und schwang mich aus dem quadratisch-praktisch-guten Bett. Blick auf den Radiowekker: halb elf.

Immerhin, sechs Stunden Tiefschlaf waren mir vergönnt gewesen. Bis die Sopranine nebenan zu zwitschern begann. Andere Menschen werden vielleicht durch Vogelgezwitscher geweckt. Ich nicht. Jedenfalls nicht, wenn ich auf Dienstreisen bin. Dann müssen mir immer irgendwelche streberhaften Kollegen den ersten Morgengruß durch die Wand schicken. Man singt sich eben anständig ein, wenn man auf Dienstreise ist.

Vorbildliche Kollegin, die von rechts nebenan. Die hatte bestimmt nicht bis halb fünf gesumpft.

Kind, du wirst nie eine Dame. Warum mußtest du denn wieder die Nacht zum Tage machen. Guck mal in den Spiegel. Wie du wieder aussiehst! Ringe unter den Augen, Flecken im Gesicht. (Sind das etwa Knutschflecken?) Und die HAARE! Kind, du mußt dringend zum Friseur.

Draußen summte ein Staubsauger. Zwei ausländische Zimmermädchen debattierten laut auf dem Flur. Ich hängte das Schild »Bitte nicht stören« raus.

Schade, daß es kein Schild »Bitte nicht röhren« gibt. Das hätte ich der Tante von rechts nebenan unter der Tür durchgeschoben.

Das Frühstücksbuffet war natürlich längst abgeräumt. Ich grabbelte mir einen Topf Magerquark aus der Plastiktüte unten im Schrank und frühstückte, auf dem Bettrand hockend.

Dann kramte ich meine kleine Freundin, die Stimmgabel, aus der Handtasche und verzog mich zum Einsingen ins Badezimmer. Schließlich war in drei Stunden die Verständigungsprobe mit dem großen Meister.

Die Stimmgabel sagt mir immer, was ein »a« ist, auch wenn ich verrotzt und heiser bin. Diesmal war das »a« entsetzlich hoch. Los, Kind. Selber schuld, kein Mitleid, jetzt wird geübt.

»Mim mim mim«, brummte ich, aber mein Kopf brummte lauter. »Summ, mim man«, versuchte ich es erneut.

Das Badezimmer warf erbarmungslos das Echo an die Kacheln. Kratz, rotz, schepper.

Erste Töne sind immer schrecklich, kosten Überwindung, klingen schüchtern, als gehörten sie nicht zu mir. Besonders in Hotelbadezimmern, wenn rechts und links Kollegen lauschen. Und Zimmermädchen beim Ausschalten des Staubsaugers überrascht den Staubwedel sinken lassen.

Frau Jammersängerin.

Tonleiter rauf, Tonleiter runter. Schrecklich. Steckte völlig im Hals.

Wo waren noch gleich diese Aspirin-Brausedinger? In der Plastiktüte unten im Schrank. Ich löste mir eins im Zahnputzglas auf.

Der Sopran nebenan jubelte mindestens bis zum »b«.

Au, mein Kopf!

Ich sank auf den Badewannenrand. Warum, Alte? Warum bist du nicht so bieder wie die Rabiata nebenan? Warum gehst du nicht um halb elf ins Bett und nimmst deine Noten mit und sonst niemanden?!

Gestern war es also halb fünf, bis ich im Bett war, allein, meine ich. Kind, MUSSTE das denn wieder sein?

Mein innerer Schweinehund war wieder mal ausgerissen und hatte sich unerlaubterweise die halbe Nacht rumgetrieben. Einfach die Leine durchgebissen hatte das Vieh.

Ich stand wieder auf und fragte die Stimmgabel nach ihrer Meinung. Das »a« schepperte erbarmungslos an mein Katerhirn. Los, Kind. Nicht hängenlassen.

Tonleiter rauf, Tonleiter runter. In schiß-Moll.

Es klopfte. Der Ton blieb mir im Halse stecken. Bitte nicht

stören! Wer wagt es, Rittersmann oder Knapp? Wahrscheinlich war es einer von beiden. Von den beiden gestern. Oboe
und Tenorhorn. (Überhaupt. Wie kann man nur Tenorhorn…?) Kollegen aus dem Orchester. Wehe, wenn sie los-
gelassen. Sie werden alle zum Rittersmann, und das nicht zu
knapp.

»Ja bitte?« fragte ich im Originalton Tante Lilli. Freundlich, aber bestimmt nannte sie das, doch es war noch eine gute
Prise Pfeffer und Essig dabei.

»Jürgen is hier!«

Welcher Jürgen? Ach so, die Oboe. Also doch.

Ich ging zur Tür; mir fiel nichts ein. Jürgen. Ein blasses
Dienstreisenkapitel. Ausgesprochen nett soweit. Und ausgesprochen verheiratet. Erster Oboist.

»Hallo, Jürgen. Was treibt dich vor meine Zimmertür?«

»Ich hörte dich singen, und da dachte ich, du bist schon
wach.«

»Nein. Ich singe immer im Tiefschlaf. Was war es denn?
Die Königin der Nacht?«

Jürgen öffnete den Mund, sagte aber nichts. Mir fiel wieder
diese Narbe an der Oberlippe auf, die hatte er vom ewigen
Pressen in das Mundstück seines Instrumentes.

Ich war zu hart gewesen. Der Rittersmann war extra her-
beigeeilt, über Stock und Stein, will sagen, über Trepp und
Flur, und jetzt mag das Burgfräulein ihr gülden Haar nicht
runterlassen.

»Entschuldige, Jürgen«, lenkte ich wohlerzogen ein.
(Kind, sei immer höflich, nett und bescheiden, das öffnet dir
alle Türen!) Eigentlich wollte ich die Tür eher zuknallen.
Aber das ging nicht. Der Schweinehund lag noch in seiner
Hütte und knabberte an den Vorderpfoten. Er war noch nicht
richtig wach nach der Toberei heute nacht.

»Ich mag deine Stimme, darf ich dir ein bißchen beim Üben
zuhören?« Jürgen hatte schon einen Fuß über meine Schwelle
gesetzt.

»Nein. Ich bin noch nicht eingesungen.« Das mußte er
doch begreifen. Das Pferd wenden und wieder wegreiten.

»Ich mag aber deine Stimme, auch wenn du NICHT eingesungen bist«, beharrte Jürgen, und das war entschieden zuviel

für meine verkaterte trübe Psyche. Mein Schweinehund schoß aus seinem Verschlag, fletschte die Zähne und geiferte mit giftigen Spucketröpfchen: »Jetzt aber raus!«

Ich knallte die Tür zu und stellte mir vor, wie der Rittersmann das dunkle Holz anstarrte und das heftig wackelnde Schild »Bitte nicht stören«.

2

Ein Brummen und Summen ging durch den Probensaal, man redete, lachte, begrüßte sich, scherzte, manch einer stimmte auch angelegentlich sein Instrument oder gab eine Passage aus dem Notenblatt zum besten. Jürgen saß versunken auf seinem Stuhl und liebkoste sein Oboenmundstück. Emsig, mit feuchten Lippen und Preßgrübchen im Gesicht. Das Mundstück gab gequälte Laute von sich, die Oboe selbst lag teilnahmslos herum. Ich könnte mal hingehen und sagen, ich höre dir so gern beim Mundstückeinweichen zu, dachte ich erbost. Ich mag deine Oboe auch ohne Mundstück. Oder so was. Vielleicht würde er merken, wie blöd er vorhin war. Aber der gekränkte Ritter würdigte mich keines Blickes.

Warum auch. Wer sich zum Chor umdreht oder lacht, kriegt den Buckel vollgemacht.

Als der Maestro kam, klopfte man gönnerhaft Beifall aufs Pult. Ein angesehener Meister des Taktstocks. Man kennt ihn. Wenn auch nur vom Plattencover oder aus dem Radio.

Der Meister zupfte sich seine strähnigen, fettigen dünnen Haare in den Hinterkopf, wo er sie mit einer Spange befestigte. Dann schüttelte er dem ersten Geiger kräftig die Hand. Dienstfertiges Aufspringen. Heftiges Schütteln seinerseits. Was sie sich an Herzlichkeiten sagten, konnte ich nicht verstehen.

Mit überraschend dünnem Stimmchen verkündete der Maestro: »Takt zwanzig, Damänchärän, bittä Ruhä, wir sind doch nicht im Kindergartän.«

Da hatte er nicht unrecht. Wir rissen uns zusammen. Dienst ist Dienst.

Im Saal lungerten einige Leute herum. Irgendwelche Gönner und Kunstkenner und Insider und Besserwisser. Also vielleicht Inspizienten und Chordirektoren und Korrepetitoren und Notenkofferschlepper oder Stimmgabelträger, was weiß ich. Wichtige Persönlichkeiten jedenfalls. Ich versuchte, mich auf die Probe zu konzentrieren.

»Takt dreizehn auf der drei bitte sforzato, und ab Takt sechzehn beginnendes Diminuendo.«

Aha. Allgemeines Bleistiftzücken und Kopfnicken.

Ich überlegte, was ich nach dem Diminuendo, also heute abend, machen würde. Essen gehen? Mit Kollegen? Das hatten wir doch schon so oft.

Allein? Kino? Oder ins Hotelzimmer und bieder sein? Fernsehen? Heile Welt mit Thekla Carola Witta Meisel? Sicherlich das Beste und Gesündeste!

Jürgen stand nicht zur Debatte. Dann lieber Bobby Ewing. Ziffer zwölf. Pianissimo. Aber gern.

Um mich herum vermischten sich die verschiedensten Stimmen zu einem interessanten Gemisch von Vibrato, Lufthauch, ungeräuspertem »Gestern-abend-Timbre«. Einige selbstverliebte Schwelltöne. Die Talentierten unter uns. Die verhinderten Solisten. Die werden noch entdeckt. Vielleicht heute abend, durch eben jene selbstverliebten Schwelltöne.

Zittervibrato von hinten, Knoblauchgeruch von rechts. Ich beschloß, den Abend allein im Hotelzimmer zu verbringen.

»Was machen Sie, sind Sie allein?«

Ich hatte mich mit »Ja bitte« gemeldet.

»Wer ist da bitte?« (Tonfall: »Wer wagt es, Rittersmann oder Knapp?«)

»Georg Lalinde.«

Aha. Wo hatte ich den Namen schon gehört?

»Wir haben uns vor zwei Wochen kennengelernt, nach der Neunten in Braunschweig. Haben Sie mich schon vergessen?«

Ach der. Der Kritiker.

»Guten Abend, Herr Lalinde. Was verschafft mir die Ehre?«

»Ich bin hier in Frankfurt. Ich habe Sie eben gesehen, war bei der Probe.«

Aha. Einer von den Rumlungerern. Ich hatte nicht so genau hingeschaut.

»Und – hat es Ihnen gefallen?« – Was sollte ich sonst sagen?

»Ich würd es gern mit Ihnen bei einem Glas Wein besprechen. Haben Sie Lust?«

Lust auf Wein – bedingt. Lust auf Probenbesprechung – sehr mäßig. Lust auf Herrn Lalinde – nun ja. Vielleicht interessanter als das Wirtschaftsmagazin auf dem Mini-Flimmer-Gerät.

Was zieh ich an, was sag ich, was will der von mir?

»Also gut, ich hab heute abend nichts vor. Wo treffen wir uns?«

»Ich bin hier unten in der Halle.«

Also… Ein Mann der Tat. Ich legte auf und zog mich um. Bloß nicht zu fein. Der Mann ist viel zu alt für dich. Eigentlich geschmacklos von dir, mit ihm auszugehen. Gestern Panne-Jürgen, heute dieser Kritiker, dieser furztrockene, wohlgescheitelte Mittvierziger im hellen Popelinemantel und mit Krawatte. Wieso war der überhaupt in Frankfurt?

Es wurde ein unheimlich netter Abend. Zuerst bummelten wir durch Sachsenhausen, tranken hier und da einen Apfelwein aus groben, trüben Gläsern, landeten dann in einer herrlich einfachen Kneipe mit blankgescheuerten Holztischen und hockten uns nebeneinander auf eine schmale Bank.

»Zwei Äppelwoi und zweimal Handkäs mit viel Musik!«

»Wird gemacht, die Herrschaften!« Ein dicker glatzköpfiger Wirt mit nicht mehr ganz reiner Schürze legte sich elegant in die Kurve und zog ab Richtung Theke.

»Warum haben Sie mich eigentlich angerufen? Wieso sind Sie hier in Frankfurt? Haben Sie zu Hause im Moment nichts zu tun?«

»Ich schreibe über die Probenarbeiten. Keiner meiner Kollegen hatte Lust dazu. Die meisten bleiben lieber zu Hause.«

»Und Sie?«

»Im Moment nicht so gern.«

Pause. Schweigen. Blick zu mir, Blick auf den Handkäs. Ungeschicktes Herumstochern in den Zwiebelstückchen. Ich dachte an die morgige Probe und an die ganz neue Duftkomponente in der zweiten Reihe. Die Kollegen waren zum Knoblauchtanken beim Griechen.

»Was macht Ihre Frau, wie geht's den Kindern?«

Wir hatten uns damals flüchtig darüber unterhalten. Ich hatte vergessen, was er über sie erzählt hatte. Im Grunde hatte ich den ganzen Mann vergessen.

»Dem Kind geht's gut. Nina spielt jetzt im Klavierwettbewerb. Sie hat gute Chancen.«

Aha. Also ein Mädchen. Wie alt? Er hatte es mir bestimmt damals erzählt. Was man so auf Empfängen plaudert, wenn über die Musik nicht mehr gesprochen wird und der Sekt noch nicht ausgetrunken ist. Und der Chorbus noch nicht fährt.

»Und Ihre Frau? Geht's ihr gut?«

Ich hatte sie auch kennengelernt. Kind, das ist eine Dame. Anfang Vierzig vielleicht, Typ: Hosenanzug Größe 38 und Strähnchen im kurzgeschnittenen Haar.

»Sie ist viel unterwegs.«

Aha. Sollte ich mir jetzt darauf etwas zusammenreimen? Schweigen. Drehen des Äppelwoiglases. Ich erzählte von mir. Von den Proben, den anderen Dienstreisen, den Kollegen. Ein unerschöpfliches Thema. Rettet jede Stimmung, bringt immer auf erfrischende Gedanken. Georg Lalinde lachte wieder. Wollte Genaues wissen. Taute regelrecht auf.

»Noch zwei Äppelwoi!«

Irgendwann nahm er meine Hand. Ich brauchte sie aber zum Gestikulieren, zum Nachahmen, zum Unterstreichen. Und zum Zigarettehalten. Er hatte mir eine angeboten, aus seinem goldenen Etui. Sie schmeckte so scheußlich, wie erste Zigaretten eben schmecken. Ein unangenehmes Schwindelgefühl schoß mir in den Kopf. Kind, warum tust du das jetzt? Ausgerechnet jetzt, nach achtundzwanzig Jahren passionierten Nichtrauchens?

Das Ausdrücken gelang mir nicht. Ich verbrannte mir den Finger. Georg Lalinde lächelte schmallippig-zynisch.

»Seit wann rauchen Sie denn?«

»Seit ich meine Hände beschäftigen muß.« Kind, laß doch diese Anspielungen.

Ich wollte gehen. Er wollte mir in den Mantel helfen. Nein

danke. Ich halte nichts von diesen überalterten Umgangsformen. Schließlich ziehe ich mir seit mindestens vierundzwanzig Jahren allein den Mantel an.

Beide Hände in den Manteltaschen vergraben, wanderte ich neben ihm her. Sachsenhausen hatte inzwischen die Bürgersteige hochgeklappt. Feuchter Sprühregennebel zog über das Kopfsteinpflaster.

»Taxi oder laufen?«

»Laufen.«

Der Main lag kalt und dunkel und teilnahmslos vor der beleuchteten Stadtsilhouette. Ich atmete tief und mit System. Nur wieder klar im Kopf werden. Nur ins warme Hotelbett. Allein.

»Müde?«

»War ein langer Tag.«

»Leben Sie gerne so?«

»Wie meinen Sie das?« Wußte er von meinen oberflächlichen Eskapaden? Ich war eigentlich nicht »so eine«. Das lag mir gar nicht.

»Ja, so in der Gruppe und doch allein. Soviel unterwegs. So ohne Familie, was weiß ich, ohne Mann und Kind und Einbauküche oder was auch immer.«

»Im Moment lebe ich gerne so. Reisen und Musik machen und Leute treffen und damit auch noch Geld verdienen...«

»Und später? Karriere oder Familie?«

»Karriere sicher nicht. Dafür bin ich nicht der Typ. Familie...«

»Keine Karrierefrau?« Vielleicht ein etwas zu bohrender Unterton.

»Nein. Oder halten Sie mich dafür?«

»Dann müßten Sie als erstes lernen, sich in den Mantel helfen zu lassen.«

»Also keine Karriere.«

»Und der Mann, den Sie heiraten, darf Ihnen auch nicht in den Mantel helfen?«

Was für ein kleinkarierter Spießer. Popelinemantel, Krawatte, goldenes Zigarettenetui. Er könnte eben mein Vater sein. Schätzungsweise war er achtzehn bis zwanzig Jahre älter als ich.

»Ehrlich gesagt, lege ich auf solche lächerlichen Kleinigkeiten keinen Wert.«

Es entspann sich eine Diskussion über dieses unerquickliche Thema. Es war doch fein, wieder nüchtern zu sein und streitlustige Rechthabereien von sich geben zu können.

»Bringen Sie mich eigentlich zum Hotel? Das müssen Sie nicht. Ich kann auch gut alleine gehen.«

Er blieb stehen. Sah mich enttäuscht an.

»Sind Sie wirklich so eine verunglückte Scheinemanze?«

Lalinde hatte recht. Ich benahm mich unmöglich.

»Entschuldigung. Ich rede mich manchmal in Rage. Ich würde mich sogar freuen, wenn Sie noch bis zum Hotel...«

»Kleine Schwätzerin.«

Er hakte mich unter, und wir schoben weiter. Arm in Arm. Hoffentlich begegneten wir keinem Kollegen. Wie peinlich. Ich mit dem Kritiker.

Er roch angenehm. Sehr unaufdringlich und angenehm. Vor dem Hotel hielt er meine Hand etwas länger als nötig.

»Gute Nacht, Löwenfrau. Es war schön mit Ihnen.«

»Ich bin Skorpion. Wieso Löwenfrau?«

»Für mich sind Sie eine Löwenfrau.«

»Aha. Ja da kann man nichts machen. Dann werd ich jetzt wohl noch ein, zwei Schakale zerreißen und dann in meine Höhle gehen.«

Er drehte sich um, tat zwei Schritte, blieb stehen. Diese Bewegung, diese Geste der Unentschlossenheit sollte ich bei ihm noch oft erleben. Noch allzuoft.

»Ich bin sehr glücklich.«

Damit verschwand er im Nebel.

3

Am nächsten Morgen ein Anruf im Hotel: Ich solle meinen Agenten zurückrufen. Einspringer fürs Wochenende. Händel in K.

Ich freute mich. Terminlich paßte das hervorragend. Unsere Arbeit in Frankfurt würde Freitag abend beendet sein.

Die nächsten Tage verbrachte ich einigermaßen konzentriert mit Üben und der Probenarbeit.

Am Freitag war das große Chorkonzert in der Alten Konzerthalle. Der Saal war brechend voll, vermutlich ausverkauft. Wir waren gut und bekamen viel Beifall.

Ich suchte Lalinde im Saal. Er hatte sich seit jenem Dienstag nicht mehr gemeldet. Da saß er, zusammengesunken, die Hand am Mund, seine typische konzentrierte Zuhör-Haltung.

Ich lächelte ihn an. Er veränderte seine Mimik nicht. Kind, laß das. Na ja, er war ja dienstlich hier, genauso wie ich.

Beim Beifall stand er bereits auf, knöpfte sich das Jackett zu und verließ eiligen Schrittes den Saal. Er mußte vermutlich noch am selben Abend die Kritik verfassen und bei seiner Zeitung einreichen.

Als er durch eine der bereits geöffneten hinteren Türen verschwand, tat es mir fast leid.

Ich nahm den Spätzug nach K., um am nächsten Tag rechtzeitig bei der Generalprobe für mein Solo-Konzert zu sein. Zuerst war ich allein im Abteil. Ich genoß es, versuchte, es mir gemütlich zu machen, legte die Beine hoch und vertiefte mich in meine Noten.

»Guten Abend, hier noch frei?«

Ein Mann, aha. Mitte Dreißig vielleicht. Sah nett aus.

»Wie man unschwer erkennen kann.«

Er kam rein, wuchtete seine lederne, wichtig aussehende Aktentasche ins Gepäcknetz, setzte sich. Stand wieder auf, drehte an der Heizung, blätterte im Zugbegleiter, einem zerfledderten Heftchen mit mehr oder weniger wichtigen Informationen der Bundesbahn. Setzte sich mit Schwung.

Meine Noten wackelten. Ich versuchte, mich zu konzentrieren. Schwere Phrase, ausgesprochen lange, schwere Phrase.

Der Neuling räusperte sich.

Ich schloß die Augen. Dreiviertel-Takt, langsames Tempo.

»Sind das Noten?«

»Nein, das ist der Fahrplan auf südnepalesisch.« Ich mußte

kichern. Leider. Ich muß oft über meine eigenen Witze lachen.

»Schlagfertig sind Sie jedenfalls.«

»Ein Profi bleibt aber ernst.« Ich ärgerte mich.

Was jetzt? Händel oder Small talk?

»Fahren Sie weit?«

Also Small talk.

»K. Und Sie?«

»Auch. Das ist ja ein netter Zufall.«

Ich lächelte. Ausgesprochen netter Zufall. Armer Georg Friedrich. Die Händel-Noten lagen auf meinem Schoß. Ziemlich unstudierte Händel-Noten.

»Machen Sie das beruflich?«

»Sie meinen, Noten lesen? Ja. Beruflich. Und Sie?« Ich bestrafe Neugier immer mit noch mehr Neugier. Das ist ein guter Trick. Er funktioniert immer. Man zwingt den Fragenden, selbst auszupacken.

»Raten Sie mal.«

Ach Gott, *die* Masche. Rate mal mit Rosenthal. Sie haben dreißig Sekunden Zeit, auf los geht's los.

Ich betrachtete ihn reserviert. Sehr teurer Pullover, Marke »K.s einzig wahrer Herrenausstatter«, sehr adrett sitzende Bügelfaltenbeinkleider, geputzte Schuhe. (Kind, der Mann ist gediegen.) Vollbart, aber gepflegt. Und ein Haarschnitt, dynamisch und schick. Er war kein Schönling, dieser Mann. Kein gestylter Schickimicki. Aber gepflegt. Nicht zu lässig. Ob sein Pyjama Bügelfalten hatte? Einen Ehering trug er jedenfalls nicht. Also wenn Bügelfalten, dann verpaßte ihm die seine Haushälterin oder schlimmstenfalls seine Mutter.

Ich sagte: »Erweisen Sie der Menschheit einen Dienst?«

Daran, daß er nicht lachte, sondern ernsthaft und spontan antwortete: »Ja«, erkannte ich, daß er entweder keinen Humor hatte oder noch nie Robert Lembke gesehen hatte.

»Arbeiten Sie im geschlossenen Raum?«

»Ja.«

»Mitunter auch im Freien?«

»Selten.«

»Ein klares Nein, fünf Mark ins Schwein.«

Jetzt lachte er.

Aha. Also doch schon mal Robert Lembke gesehen.

»Stellen Sie etwas aus?«

»Nicht direkt.«

»Sagen Sie lieber Jein. Jein bringt noch zwei fünfzig ein.«
Er sah mich entgeistert an. »Sie haben wohl viel Zeit zum Fernsehen?«

Solche Fragen sind peinlich.

»Also, machen wir es kurz, Sie sind Anwalt. In Sachen Scheidung und Ehe- und Familienrecht.«

»Sehe ich so aus?«

Das ist wieder typisch. Erst raten lassen und dann beleidigt sein.

»Oder Dozent für Biochemie. Oder Marketing-Mensch.«

»Mit der Biochemie sind Sie schon nahe dran.«

»Zoodirektor.« Kind, bleib höflich.

Er spürte, daß ich keine Lust mehr hatte.

»Nein. Ich bin Mediziner.« Bescheidener Unterton.

Was erwartete er jetzt? Weitere Fragen? Womöglich nach Dienstgradstellung, Fachrichtung, Gehalt? Gynäkologe oder Zahnarzt? Und dann einige Fragen zum Thema, Beispiel: »Wo sitzen eigentlich die Lymphdrüsen?«

Ich sagte: »Aha.« Sonst nichts. Das war er wahrscheinlich nicht gewöhnt.

»Und Sie?«

Aha. Doch kein selbstverliebter Süchtling.

»Ich singe.«

Jetzt war es an ihm, verständnislos zu gucken. Klar, daß jetzt Fragen kommen mußten wie: »Richtig so? Schlager oder Oper? Und was machen Sie tagsüber?« Aber er sah nur auf den vergessenen Händel und sagte: »Oratorium?«

Ich strahlte ihn an. Daß er so ein schweres Wort wußte! Und hundertprozentig richtig anwendete! Plötzlich war er mir ausgesprochen sympathisch.

Wir redeten während der ganzen Fahrt bis K. über alles mögliche. Die Noten rutschten auf den Nebensitz. Ich erzählte ihm von den Probenarbeiten in Frankfurt, verriet ihm auch, daß ich am nächsten Tag ein Solo-Konzert in K. haben würde. Nicht ganz ohne Stolz.

Er selbst hatte vor zwei Jahren eine Praxis aufgemacht.

Psychoanalyse oder so ähnlich. Damit hatte ich zum Glück noch nie zu tun.

»Sie können ja mal in der Praxis vorbeikommen.«

»Kein Bedarf. Ich bin unverschämt gesund. Aber Sie können ja mal im Konzert vorbeikommen!«

»Kein Bedarf. Ich bin unverschämt unmusikalisch.«

Wir liefen in K. ein. Verabschiedeten uns flüchtig – anscheinend wurde er erwartet.

Ich stieg aus, drehte mich nicht mehr um. Nahm mir ein Taxi und fuhr nach Hause.

Nichts Besonderes auf dem Anrufbeantworter. Keine besondere Post. Nichts Erwähnenswertes im Kühlschrank.

Ich nahm ein heißes Bad und ging ins Bett. Dachte etwas an Lalinde, dachte etwas an den Seelen-Doc aus dem Intercity. Und schlief ziemlich bald ein.

Der Dirigent von St. Hildebold war ein älterer robuster Herr, der den Taktstock mit solcher Vehemenz schwang, daß man Angst hatte, er ruderte sich einem Herzinfarkt entgegen. Der Chor bestand aus jeder Menge rüstiger Omas, die mich alle mehr oder weniger an meine Tante Elsbeth erinnerten. Rotwangig und frisch vom Friseur.

War ja auch ein großes Ereignis, Händel in St. Hildebold. Dafür hatten die monatelang geprobt. Wahrscheinlich war in letzter Zeit über nichts anderes mehr in der Gemeinde gesprochen worden.

Ich bewunderte die Omas, wie sie fast zwei Stunden lang in Reih und Glied standen, ohne zu schwanken. Selbst während der langen Arien der Solisten rührten sie sich nicht und hörten andachtsvoll zu.

Sie alle hatten weiße Blusen an mit mehr oder weniger vielen Rüschen und lange schwarze Röcke. Sie schienen alle dieselbe Schneiderin zu haben.

Die Herren – es waren unverhältnismäßig wenige – trugen dunkle Anzüge und weiße Fliegen. Sie bölkten dienstfertig und laut durcheinander. So eine Händel-Fuge ist nicht ohne. Im Tenor standen noch einige Damen zur Verstärkung. Eigentlich hätten sie auch dunkle Anzüge mit weißer Fliege tragen sollen. Wegen der Optik.

Während ich auf meine Arien wartete, betrachtete ich den Chor ausgiebig. Es gibt immer ein oder mehrere Gesichter, die innerhalb des Gesamtbildes besonders auffallen, sei es durch angenehme oder unangenehme Eigenschaften oder einfach nur komische. Die Dame außen rechts zum Beispiel bewegte ihren Mund ganz unnatürlich und übertrieben. Als würde sie vor Taubstummen singen. Eine andere verschwand völlig hinter ihren Noten. Man konnte das Gesicht dahinter nur erahnen. Eine jüngere Frau in der ersten Reihe tappte heftig mit dem Fuß im Takt auf den marmornen Altarraumboden. Sie hielt sich wahrscheinlich für besonders musikalisch.

Der Dirigent ruderte. Längst lief ihm der Schweiß über das Gesicht, und ein Tropfen blieb an seinem Kinn hängen, bevor er bei einer heftigen Auftaktbewegung auf das nicht mehr ganz frischgestärkte Hemd fiel.

Das Vorspiel zu meiner Arie. Ich unterdrückte leichtes Herzklopfen, atmete mit System. Blick aus den Noten, Kind. Freundlich schauen. Die Leute wollen auch was fürs Auge.

Plötzlich entdeckte ich Lalinde. Dritte Reihe außen links, zusammengesunkene Haltung, Hand am Mund. Konzentriertes Zuhören.

Das soeben unterdrückte Herzklopfen verstärkte sich wieder. Was machte der denn in diesem Vorstadtkonzert? Der konnte doch unmöglich über solch eine provinzielle Angelegenheit eine Kritik schreiben wollen.

Fast verärgert sang ich meine Koloraturen, in Gedanken nicht ganz ausschließlich bei Georg Friedrich Händel.

Der große alte Meister mochte es mir verzeihen. Ich hasse Überraschungen im Konzert. Meine Fans sollen sich gefälligst vorher anmelden.

Aber vielleicht war er gar nicht meinetwegen gekommen? Die Sopranistin war recht bekannt, dazu ausgesprochen hübsch. Jung und hübsch und musikalisch und frisch geschieden. Solche Gedanken hegte ich während meiner nicht ganz astrein abgelieferten Koloraturen. Wann hätte ich sie auch üben sollen, wenn nicht im Hotelbadezimmer in Frankfurt. Im Intercity ließ man mich ja nicht.

Ich setzte mich wieder.

Lalinde zeigte keine Regung. Er wechselte nur die Hand. Mein Herzklopfen ließ nach. Der Chor jubelte zu neuen Schärfen auf. Ende des ersten Teils.

Stimmpause. Allgemeines Räuspern, Nachstimmen der Instrumente. Der Dirigent und wir Solisten schritten hinaus. Das unterstrich unsere Wichtigkeit, würde uns schätzungsweise beim erneuten Eintreten einen weiteren Beifall einbringen. Außerdem mußte ich mal. Und der Dirigent brauchte ein frisches Hemd.

Um ihn beim Umziehen allein zu lassen, verlustierten wir uns einige Minuten im Pfarrgarten. Gingen auf und ab, summten etwas, sprachen nicht viel. Sprechen schadet der Singstimme. Jedenfalls bildeten wir uns das ein. Waren wohl alle etwas aufgeregt.

Am Gartenzaun stand Lalinde. Während ich noch überlegte, ob ich ihn begrüßen sollte und welcher Herzlichkeitsgrad mir dafür angemessen erschien, eilte die Sopranistin auf ihn zu, schüttelte ihm herzlich die Hand. Aha. Ihretwegen also. Auch gut. Wahrscheinlich lud er sie nun für heute abend auf ein Glas Wein ein.

Die Kollegin sprach auf ihn ein, gestikulierte, lachte. Lalinde stand, das Gesicht von mir abgewandt, halb schräg am Gartenzaun und hörte ihr zu, die Hand am Mund. Dann sagte er etwas, leise, knapp. Sie lachte, drehte sich um und winkte mir zu, ich solle mal herkommen.

Unwillig ging ich hinüber. Wäre nicht der Gartenzaun gewesen, hätte ich erwartet, daß er zu mir käme, wenn er mich zu sprechen wünschte. Ich fühlte mich durch und durch als Kammersängerin und nicht geneigt, so ohne weiteres einem x-beliebigen Kritiker in der Konzertpause mein Ohr zu leihen.

»Hallo, Löwenfrau«, sagte er und lächelte andeutungsweise.

Die Kollegin stutzte, murmelte etwas von »noch ein bißchen einsingen« und entfernte sich.

»Sie sollten Ihre Wortneuschöpfungen nicht veröffentlichen«, sagte ich ärgerlich. »Was machen Sie überhaupt hier?«

»Ich wollte Sie hören!«

»Scherz beiseite. Schreiben Sie etwa eine Kritik über dieses *Om*atorium?«

»Ich bin rein privat hier.«

»Also die Sopranistin?« Im gleichen Moment hätte ich mir die Zunge abbeißen können.

Man rief nach mir. Ich drehte mich um. »Geht's weiter?«

Die Pfarrhaustür stand offen, eine ältere Frau im weißen Kittel verhandelte mit dem Baß. Er rief mich.

»Telefon für dich!«

»Für mich?« fragte ich dumm zurück und schaute fragend auf Lalinde.

»Covent Garden!« spöttelte der.

Ich ließ ihn stehen, ging in das Pfarrhaus. Das mußte eine Verwechslung sein.

In einem vor Biederkeit schon wieder progressiven Wohnzimmer mit Brokatkissen auf den Sofas und liebevoll bestickten Deckchen überall fand ich das Telefon.

»Ja bitte?« Es roch stark nach Rotkohl.

»Spreche ich mit der Sängerin?« fragte eine Männerstimme, und ich wußte, daß ich sie kennen mußte.

»Es gibt hier mehrere«, antwortete ich unsicher und hoffte inständig, es sei ein hilfloser Dirigent, dem eine Solistin ausgefallen war. Ein schöner, fetter Einspringer vielleicht? Herzklopfen.

»Ich meine die Dame, die gestern abend von Frankfurt nach K. gefahren ist.«

Der Gediegene. Aus dem Intercity. Immer noch Herzklopfen.

»Ich bin mitten im Konzert!«

»Weiß ich, es ist aber gerade Pause. Ich habe vor zwanzig Minuten schon mal angerufen, aber die Haushälterin des Pfarrers sagte, Sie seien gerade unabkömmlich.« Er kicherte.

»Ja, in der Kirche ist leider kein Telefon«, sagte ich und schaute auf die Uhr. Es müßte doch längst weitergehen!

»Wie lange sind Sie noch beschäftigt?« fragte der Gediegene.

»Den ganzen Abend. Nach dem Konzert ist Empfang beim Chorvorstand. Ich muß jetzt wieder rein!«

Aufzulegen getraute ich mich nicht. Aber dreist war er ja, der Gediegene. Ausgesprochen dreist.

»Woher wußten Sie, daß ich hier bin?«

»Ich habe im Verkehrsamt der Stadt angerufen, wo heute um 17 Uhr ein Händel-Konzert stattfindet. Sie heißen also Elisabeth Peters? Sehr erfreut.«

»Freuen Sie sich nicht zu früh. Ich bin eingesprungen. Stehe auf keinem Plakat. Und jetzt muß ich wieder rein. Auf Wiedersehen!« Ganz plötzlich legte ich auf.

Meine Hand zitterte leicht, ich blieb noch einen Moment im Reich der Brokatdeckchen stehen. Er würde doch nicht sofort wieder anrufen?

Das biedere Telefon auf dem weißbestickten Deckchen blieb still. Ich eilte hinaus in den Garten. Die Solisten waren schon weg, Lalinde natürlich auch.

Mit hochgerafftem Kleid rannte ich zur Sakristei. Man wartete auf mich.

»Los, Auftritt, meine Damen und Herren!« Der frischbehemdete Dirigent hatte neuen Schwung. Er machte eine rudernde Bewegung mit dem Arm, als wollte er eine Ziegenherde an sich vorbeitreiben.

Beim Reingehen – das Publikum klatschte tatsächlich – drehte sich die Sopranistin halb zu mir um.

»Kennst du Lalinde privat?«

»Kaum«, hauchte ich in ihre steifduftende Hochfrisur.

»Er läßt dich nämlich herzlich grüßen«, murmelte sie beim Verbeugen.

Ich konnte nicht antworten. War direkt dran, in einem Duett mit dem Tenor. Versuchte, mich zu konzentrieren. Händel und nochmals Händel. Wir hatten schließlich kaum proben können.

Als wir wieder saßen und der Chor eine schwierige Fuge verhackstückte, lugte ich verstohlen ins Publikum. Lalinde saß auf seinem Platz. Er hatte nicht die Hand am Mund, saß zurückgelehnt, fast entspannt. Ein ungewohnter Anblick. Bildete ich mir das ein, oder lächelte er mich an? Ich schaute schnell in meine Noten. Kind, man grinst nicht ins Publikum.

Lalinde. Der Gediegene. Händel. Ach so, ja natürlich, der und kein anderer.

Was mochte den Gediegenen veranlaßt haben, die unschuldige Haushälterin aufzuschrecken? Was er nun gediegen oder dreist? Oder beides? Ich hing meinen Gedanken nach, betrachtete Chorgesichter. Eifriges lautes Singen mit geschwollenen Halsadern. Erste Ermüdungsanzeichen, was die Haltung anbetraf. Die Rhythmische tappte noch immer im Takt auf den Marmorboden. Die für Taubstumme Singende dürfte sich inzwischen fast den Kiefer ausgerenkt haben.

Letzter Auftritt, eine langsame Arie. Ich stand auf, drehte mich zum Publikum, sah aus dem Augenwinkel Lalinde (die Hand war wieder am Mundwinkel gelandet) und begann zu singen. Nach etwa zweiundzwanzig Takten ging die hintere Kirchentür auf. Langsam, zögernd. Da hatte sich jemand in der Uhrzeit vertan. Der Jemand schob sich, um Lautlosigkeit bemüht, in die Kirche.

Ich mußte meine ganze Zwerchfelltechnik zu Hilfe nehmen, um nicht ins Wackeln zu geraten.

Es war der Gediegene.

4

Empfänge nach Konzerten sind immer angenehm. Man bekommt nette Worte zu hören, eventuell sogar Beifall, wenn man in einer Rede löblich erwähnt wird (»Und ganz besonders danken wir unseren hervorragenden Solisten…«), und man bekommt, und das ist das Beste, ein Glas in die Hand. Mit dem steht man, fühlt die herrliche Entspannung im Körper, die sich trotzdem nicht in Schlappheit umwandelt, sondern in fröhliche Energie, um zu reden, zu lachen, Leute zu beobachten, Leute kennenzulernen, neue Verbindungen zu knüpfen (sehr wichtig!) und mit den Kollegen über deren mehr oder weniger neiderregende Karriere zu plaudern.

Diesmal war es anders. Meine soeben beschriebene »fröhliche Energie« wollte sich nicht einstellen. Eher eine leicht hysterische innere Spannung. Ich fühlte mich wie eine aufgedrehte Puppe. Vermutlich hatte ich von den zwei Gläsern

Wein, die ich hastig hinuntergestürzt hatte, bereits rote Flecken im Gesicht.

Der Gediegene war einfach mitgekommen. Als gehörte er dazu. Ich wußte noch nicht einmal seinen Namen, aber er schien Spaß daran zu haben, hier in aller Öffentlichkeit als mein selbstverständlicher Begleiter aufzutreten. Immer wenn Chor- oder Orchestermitglieder auf mich zutraten, fürchtete ich, ihn vorstellen zu müssen. Das besorgte er aber selber, verbeugte sich knapp und höflich (gediegen eben) und nannte einen Namen. Ich sage, *einen* Namen, denn er nannte jedesmal einen anderen. Bei der Gastgeberin sagte er: »Guten Abend, Bröll, herzlichen Dank für die Einladung«, bei dem Pastor: »Schiedermann, guten Abend, Herr Pfarrer«, bei dem Dirigenten: »Bürgener, meinen herzlichen Glückwunsch zu dem gelungenen Konzert!« Artig, höflich, wohlerzogen. Und unverschämt. Eine weißblusige Dame aus dem Chor (es war die für Taubstumme Zuständige) nahm ihn beiseite und sagte gönnerhaft: »Ihre Frau hat wirklich toll gesungen, wenn man bedenkt, daß sie eingesprungen ist!«

»Das finde ich auch«, antwortete der Gediegene dreist, »besonders, weil sie gestern abend noch in Frankfurt gastiert hat!« Worauf die Taubstummenfreundin ehrfurchtsvoll staunend mit ihrem Pappteller, auf dem verschiedene Salate prangten, weiterging.

Ich stand da, mit meinem halbvollen Glas und meinen roten Flecken im Gesicht, und bot schätzungsweise einen liebreizenden Anblick. Der Gediegene schob mich in Richtung kaltes Buffet.

»Sie sollten was essen!«

Mir war beim besten Willen nicht danach.

An der Tür lehnte Lalinde. Er war mit der Sopranistin gekommen, doch diese saß inzwischen auf der Stuhllehne des Dirigenten, in der einen Hand ein Sektglas, in der anderen den Terminkalender.

Lalinde schaute zu uns herüber. Regungslos. Zog schmallippig an seiner Zigarette. In der linken Hand hielt er das goldene Zigarettenetui. Er kam mir vertraut vor.

Der Gediegene hieß mich auf ihn warten, er werde mich

versorgen, einen kleinen Moment, bitte. Ob es etwas Lachs sein dürfe. Damit verschwand er in der Menschentraube, die sich am Buffet zusammendrängte.

Ich stand hilflos herum, trank mein Glas leer, suchte nach einem Weinflaschenherumträger.

Lalinde näherte sich zögernd.

»Zigarette?«

Ich griff zu. Meine zweite. Er gab mir Feuer, ich verbrannte mir fast die Nasenspitze. Nach dem ersten Zug wurde mir schwindelig. Ich atmete tief durch, setzte mein leeres Glas an die Lippen. Wie peinlich. Alles ausgesprochene Verlegenheitsgesten.

»Ich besorge Ihnen was zu trinken, oder läßt Ihr ausgeprägtes Emanzipationsbewußtsein das nicht zu?«

»Doch, ich hab gearbeitet, Sie haben sich amüsiert. Jetzt lasse ich mich gern bedienen.« Vielleicht etwas rotznäsig, mein Unterton.

Lalinde ging einem über der Menge schaukelnden Gläsertablett nach.

Von der anderen Seite kam mein offizieller Begleiter, der große Unbekannte mit den vielen verschiedenen Namen, mit einem vollgeladenen Teller auf mich zu.

»Da, Frau Sängerin. Alles für Sie!«

Er schob mir einen Stuhl zurecht, sehr artig, sehr gediegen. Kind, der Mann kommt aus gutem Hause.

Ich hatte keine Lust, mich zu wehren. Setzte mich hin und starrte auf den Teller. Allerlei Fleischiges, aufdringlich duftend, von verschiedenen Salaten liebevoll umlagert. Ungeschickt hielt ich die Zigarette von mir ab. Wohin jetzt mit dem Schwindel-Stengel? Die Asche an der Spitze wurde lang und länger. Ich mochte nicht mehr ziehen.

»Geben Sie her, ich rauche sie zu Ende.«

»Danke.« Kurze Erleichterung, dann das plötzliche Bewußtsein, welche deutliche Vertrautheitsgeste das war. Natürlich kam Lalinde in diesem Moment. Mit zwei vollen Sektgläsern. Setzte sich an meine freie Seite, sagte: »Auf Ihr Wohl. Sie haben phantastisch gesungen« und sah mich an mit einem Blick, den ich aus Frankfurt kannte. Dieses ganz leichte zynische Lächeln. Und trotzdem warm.

Ich meinte, die Herren miteinander bekannt machen zu müssen. »Das ist Herr Lalinde, ein Kritiker, und das ist Herr Bröll«, sagte ich und machte mir angelegentlich mit dem Fleischberg zu schaffen.

Die Herren sprangen, ihre Jacketts zuknöpfend, auf, reichten sich über meinen Teller hinweg die Hand. Der Gediegene hielt Lalindes Zigarette.

Ich suchte am Sektglas Halt. Lalinde trank mit.

»Sind Sie seit neuestem bei einer anderen Agentur?« fragte er mich.

Der Gediegene sah sich nach einem Glas um.

Ich verstand Lalinde sofort.

»Nein, nein, das sieht nur so aus.«

»Gastvertrag?«

»Noch nicht einmal das. Die Agentur war mir vorher nie bekannt.« Plötzlich machte mir diese Unterhaltung wahnsinnigen Spaß.

»Woher kennt die Agentur Sie?«

Der Gediegene hatte ein Glas gefunden und entkorkte gerade eine Sektflasche.

»Sie hat mich nie gehört. Reiner Zufall.«

Lalinde sah knapp an mir vorbei, vielleicht auf die leblose Tomate auf meiner Gabel.

»Es gibt eine Agentur, die sehr an Ihnen interessiert ist.«

Ich starrte auf sein Krawattenmuster. »So? Wieso denn das?«

»Die Agentur ist schon länger an Ihnen interessiert. Nur war sie bis vor kurzem mit einer anderen Sängerin in Exklusivvertrag.«

»Und jetzt nicht mehr?«

»Jetzt nicht mehr.«

Er strich mit seinem Zeigefinger über den Rand seines Glases. Seine Hand war gepflegt, aber rauh.

»Das war doch die mir bekannte…«

»Genau die. Sie hält auch viel von Ihnen.«

Ich sah ihn unsicher an. Deutete ich das alles richtig, oder bildete ich mir nur ein, daß dies ein handfester Antrag war?

Und die Erklärung, daß er sich von der gepflegten Dame, Größe 38, getrennt hatte?

»Ja... und ist die Kollegin jetzt bei einer anderen Agentur?«

Er lächelte zum erstenmal sehr warm und ohne jede Andeutung von Zynismus.

»Sie hatte schon lange damit geliebäugelt.«

Inzwischen verfolgte der Gediegene interessiert unser Gespräch. Er hatte Lalindes Zigarette ausgedrückt und war dann etwas näher zu mir herangerückt.

Zeit, das gefährliche Geplänkel zu beenden. Obwohl ich eine kaum zu bremsende Lust verspürte, mir auf diese Weise einen Heiratsantrag machen zu lassen.

»Ich denke, daß der Agent Sie anrufen wird«, sagte Lalinde und holte sein goldenes Zigarettenetui hervor.

»Er ist, und ich bitte Sie, das ernst zu nehmen, an einem Exklusivvertrag mit Ihnen interessiert!«

Das sagte er mit Nachdruck und ernsten Augen, während er – welch unnötige Handbewegung – auf das Mundstück der Zigarette tippte.

Ich fühlte, wie die roten Flecken in meinem Gesicht sich vergrößerten.

Lalinde stand auf mich. Ich hatte es irgendwie geahnt. Schon vor einigen Tagen, in Frankfurt.

Nun war es aber Zeit, sich um den Gediegenen zu kümmern. Lalinde verstand, unsere Unterhaltung war zu Ende. Er stand auf, verabschiedete sich höflich von meinem rechten Nebenmann und von mir, konnte sich aber eine Schlußbemerkung nicht verkneifen.

»Er ruft Sie in den nächsten Tagen an«, sagte er, »wahrscheinlich schon morgen.« Nahm sein Zigarettenetui und ging.

Ich sah ihm nach. Lalinde. Verdammt, ich mochte ihn.

»So, und das war also der Kritiker?« kam die andere Stimme von hinten.

Ich drehte mich um, hoffte, meine hysterischen Flecken würden nichts über meine Gefühle verraten.

»Ja, ich kenne ihn schon von anderen Konzerten her«, antwortete ich angelegentlich.

»Fan von Ihnen?«

»Ach was!« Warum log ich eigentlich?

Ich fühlte mich schrecklich unsicher, wäre so gern verschwunden, nach Hause in meine Wohnung gefahren, nachdenken. Jemandem nach-denken.

Aber jetzt griff ich den Stier bei den Hörnern. Mit einer nicht zu überhörenden Portion von Aggressivität: »So, großer Unbekannter. Nun zu Ihnen. Was soll dieses Spiel?«

»Ach, lieben Sie keine Spiele?«

Verfluchte zweideutige Antwort! Wußte er? Ahnte er? Kind, der Mann ist doch nicht blöd!

»Nicht mit dem großen Unbekannten! Diese Art Spiele mochte ich schon im Mathematikunterricht nicht. Alle nennen ihren Namen, und der große Unbekannte nennt sich X. Den darf man dann mühsam ausrechnen!«

Er lachte. »Musik und Religion eins, Kopfrechnen schwach?«

»Genau. Sonst wäre ich jetzt nicht hier, sondern vielleicht im wissenschaftlichen Institut für unterernährte Stadthühner.«

»Viel anders klang dies hier aber auch nicht. Höchstens wie gut ernährte Stadtgänse.«

Ich kicherte. Nicht-Musiker drücken manchmal grausam treffend aus, was Musiker höflich verschweigen.

»Also, Rumpelstilzchen«, sagte ich. »Ich heiße Rapunzel, und Sie?«

Ich bekam den ganzen Abend nicht raus, wie er hieß. Er nannte mich mit Begeisterung Rapunzel, war in lustiger Stimmung, plauderte, trank Sekt. Zwischendurch legte er den Arm um mich.

Völlig klar. Für den Chor und das Orchester war dieser mein Dazugehöriger. Und Rapunzel mögen die Ahnungslosen noch für ein nettes Kosewort gehalten haben.

Die Stimmung im Saal stieg, einige Musiker packten ihre Instrumente wieder aus und spielten zum Tanz auf. Das konnten keine Profis sein. Profis packen nie freiwillig ihre Instrumente aus. Man jubelte, lachte, veranstaltete eine Polonaise, wir wurden mit in den Kreis gezogen.

Die anderen Solisten waren längst weg. Wahrscheinlich mit dem Hinweis darauf, morgen ganz früh schon zum nächsten Konzert reisen zu müssen.

»Die Altistin und ihr Mann sind noch da, die anderen sind schon weg!« hörte ich eine weißblusige Dame sagen. Da hatten wir den Salat. Es war wie eine blöde Verwechslungskomödie, die so dann und wann samstags abends in irgendeiner unverständlichen Mundart im Fernsehen kommt.

Die Polonaise löste sich auf, weil jetzt Dreivierteltakt angesagt war. Walzer.

Der Unbekannte tanzte eher mittelgut. Trotzdem, er war ungeheuer groß und breit, wenn auch nicht so dreivierteltaktfreudig, wie meine hohen Ansprüche dies verlangt hätten. Aber ich konnte mich gut an ihm festhalten. Das war auch nötig, nach vier Gläsern Wein, einer halben Zigarette, einem unmißverständlichen Antrag von Lalinde und nichts Erwähnenswertem im Magen. (Während meiner Exklusivverhandlungen hatte der Gediegene dem Fleischberg auf meinem Teller den Garaus gemacht.) Ich fühlte eine sehr große, weiche, warme und andeutungsweise feuchte Hand in der meinen und das Gegenstück dazu etwas zu wenig locker auf meinem Rücken.

Er strahlte auf mich herunter.

Ich mußte fürcherlich aussehen, spürte ich doch genau, daß keinerlei vornehme Blässe mein Gesicht zierte.

»Sie tanzen gut!« scherzte er fröhlich.

»Sie auch«, log ich zu ihm hinauf.

»Sie haben auch sehr schön gesungen«, setzte er seine Komplimentennummer fort. »Ich hätte nicht gedacht, daß aus so einer jungen Frau solche lauten Töne kommen können!«

»Tja, studiert ist studiert! Sie fragen mich wenigstens nicht, was ich sonst so beruflich mache. So in der Art: ›Und was machen Sie tagsüber?‹«

»Werden Sie so etwas Dummes gefragt?«

»Ja, häufig.«

»Das ist ja so, als würden Patienten mich fragen, was ich nach unserem Plauderstündchen täte. Ob ich dann zur Arbeit ginge.«

Ich lachte. Er lachte. Zur Feier des gemeinsamen Lachens versuchte er einen Extra-Schwenker mit gewagter Halbkreisdrehung. Er mißlang.

»Und Sie haben eine richtige psychiatrische Praxis, so mit Couch und ›Herr Doktor, meine Mutter hat mich zu früh vom Topf geholt‹?« nahm ich unser Gespräch wieder auf. Hauptsächlich, um den peinlichen Schwenker zu ignorieren.

Er lachte wieder. Diesmal ohne Schwenker. Unser Tanzen war inzwischen mehr so ein Gewichtverlagern von einem Bein zum anderen, leider auch eher arhythmisch zur Musik.

»Eigentlich ist es eine Gemeinschaftspraxis. Ein Studienkollege von mir hat eine Praxis geerbt, und als diese sehr gut ging, hat er mich als Gesprächstherapeuten mit hineingenommen. Von Hause aus bin ich aber Mediziner. Ich weiß noch nicht, ob ich das lange machen möchte. Ich bin eigentlich Internist.«

»Ach«, sagte ich und ließ beiläufig fallen, daß mein Opa ebenfalls einer war. Irgendwie wollte ich bei dem Mann gute Karten haben.

Jetzt sagte er: »Ach«, und dann hörte die Musik auf.

Wir gingen zum Tisch zurück, er schüttete mein Sektglas voll. Anscheinend liebte er meine roten Flecken.

»Ich muß noch fahren«, sagte ich kleinlaut.

»Kommt nicht in Frage. Ein Taxi werden Sie sich von Ihrem Honorar doch noch leisten können«, ordnete er an.

Ich hatte keine Lust, mich von ihm bevormunden zu lassen. »Sagen Sie mir noch als letztes, warum Sie im Verkehrsamt angerufen haben und dann sogar nach hier in diesen etwas abgelegenen, kulturell vernachlässigten Vorort gekommen sind!«

»Was wollen Sie denn hören? Daß ich Sie wiedersehen wollte? Daß ich Ihnen die Sängerinnen-Story nicht geglaubt hatte oder daß ich mich davon überzeugen wollte, daß Sie singen können? Daß ich Sie mal im Abendkleid sehen wollte und nicht nur in Jeans?« Er sah an mir herunter. Ich hatte mich direkt nach dem Konzert umgezogen und tatsächlich knallrote Cordhosen an.

»Daß Sie Langeweile hatten und nicht wußten, wie Sie den Samstagabend herumbringen sollten«, konterte ich. »Dabei liegen mindestens fünf ungelöste Fälle von Klaustrophobie, Eß-, Brech- und Magersucht und von Mutterhaß auf Ihrem

Schreibtisch, und Ihre Frau will mit Ihnen in die Oper, und Ihr Jüngster kriegt gerade einen Zahn!«

Ich hoffte, durch diese dreisten Angriffe etwas über ihn zu erfahren. Aber er lachte nur.

»Mutterhaß und Magersucht haben Zeit bis Montag. Meine Frau liebt es, allein in die Oper zu gehen, und mein Ältester ist immer noch zahnlos.«

Also nichts. Der große Unbekannte.

Wir »tanzten« noch ein-, zweimal, er schüttete noch mal mein Sektglas voll. Dann war allgemeiner Aufbruch. Anscheinend wurde das Gemeindehaus abgeschlossen, oder der Vorstand war müde. Einige weißblusige Jubelgestalten mit dazugehörigen Männern zogen noch in eine benachbarte Kneipe.

Ich schnappte mir meine Konzert-Plastiktüte, in der Noten, Schuhe, Kleid, Lutschpastillen, eine Stimmgabel, die Honorartüte, ein Stadtplan, ein Krimi (für lange Proben) und einige Visitenkarten von mir aufbewahrt wurden. Der Dirigent schüttelte mir herzlich eine schweißfeuchte Hand, sagte etwas von »Wunderbar und bestimmt nicht das letzte Mal«, verabschiedete sich genauso herzlich von dem großen Unbekannten und rief uns nach: »Fahren Sie schön vorsichtig!«

Ich ließ mein Auto tatsächlich stehen.

Der große Unbekannte bot mir zwar an, mich nach Hause zu fahren, aber ich wollte nicht, daß er wußte, wo ich wohnte. Ich ließ mir ein Taxi rufen und fuhr für über dreißig Mark nach Hause.

Die Straßen waren dunkel und still, und feiner Sprühregen glänzte vor den Scheinwerfern.

Der große Unbekannte hatte nur gesagt »Tschüs, kleine Sängerin« und war wieder in das halbdunkle Gemeindehaus zurückgegangen. Wahrscheinlich hatte er dort seinen Schirm stehenlassen. Gediegene Männer Mitte Dreißig haben immer einen Schirm.

Zu Hause schaute ich in den Spiegel und sagte zu meinen roten Flecken: »Du legst es aber auch drauf an!«

5

Wenn andere Leute an trüben Novembersonntagen zu Hause herumsitzen und nicht wissen, was sie machen sollen, außer essen, trinken, schlafen, telefonieren und sich und andere langweilen, so sind solche Sonntage für mich genauso wie für Verkäuferinnen die langen Samstage. Es ist Hochbetrieb in Kirchen und Konzertsälen, jede Gemeinde möchte das Ihrige beitragen zum Büßen, Beten, Volkstrauern, zum Beweinen der Toten und Beleben der Kulturszene. Auf meinem Klavier häuften sich Bach-Kantaten, Telemann- und Vivaldi- und Händel- und Mozart-Requiems. Ich saß davor und paukte mir das Programm für den nächsten Auftritt ein.

»Autobahnausfahrt Wiehl oder Gummersbach, dann immer den Schildern nach Altenbüschel nach und bei der abknickenden Vorfahrt geradeaus, in steilen Serpentinen den Berg hinunter, dann kommt ein Getränkegroßmarkt und gleich dahinter auf einem Hügel die Kirche...«

Und genau diese Kirche sollte ich heute am Spätnachmittag beehren, mit meinem »volltönenden Alt«, wie ein wohlmeinender Dorfkritiker vom »Oberbergischen Kulturanzeiger« jüngst so treffend formuliert hatte.

Unpassenderweise stand mein Wagen noch am Gemeindehaus des gestrigen Geschehens, es goß in Strömen, und ich hatte keine Lust, schon wieder dreißig Mark für ein Taxi auszugeben. Welche Freundin würde mich wohl uneigennützigerweise mal eben zu meinem Auto fahren?

Das Telefon klingelte. Egal, wer dran war, irgendeine Freundin war es bestimmt. Die würde ich sanft, aber unüberhörbar um diesen Gefallen bitten.

»Sind Sie schon eingesungen?«

Georg Lalinde! Das ging aber schnell.

»Fragen Sie das im Namen der Agentur oder als Kritiker?« versuchte ich dieser Überrumpelung Herr zu werden.

»Als ganz privater Fan von Ihnen.«

(Hach! Wie gut, daß mein Privatfan mich nicht sehen konnte! Ich hockte in meinem orangefarbenen Einmannzelt von Frotteepyjama und in meinen mit Lammfell gefütterten Pantoffeln am Klavier und malträtierte den Autoatlas!)

»Falls Sie mich in Verlegenheit bringen wollen, müssen Sie schon was anderes versuchen!«

Ich kehrte wieder die emanzipierte, jungdynamische Alleinlebende im fortgeschrittenen Stadium ihrer Selbstverwirklichung heraus.

»Was denn?« kam es aus der Leitung.

Mir fiel nichts ein. Sollte ich sagen: mich in die Sauna einladen? Das hätte mich tatsächlich in Verlegenheit gebracht.

»Zum Beispiel, mir sieben dunkelrote Rosen schenken und mich dabei um die Hand meiner Tochter bitten«, sagte ich.

Er lachte. »Also ersteres habe ich sowieso schon vor, und letzteres täte ich in fünfundzwanzig Jahren, wenn Sie eine Tochter hätten, die Ihnen sehr ähnlich wäre.«

Georg Lalinde machte irgendwie zauberhafte Komplimente. Sie waren wenigstens nicht abgedroschen. »Sie haben wunderschöne Augen«, oder ähnliche ideenlose Bemerkungen kann ich nicht ausstehen. Dann lieber Sätze mit drei oder mehr Konjunktiven.

»Sie sollten sich als Großvater nicht an meine Tochter heranmachen«, konterte ich frech. »Die wird frühreif genug sein, bei der Jugend von morgen.«

»Und bei der Mutter«, unterbrach mich der Telefonhörer.

Ich sah ihn ratlos an. Auf was für eine Diskussion hatte ich mich nun schon wieder eingelassen!

»Zumal sie völlig vaterlos aufgewachsen ist, die arme Kleine«, spann ich den Phantasiefaden weiter.

»Um so mehr wird sie einen Mann von Anfang Siebzig zu schätzen wissen«, kam es aus dem Hörer.

»Meinen Sie, daß Sie bis dahin geschieden sind?« stichelte ich. »Der Umgang mit verheirateten Männern wird meiner Tochter streng verboten sein!«

»Nur weil es der Mutter verboten war, sollten Sie ihn nicht Ihrer Tochter verbieten.«

»Wieso kommen Sie darauf, daß mir der Umgang mit verheirateten Männern verboten ist?« blähte ich mich auf.

»Also sehen wir uns heute?«

Peng. Eins zu null für ihn. Vendramin, was soll ich sagen? (Das ist aus einer Busoni-Oper und paßt auf ziemlich viele Situationen des modernen Alltags.)

»Äm, das geht nicht. Ich hab… ich muß mein Auto, also, ich bin verab… bei dem Wetter… Nein. Es tut mir leid. Ich hab zu singen.« Warum sollte ich es eigentlich nicht zugeben. Sollte er doch wissen, daß er es mit einer vielgefragten Künstlerin zu tun hatte.

»Wo?«

»Wieso?«

»Es interessiert mich!«

»Es gibt dort schon einen Kritiker. Er hat keine Ahnung, aber er ist mir wohlgesonnen. Ich bin ein wohltönender Alt.« (Das war ja ein Eigentor!)

»Ich bin Ihnen auch wohlgesonnen!«

»Ja. Langsam begreife ich es.« Ich gab nach. Die aufgeblähte Kammersängerin fiel in sich zusammen. Zurück blieb ein orangefarbener überdimensionaler Frotteepyjama, in dem ein Herz unrhythmisch und aufdringlich klopfte.

»Darf ich mitfahren?«

Da könnte mein Wagen am Gemeindehaus stehenbleiben! Ich ließe mich ins Oberbergische kutschieren, könnte dabei die Karte lesen und hätte keine Sorgen mit Glatteis, Matschwetter und Nebelschwaden.

»Na gut. Es ist aber nichts Weltbewegendes. Sie dürfen wirklich nicht als Kritiker mitkommen!«

»Ich sagte doch schon, daß ich Ihr Fan bin!«

»Lassen Sie aber den blauweißgestreiften Schal und die Spruchbänder zu Hause«, sagte ich. »Und singen Sie nicht allzulaut, wenn Sie vom Bahnhof nach hier ziehen. Und versuchen Sie, keine Schaufenster einzuschmeißen. Die Polizei hier ist schon gar nicht mehr gut auf mich zu sprechen.«

Dabei mußte ich kichern. Wie ich schon erwähnte, muß ich leider öfter über meine eigenen Witze kichern. Das ist natürlich völlig unprofessionell.

»Also, ich hole Sie ab. Wann darf ich kommen?«

»Um drei Minuten nach sechs. Und bringen Sie ein Auto mit!«

Er kam. Um genau drei Minuten nach sechs. Wahrscheinlich war er schon einige Zeit unten vor meinem unromantischen Mietshaus (Marke: Nachkriegsgrau) auf und ab gegangen. Und brachte sieben dunkelrote Rosen.

Ich hockte auf dem Beifahrersitz seines ausladenden Familienopels und litt. Dieser Mann fuhr Auto wie eine vierundfünfzigjährige Hausfrau aus Schloß Holte auf dem Weg zum Wochenmarkt nach Stukenbrock. Auf grüne Ampeln fuhr er mit 40 zu, während er auf rote Ampeln geradezu lospreschte, um dann kurz davor eine Vollbremsung zu veranstalten. Das Lenkrad hielt er mit beiden (lederbehandschuhten) Händen krampfhaft fest, als wolle er es am Wegfliegen hindern. Sein Sitz war viel zu niedrig eingestellt, und jedesmal, wenn er in den Rückspiegel schaute (was er zu den unpassendsten Momenten tat), setzte er sich ruckartig auf und reckte den Hals, worauf der Opel meistens einen bockigen Schlenker machte. Wie sollte ich auf diese Weise jemals ins Oberbergische gelangen, ohne nervlich völlig fertig zu sein? Schließlich mußte ich noch ein Konzert singen, wenn es auch »nur« ein Mozart-Requiem und eine Telemann-Kantate war, vor rüstigen und büßenden oberbergischen Hausfrauen wahrscheinlich und deren rotwangigen Ehemännern, die vermutlich nur widerwillig mitgekommen waren, weil sie lieber zu Hause bei Kaffee und bergischen Waffeln die »Sportreportage« oder ähnliches erlebt hätten.

Ich hockte also stumm und bleich auf dem Beifahrersitz, den wahrscheinlich sonst immer die adrette Hosenanzugdame, Größe 38, geziert hatte, und umklammerte den Autoatlas und die Noten.

»Lampenfieber?« fragte Nicki Lauda zu meiner Linken.

»Und wie!« gab ich zu.

»Wollen Sie sich irgendwie ablenken? Soll ich Musik anmachen?« Er begann, am Radio herumzufingern, worauf der Opel einen heftigen Schlenker in Richtung Gosse machte.

»Nein, vielen Dank, ich würde mich gern etwas auf das Konzert konzentrieren«, log ich.

Ich konzentriere mich sonst niemals kurz vorher auf das Konzert. Das gibt nur Darmsausen und schweißfeuchte Hände.

»Erzählen Sie mir doch was«, sagte ich hoffnungsvoll.

»Ich denke, Sie wollen sich konzentrieren.«

Der Opel quälte sich bei 40 im vierten Gang einen oberbergischen Hügel hinauf. Hinter uns blinkte eine Lichthupe.

»Nein, lieber ablenken!«

Der Lichthuper überholte übellaunig.

Herr Lalinde schaltete in den dritten Gang. Ich atmete auf. Mehrere Autos überholten. Einer hupte.

»Also gut. Ich erzähle Ihnen von einem Liederabend, den ich vorgestern abend in der Düsseldorfer Rheinhalle hörte. Es sang...«

Ich weiß nicht mehr, wer sang. Hermann Prey oder Anneliese Rothenberger mögen mir verzeihen. Sie haben Herrn Lalinde auf jeden Fall sehr beeindruckt. So sehr, daß sein Opel fast gar nicht mehr weiterrollte, weil ihre Koloraturen und die Pianissimi in extremer Höhe Lalinde einfach den Atem verschlugen. So stand es auch in der Kritik der rheinischen Kulturblätter, für die Lalinde schrieb.

Wir erreichten die oberbergische Kirche mit zwanzig Minuten Verspätung. Kleinlaut schlich ich auf meinen Platz und erntete einen unfreundlichen Blick der stabschwingenden Dame am Dirigentenpult. Sie war die Königinmutter der ganzen oberbergischen Musikszene, und ich kleine namenlose Sängerin aus K. wagte es, zu ihrer Durchlaufprobe zwanzig Minuten zu spät zu kommen. Ich murmelte etwas von Stau und Nebel, aber sie würdigte mich keines Blickes. Man war schon beim Vorspiel des »Recordare« angelangt, und sie gönnte mir keine Sekunde zum Verschnaufen oder Mantelausziehen oder gar Räuspern. Auf los ging's los. Auch in Sankt Getränkegroßmarkt oder wie diese barocke Sauerlandbasilika heißen mochte. Ich zwang mein Zwerchfell zur Konzentration – präziser: zur Kontraktion – und legte noch ein ganz schönes Recordare hin, sogar ohne zu atmen, da, wo sonst alle atmen. Sogar die auf der Schallplatte. Mein Formel-I-Fahrer und persönlicher Fan hockte in einer der hinteren Reihen, die Hand am Mund, und machte mich nervös.

»Benötigen Sie eine Freikarte für Ihren Herrn Bekannten?« Ein devoter Kartenabreißer, hauptberuflich vermutlich Küster und gleichzeitig bergischer Hilfsförster, näherte sich meinem linken Ohr von hinten.

»O ja, bitte, wenn das möglich ist«, antwortete ich irritiert.

Mein Herr Bekannter saß derweil regungslos und versunken und völlig ohne Freikartenlegitimation auf einer hölzernen Bank.

»Wer ist denn der?« wollte meine Kollegin am Sopran wissen.

Ich kannte sie vom Studium und von einigen gemeinsamen sensationellen Debüts in Lindlar, Oberwinter und Schwelm her. Wir waren eigentlich ziemlich gut befreundet. Obwohl ich sonst mit Sopranen seltener befreundet bin. Soprane sind so eine Sorte für sich. Immer indisponiert, kränklich, empfindlich und dabei so ungeheuer wichtig und unentbehrlich für die Menschheit. Ihre hohen Töne sind das einzig Entscheidende am ganzen Konzert, und die drei »Unterstimmen« sind unvermeidliches Beiwerk.

Uschi war anders. In ihrer Seele war sie mindestens ein Mezzo. Sie war weder überkandidelt noch krank vor Sorge um ihre Stimmbänder, und wenn man sich privat mit ihr unterhielt, kam sie niemals auf den Gedanken, über Gesang im speziellen oder Musik im allgemeinen zu reden. Thema waren meistens Männer oder Kollegen. Unglaublich ergiebige und kurzweilige Quellen gemeinsamer Heiterkeit. Ich erklärte ihr, daß es sich um den bekannten Kritiker Georg Lalinde handele.

»Der immer diese bissigen Verrisse in der ›Opernwelt‹ und im ›Orchesterwesen‹ schreibt? Mit so einem gibst du dich ab? Protegiert er dich wenigstens? Meine Liebe, das ist ja musikalische Prostitution!«

Von dieser Seite aus hatte ich das noch gar nicht betrachtet. Ziemlich erschrocken mußte ich feststellen, daß ich dieses Image leicht bekommen könnte, wenn ich mich mit ihm in der Öffentlichkeit sehen ließe.

»Nein, Irrtum vom Amt«, nuschelte ich durch die Zähne, einen ungnädigen Blick der Königinmutter am Taktstock auffangend. Wir standen wieder auf und sangen das nächste Quartett. Danach war die Probe beendet, und wir verschwanden in der Sakristei, um uns umzuziehen.

Bei mir bedeutete das immer nur: schwarzen knitterfreien, pflegeleichten, kofferfreundlichen Umhang über die Jeans, außen hui, innen pfui. Ein Geschenk meiner Tante Lilli aus der Zeit, wo sie mit Begeisterung mit »runtergesetzten« Kleidungsstücken – »aber Qualität, reine Baumwolle und völlig zeitlos, Kind, das kaschiert« – Einfluß auf mein äußeres Erscheinungsbild nahm: »Wie du kommst gegangen, so wirst du auch empfangen.« Und: »Kind, das macht schlank und ist gediegen.«

Dieser schwarze knitterfreie Sack »kaschierte« tatsächlich, früher meine spätpubertären Babyspeckreste, heute meine komplette Alltagskleidung, die ich darunter trug. Als Entschuldigung hatte ich immer vorzubringen daß spätherbstliche oder gar adventliche Kirchen stets kalt zu sein pflegten und ich außerdem beim Umkleiden in der Sakristei keinen Pastor in Verlegenheit bringen mußte, der gerade angelegentlich die Predigt für den morgigen Gottesdienst vorbereitete.

»Läßt du wieder das Fahrrad drunter?« stichelte nun Uschi, die sich bis auf einen lila Slip vollkommen nackt ausgezogen hatte, um ihr knappes Spaghettiträgerkleid über den beneidenswert knackigen Busen zu zwängen. (Das Konzert sang sie dann im Mantel.)

Mit einem eiskalten Windstoß kam der devote Hilfsküster durch die Außentür herein. Erschreckt wendete er den Blick von dem Knackbusen meiner Kollegin und raunte mir zu: »Ihr Herr Bekannter hat seinen Wagen vor die Einfahrt der freiwilligen Feuerwehr geparkt, er müßte ihn bitte noch wegsetzen!«

Uschi verschluckte sich fast unter ihrem Taft- und Seidenfummel.

»Ihr Herr Bekannter!« unkte sie mit sich überschlagender Stimme, »das ist ja göttlich! Was fährt er denn für 'ne Kiste? Wenigstens einen Cadillac?«

»'n Türkenopel«, antwortete ich müde und ging in die Kirche, um meinen Herrn Bekannten zu bitten, selbigen vielleicht vor einer anderen Scheune zu parken als ausgerechnet vor der der freiwilligen Feuerwehr.

Das Konzert war beendet. Beifall wurde mit wütendem Gezisch im Keim erstickt, schließlich sollten die oberbergischen Toten mit Würde besungen werden. Die ungnädige Dirigentin ließ mir das Honorar durch den devoten Hilfsförster übergeben und sich selbst nicht dazu herab, mir noch einen Händedruck oder gar ein Wort des Dankes zu widmen. Ziemlich beklommen entledigte ich mich meiner Arbeitskleidung und verabschiedete mich von Uschi.

»Komm doch noch mit zu mir! Hans hat Geburtstag, und wir feiern heute abend!« sagte sie fröhlich.

»Aber ich bin nicht allein…« setzte ich an.

»Deinen Herrn Bekannten bringst du natürlich mit!« frohlockte sie. »Wir wollen doch was zu lachen haben!«

Ich war mir nicht sicher, ob es angebracht war, Georg Lalinde im Popelinemantel, mit Krawatte und Bügelfaltenhosen mitsamt seinem Türkenopel mit in das Studentenheim zu bringen, wo die Geburtstagsparty von Hans stattfinden sollte. Hans wurde siebenundzwanzig und war in der alternativen Studentenszene beherbergt.

»Ich werd's ihm antragen, vielleicht kommen wir noch, oder sonst komm ich später allein.«

»Nein, bring ihn mit«, krähte sie hinter mir her. Ihr Knackbusen wippte unternehmungslustig, als sie sich aus der Taftseide schälte.

Als erstes mußte ich meinem Herrn Bekannten antragen, daß ich gerne selber fahren würde. Es ging reibungsloser als befürchtet. Nachdem ich den Sitz aus seiner Liegeposition geschraubt und einen halben Meter nach vorn gefahren hatte, fühlte ich mich in dem Opel wie seinerzeit in dem großväterlichen Gefährt, das meine ersten Fahrversuche über westfälische Äcker und Waldwege ausgehalten hatte.

»Hätten Sie Lust, noch bei der Sopranistin reinzuschauen? Ihr Freund hat Geburtstag, und sie feiern heute.«

Intensiver Seitenblick vom Beifahrersitz her.

»Wenn Sie das gerne möchten…«

»Was möchten Sie denn gerne?« Ich zog den dritten Gang bis 80 hoch.

»Ich möchte gerne noch etwas in Ihrer Nähe sein.«

»Also Fete?« Ich war seinen romantischen Anwandlungen nicht im mindesten gewachsen.

»Wenn Fete bedeutet, mit Ihnen zusammenzusein, dann Fete.« Er sprach das Wort »Fete« besonders französisch aus.

»Also dann.« Ich gab Gas, vielleicht ein bißchen viel Gas,

aber der Opel gab dankbare, gesunde Geräusche von sich und billigte mir immerhin 180 Sachen auf der Autobahn zu. Lalinde ließ sich über das Konzert aus. Er hatte ein unglaublich geschultes Ohr, wußte haargenau die Schwächen der einzelnen zu benennen und nannte sogar präzise Taktzahlen, in denen Unsicherheiten zu hören gewesen waren. Nur an mir ließ er alle guten Haare. Er sprach von vielversprechender Stimme, von Zukunft und Karriere. Ein winziger Floh in meinem Ohr begann, sich zu aalen und wohlig zu grunzen. Ich schlug ihn aber gleich mit einer imaginären Fliegenklatsche zu Brei. Schließlich bin ich sehr energisch zu Bescheidenheit erzogen worden.

»Karriere ist ein absolutes Fremdwort für mich«, belehrte ich meinen Beifahrer. »Wozu habe ich meine gutbezahlten Chorjobs. Außerdem liegt mir überhaupt nichts daran, abgesehen davon, daß mir die stimmlichen und persönlichen Mittel fehlen!« Tiefstapeln ist immer besser als Hochstapeln. Es regt den Gesprächspartner zum Widerspruch an und erhält jede Sympathie. Georg Lalinde protestierte wie erwartet höflich, und ich konnte in der Dunkelheit sein kleines, zynisches Lächeln nur erahnen.

Die »Fête« ist mir in lebhafter Erinnerung. Um einen selbstgebauten Tresen im Barkeller des Studentenheims »Rote Erde« drängelten sich Latzhosenfrauen, Lederjackentypen, einige Schickimicki-Miezen und dazugehörige Lacoste-Hemden-Träger, knackige Studentinnen aus der Generation unter mir (ich bedachte sie mit froh-wehmütigem Blick) und Jünglinge, für die ich allenfalls mütterliche Gefühle entwickelt hätte.

Uschi stand hinter der Theke, schenkte Wein und Bier und härtere Sachen aus und verbreitete mit ihrer durchdringenden Stimme gute Laune.

»Hallo, da seid ihr ja!« brüllte sie durch die Rauchschwaden, und alle Köpfe drehten sich zu uns um. »Möchte Ihr Herr Bekannter vielleicht etwas Champagner und Kaviar?«

Es war ein ausgesprochen peinlicher Moment. Mir wurde bewußt, wie blöd unser Auftritt war: ich in meinem üblichen Jeans-Pulli-rote-Stiefel-Aufzug, beladen mit einer Plastiktüte (Noten, Schuhe, Kleid) und einem Klavierauszug des

Mozart-Requiems, und er, mein Herr Begleiter, im unauffälligen Familienvaterdreß, mit sehr korrekt gezogenem Scheitel und blankgeputzten braunen Schuhen. Er fingerte sich gerade eine Zigarette aus seinem goldenen Zigarettenetui und zündete sie mit seinem Feuerzeug an, das mit seinen Initialen versehen war. GL, das gleiche Zeichen, das unter seinen Kritiken stand.

Wir bekamen beide einen Pappbecher in die Hand gedrückt mit nicht mehr ganz taufrischem Sekt. Nachdem wir uns der Garderobe entledigt hatten (man warf seinen Mantel auf einen Kleiderhaufen im Flur, der an eine mildtätige Sammlung fürs Rote Kreuz erinnerte), zogen wir uns auf ein abgewetztes Sofa in den Hintergrund des halbdunklen Raumes zurück.

Mein Herr Bekannter saß dort, artig und adrett, und ich mußte grinsen, weil er mich so an Loriot erinnerte. Jetzt nur kein dazu passender alberner Small talk! Ich leerte meinen Pappbecher in einem Zug, worauf er sich sofort anschickte, mir neue Labsal zu besorgen. »Was möchten Sie trinken?« Er stand auf und strich sich die Bügelfaltenhose glatt. Er brachte Wein, in einem richtigen Glas, wir tranken abwechselnd daraus. Meine roten Flecken begannen sich wieder einzustellen. Er hielt mir sein Zigarettenetui hin, ich griff zu. Tod und Teufel, wie ekelerregend doch so eine Zigarette schmecken konnte! Schwindel und ein übler Geschmack im Mund stellten sich ein, ich griff wieder zum Glas. Verfluchte Verlegenheitsgesten!

Loriot am Sofaende lächelte mild-zynisch. Statt zu sagen: »Machen Sie doch Ihr Jodel-Diplom, dann haben Sie etwas Eigenes«, ließ er vernehmen:

»Ich soll Sie schön von meiner Frau grüßen.«

»Äm, ja, vielen Dank. Kennt Sie mich denn noch?«

»Aber ja. Wir haben an dem Abend, als wir Sie kennenlernten, noch lange von Ihnen gesprochen.«

»Von mir als Chorknüppel?« (Tiefstapeln ist besser...)

»Von Ihnen als Frau!« (Na bitte!)

»Und was war ihr Beitrag zu diesem Thema?«

»Ihrer oder meiner?« Georg Lalinde wußte nicht, ob ich das »ihr« groß oder klein geschrieben hätte.

Wortgefechte sind manchmal wie ein Ballwechsel im Tischtennis. Irgendwann schafft man es, den Ball so zurückzuschlagen, daß der andere sich bücken muß.

Ich ging in die Defensive.

»Die Meinung Ihrer Frau vielleicht als erstes. Ladies first.«

»Sie war sehr angetan.«

Ich holte zum Schmetterball aus.

»Und der werte Gatte? Was hat er gesagt?«

»Eine Frau zum Stehlen!«

Peng. Zurückgeschmettert. Den Ball kriegte ich nicht mehr. Ich mußte mich bücken. Das heißt, ich griff zum gemeinsamen Glas, hielt es fest und schaute hinein. Und jetzt? Spiel mit dem Feuer, wie bist du so reizvoll. Kind, laß es!

Ich versuchte, die elende Zigarette auszudrücken. Er half mir dabei, fein zynisch-schmallippig lächelnd, und seine Hand war rauh und kühl.

Eigentlich hatte er es mir nun deutlich genug gesagt.

Er wollte was von mir. Was genau, wußte ich nicht. So abenteuermäßig war er eigentlich nicht einzuschätzen. Dazu war er viel zuwenig »Anmacher«. Was jetzt, Alte? Wie nun schöpferisch reagieren? Sollte ich am besten ganz deutlich sagen: »Sie wünschen, bitte?« Aus dem Alter des Katze-und-Maus-Spiels waren wir beide heraus.

Jemand hatte eine Bläck-Fööss-Platte aufgelegt. »In unserem Veeheedel, lalalalaa...«

Heimatgefühle überfrauten mich. Die Lust zu tanzen und gleichzeitig, ihn zu spüren, ohne weiterreden zu müssen, waren riesengroß.

Wir tanzten.

Völlig anders als gestern abend – war das erst gestern? War das erst einen einzigen Tag her, daß ich in den starken Armen des Gediegenen im Gemeindehaus von St. Hildebold zu selbstgeschrammelten Walzerklängen gegen den Takt geschwenkt worden war?

Um uns herum schwankten eng aneinandergepreßte Paare durch die Rauchschwaden, manche hatten sich zu viert oder fünft zusammengeschart, wiegten sich laut mitgrölend zur Musik und konnten ihr Heimatgefühl und die Empfindung, in diesem unserem Rheinlande zusammenzugehören, nicht unterdrücken.

Ich sang auch mit. Ganz ohne Talent, aber tief empfunden und ausgesprochen angetörnt.

»Denn hier hält man zosamme, ejaaal wat och passeeeht… in unserm Veehedel.«

Mein Herr Bekannter – man sollte es nicht für möglich halten, der scharfzüngige Kritiker, der zynische Beckmesser, der hochsensible Musikkenner, er sang auch. Und traf sogar die Tonhöhe exakt. Im braunen Jackett und mit hellblauem Hemd und dunkelblauer Krawatte. Und sehr blankgeputzten Schuhen.

Später, als er mich nach Hause gebracht hatte, machte ich ihm noch einen Kaffee in meiner roten Küche. Alles in meiner Küche ist rot, vom Lichtschalter über die Tapete bis zum Suppenteller. Es ist vielleicht etwas penetrant, aber es hat Stil. Durchaus.

Er saß auf einem roten Holzstuhl, Marke »Selbst ist die Frau«, rührte in der Tasse und sprach über Treue.

»Was halten Sie von der ehelichen Treue?«

»Wie meinen Sie das, politisch oder sexuell?« Das war schon ein ziemlich linker Schnippelball ins hintere Eck.

Sehr warmes, kaum zynisches Lächeln. Er rauchte. In Ermangelung eines roten Aschenbechers hatte ich ihm einen Glasteller hingestellt.

»Meinetwegen sexuell.«

»Je nun, ich hab mit ehelicher Treue keine Erfahrungen. Will sagen, ich kann nicht aus meinem reichen Erinnerungsschatz berichten. Meine Großeltern waren sich immer treu und meine Tante Lilli und Onkel Paul auch. Meine Freundin ist ihrem Mann nicht treu und mein Klavierbegleiter seiner Frau auch nicht, glaub ich. Unser Pfarrer war seiner Haushälterin immer treu.«

Das war frech und außerdem gelogen.

Das Übliche: Ich mußte kichern.

»Und Sie? Ich meine, waren Sie Ihrer Frau immer treu, oder möchten Sie diesen Zustand in Kürze ändern oder was darf ich Ihren Andeutungen entnehmen?«

Ich fühlte mich wie ein Kind, was mit dem Adventskranz gokelt. Entweder der ganze Adventskranz brennt gleich, oder ich krieg eins auf die Finger.

Es kam etwas Überraschendes. Sein warmes Lächeln verschwand, ein fast jungenhafter Schmollmund erschien in dem Kritikergesicht, Bruchteile von einer Sekunde nur.

»Sie hat die Treue gebrochen.« (Sie ha-at die Troi-hoi gebroo-oo-hoochen...)

Aha. Das war also die andere Agentur.

»So. Und da meinen Sie, aus Wut und Verzweiflung (das ist ein Zitat aus Xerxes von Händel) irgendein One-night-Gerät auftreiben zu müssen?« Ich hatte unverkennbar den Originalton Tante Lilli drauf. (Kind, was glaubt der denn, wer du bist?)

Da Georg Lalinde meine Tante Lilli zu kennen nicht vergönnt war, traf ihn der Tonfall vermutlich bis ins Mark.

Tief erschüttert sog er an der Zigarette und machte ihr dann in meinem unberührten Glasteller den Garaus.

»Nein, das ist ein großer Irrtum. Ganz anders ist das zu sehen. Jetzt endlich fühle ich mich frei von Ehepflichten (er sagte wirklich »Ehepflichten«!) und kann der Frau meines Herzens sagen, wie sehr ich sie schätze und mag.«

Ich sagte: »Herr, ich bin's?« (Das ist ein Zitat aus der Matthäuspassion, aber das war überflüssige Kokettiererei. Natürlich war ich's. (»Bescheidenheit ist die Tugend der Könige!«)

Er war kein Schwätzer. Sein Geständnis war durchaus ernst zu nehmen. Ich wußte, daß er mich nicht bloß über die Bettkante ziehen wollte. Ich war irgendwie gerührt. Dieser Mann, achtzehn Jahre älter als ich, weitgereist und in Kontakt zu ganz anderen Künstlern als mir Vorstadt-Callas, dieser korrekte Familienvater hockte auf meinem roten Küchenstuhl und sagte zu mir »Dame meines Herzens«. Das war weder Kitsch noch Gesülz. Er meinte das so.

Und ich nahm den Mann ernst.

Plötzlich nahm ich seine Hand (rauh und kühl) und sagte: »Danke für dein Vertrauen.« Und dabei wurde ich knallrot. Ich hatte ihn geduzt. Und einfach seine Hand genommen. Kind, das war plump-vertraulich.

Er streichelte mit seinem Zeigefinger meinen Mittelfinger. Mehr nicht. Betrachtete meinen Mittelfinger lange und genau, wie andere Leute vielleicht einen lahmen Schmetterling, eine seltene Briefmarke oder das vergilbte Foto irgendeines geliebten Verblichenen betrachten.

Dann sah er mich an, ich meine, nicht mehr meinen Mittelfinger, sondern meine ungleichmäßige Gesichtsrötung.

»Ich mag dich sehr, sehr.«

Welch unglaublich leidenschaftlicher Ausbruch. Gleich zweimal sehr. Dem Mann fehlten förmlich die Worte.

»Du mußt jetzt gehen«, sagte ich.

Ich hatte Sehnsucht nach meiner Wärmflasche.

Er stand auf, zog sich die Popelinetracht an, die Familienvaterkluft, den Waldwiesen-Mittvierziger-Mantel. In meinem kleinen Flur stand er, machte zwei Schritte Richtung Tür, drehte sich wieder um.

»Löwenfrau«, sagt er und guckte knapp an mir vorbei. »Schlaf gut. Ich rufe dich an, wenn ich darf.«

»Du meinst, wenn es deine Frau erlaubt?« stichelte ich.

»Wenn es meine Herzdame erlaubt.«

Er öffnete die Wohnungstür, ich machte ihm im Treppenhaus Licht. Es roch nach Bratkartoffeln und Bohnerwachs.

Die fette Katze meiner alten Nachbarin stieß brünstige Sehnsuchtslaute aus. Wir lächelten uns an. Und er sagte dieselben Worte wie in Frankfurt:

»Ich bin sehr glücklich!«

Kurz darauf hörte ich seinen müden Opel davonfahren. Es war zehn nach drei.

6

Ich stand etwas ratlos mit meiner Wärmflasche im Arm vor dem Spiegel.

»Und jetzt?« sagte ich zu meinen roten Flecken.

Die Wärmflasche antwortete nicht.

Mir fiel der Anrufbeantworter ein. Ziemlich vorwurfsvoll stand er da, der Zähler war auf 64. Ach du Schreck.

Zuerst 40 Einheiten Tante Lilli: Wo ich denn stecke, wie es mir geht, ob ich auch noch etwas Zeit für meine arme alte schwache undsoweiter aber liebe Tante Lilli habe, ob ich mich auch nicht überarbeite und wenigstens regelmäßig esse und meine Stimme schone und genug schlafe. Ich nickte, meine Wärmflasche gluckerte.

Dann eine Männerstimme: »Ich stehe jetzt schon fast zwei Stunden hinter Ihrem Auto, und Sie kommen einfach nicht! Länger bewache ich den alten Schlitten nicht. Ich kann mir auch was Gemütlicheres denken, als sonntags nachmittags im Regen im Auto zu sitzen und auf Sie zu warten. Ich ruf Sie wieder an.« Klick.

Der Gediegene. Ich grinste tief und schadenfroh. Hatte der Mensch mit Engelsgeduld an meinem Wagen auf mich gewartet. Während ich mit Georg Lalindes Türkenopel ins Oberbergische gereist war.

Jedenfalls hatte ich zwei Verehrer.

Sehr unterhaltsamer Gedanke. Ich nahm ihn und die Wärmflasche mit ins Bett.

Familienvater in Popeline oder großer Gediegener?

Eigentlich beides nicht zum Ernstnehmen.

Kind, es wird langsam mal Zeit, daß du nicht immer nur Techtel-Mechtel-Bekanntschaften hast. Such dir doch mal was Ernstes! Vielleicht hieß der Gediegene Ernst?

Meine Wärmflasche und ich, wir schliefen bald ein.

Morgens habe ich nach dem eiskalten Duschen immer ein heiliges Ritual. Kaffee, die Zeitung (Kultur und die Anzeigen) und ein halbes Pfund Magerquark. Auf diese Neurose muß ich ja doch irgendwann zu sprechen kommen. Ich leide unter extremer Breichen-Sucht.

Alles, was man mit dem kleinen Löffel essen kann, ist für mich geradezu triebhafter Genuß. Da triebhafte Genüsse jeder Art peinlich sind, fröne ich meiner Breichen-Sucht immer heimlich. Also beginne ich den Tag mit vernünftiger Plastikschälchenkultur: Guten Morgen, lieber Tag, ich fühle mich so eiweißreich und kalorienarm. Gegen Ende des Tages kann diese Vernunft in nackte Gier umschlagen, und ich lande bei Grießbrei oder Haferschleim. Wahrscheinlich bin ich ein Fall für den Psychiater, aber den hatte ich ja nun kennengelernt.

Der Clou an meinem Spleen ist, daß mir Breichen nur vom Plastiklöffel schmecken. Ich verfüge also über ein Riesensortiment roter Eierlöffel mit verschieden langen Stielen. (Weil es ja auch sehr tiefe Quarkbecher und Joghurtgefäße und Rührschüsseln gibt.)

Bei meinem Breichen-Fest will ich von niemandem gestört werden. Ich kann kein Breichen genießen, wenn ein anderer in der Nähe ist, denn erstens ist es mir peinlich, bei dieser Krabbelkindmahlzeit beobachtet zu werden, und außerdem kann ich mich dann nicht auf den Genuß konzentrieren.

Also mitten bei meiner Magerquark-Orgie an diesem Montagmorgen um zehn nach neun klingelt das Telefon.

»Praxis Dr. Klett, ich verbinde.«

Ich kannte keinen Dr. Klett. Oder doch?

»Na, Sie sind mir eine! Wo haben Sie denn gestern gesteckt?«

Der Gediegene hieß also Dr. Klett. Nomen est omen.

»Verzeihung, ich hatte völlig vergessen, daß wir verabredet waren«, sagte ich mit vollem Mund.

»Frühstücken Sie gerade?«

»Nein, wie kommen Sie denn darauf?«

(Nein, ich habe gerade einen Brei-Sucht-Anfall. Haben Sie noch einen Termin auf Ihrer Couch frei?)

»Wohl nicht so gut gelaunt heute morgen?«

»Bis eben war ich's noch.« Kind, was bist du wieder kratzig!

»Was haben Sie denn gestern gemacht? Sie brauchten wohl Ihr Auto nicht?« Welch spitzfindige Frage.

»Ich war zu Fuß im Zoo und anschließend bin ich auf einem der Kamele nach Hause geritten.«

»Brauchen Sie das Kamel noch?«

»Nein, durchaus nicht. Ein Esel tut's auch.«

»Also sehen wir uns heute abend? Ich würd Sie gern zum Essen einladen.«

Er hatte eine liebe Art, meine Unverschämtheiten zum Guten zu wenden. Eigentlich mochte ich ihn ein bißchen. Ich verkniff mir die Frage, ob er ein Restaurant wüßte, das

Spreu und Hafer serviert, und natürlich erst recht die Bemerkung, daß ein großer Topf Grießbrei mich restlos begeistern würde. Schließlich telefonierten wir privat. Im Hintergrund hörte ich eine Frauenstimme:

»Herr Doktor, das Rezept für Frau Halmackenreuther, ist das fertig?« (Sie hieß vermutlich anders, ich erinnere mich nicht mehr so genau.)

»Moment, ich komme sofort!« brüllte der Herr Doktor in mein Ohr, und ich hielt den Hörer auf Abstand.

»Sie merken ja, ich hab alle Hände voll zu tun«, sagte er wieder im Normalton. »Soll ich Sie um sieben abholen?«

»So früh?« entfuhr es mir. Wie unhöflich.

»Also es wird fünf nach sieben werden«, meinte er nur, »bis sieben bin ich in der Praxis.«

Nachtigall, ick hör dir trapsen. Dann mußte die Praxis ja ganz in der Nähe sein!

»Wo ... äm, ich meine, wo ist denn die Praxis?«

Er nannte die Adresse. Es war zwei Straßen weiter.

»Ja, also dann um fünf nach sieben«, sagte ich matt und legte auf. Schließlich wartete Frau Halmackenreuther.

Ziemlich versunken führte ich mir den restlichen Quark zu Gemüte. Der Seelendoc in greifbarer Nähe. War das nun ein erfreulicher Zufall?

Ich versuchte, mich wieder in den Stadtanzeiger zu vertiefen. Montags steht unter »Kultur« immer recht wenig. Ehrlich gesagt schielte ich nach einem Beitrag von Groß G Punkt L Punkt. Doch die Berichte über Klettenbergs Pfarrfest und Bickendorfs Kirchenchorjubiläum waren nicht von ihm.

Ich war gerade bei einem spannenden Artikel über eine Tombola zugunsten der kriegsversehrten Tontaubenschützen, da klingelte das Telefon wieder.

Es war Großes L Punkt.

»Guten Morgen, liebste Löwenfrau.«

»Guten Morgen, Großwildjäger.«

»Bin ich das? Ich glaubte, dir erklärt zu haben ...«

»Schon gut, ich meinte das ausnahmsweise nicht so, wie es klang. Hast du denn gut geschlafen?«

»Paradiesisch.«

Der Mann war verliebt, da gab es keinen Zweifel.

Wir redeten etwas hin und her, wenn jemand mitgehört hätte, hätte er es für albernes Geturtel gehalten.

Dann kam die obligatorische Frage.

»Kann ich dich heute sehen?«

»Nein, Georg, ich habe erst Probe, dann muß ich üben, dann kommt eine Schülerin...«

»Ich beneide diese Schülerin.«

»Tu das nicht, sie ist dick, hat Pickel, ist völlig unmusikalisch und trägt eine Zahnklammer.«

»Und nach diesem Ausbund an Häßlichkeit? Hast du dann etwas Zeit übrig?«

»Dann kommt so ein Mensch, der mir den Videorecorder repariert. Schließlich verpasse ich bei meiner regen Konzerttätigkeit immer Dallas und Bonanza. Und schließlich und endlich muß ich meinen Wagen abholen. Der wird sich schon festgerostet haben.«

»Darf ich dich zu deinem Wagen fahren?«

Ich überlegte. Durfte er? Nein. Er durfte nicht. Er durfte überhaupt nicht ausgenutzt werden, erstens, und zweitens bis viertens sah ich heute abend den Seelendoc. Das reichte völlig aus.

»Nein, Georg, heute nicht. Wenn der Videorecorder fertig ist, muß ich dringend die letzten vier Dallas-Folgen sehen.« Schnöde, gemeine, einfallslose Ausrede. Morgens um neun bin ich noch nicht so in Form.

»Gegen JR komme ich natürlich nicht an.«

»Nein, Dschie-Äll«, sagte ich, »Sei darum nicht traurig. Ich bin ja auch nicht Miß Elli.«

»Bestimmt bist du viel hübscher als sie!«

Dieser Mann hatte noch nie Dallas gesehen! Er war viel zu kulturvoll und gebildet für mich! »Danke für die Blumen«, sagte ich amüsiert. »Und frag mal deine Tochter, wer Miß Elli ist.«

Er schwieg. Dann kam plötzlich: »Sie läßt dich grüßen.«

»Miß Elli?«

»Nina.«

Ich bekam fast einen eiweißreichen Schluckauf.

»Hast du ihr etwa von mir erzählt?«

48

»Ja. Sie wachte auf, als ich heute nacht in unser gemeinsames Schlafzimmer kam.«

»Noch mal langsam, ganz langsam. Wieso gemeinsames Schlafzimmer? Für pädophil hätte ich dich nicht gehalten.«

Schlechter Scherz. Er lachte auch nicht.

»Ich schlafe bei meiner Tochter, meine Frau schläft allein.«

Aha. Ausgesprochen interessante Verhältnisse bei Kritikers.

»Und wenn du nach Hause kommst, erstattest du deiner Tochter Bericht? Wann darf ich mich denn bei ihr vorstellen?«

Ich hatte das eher ironisch gemeint, aber er ging erfreut darauf ein.

»So bald wie möglich. Sie möchte dich kennenlernen!«

»Was hast du ihr denn um Himmels willen von mir erzählt?«

»Daß du eine ganz tolle Sängerin bist und daß du immer die Jeans unter dem Abendkleid anbehältst.«

Jetzt verstand ich, wieso das Kind mich kennenlernen wollte. Papi hatte endlich mal 'ne vernünftige Sängerin kennengelernt. Toll waren sie ja alle, mehr oder weniger.

»Und deine Frau? Läßt sie mich auch grüßen?«

»Nein. Ich hab sie noch nicht gesehen.«

»Wie solltest du auch. Schau doch mal unter die Bettdecke im Elternschlafzimmer.«

»Sie hat bei ihrem Freund übernachtet.«

»Darf dat dat?«

»Inzwischen ja.«

»Seit wann darf dat dat dann?«

»Seit gestern darf dat dat.«

»Bin isch dat schuld?«

»Jenau.«

»Un getz?«

»Getz gildet.«

Wir verstanden uns glänzend. Er hatte die Scheidung eingereicht.

7

Als ich in der Straßenbahn zum Dienst saß, ging mir einiges durch den Kopf. Jedenfalls war ich nicht die Spur eingesungen. Das war nicht weiter tragisch. Zur Zeit hatte ich für eine Unterhaltungssendung zu tun, mit Heino. Ob es der echte oder der wahre Heino war, habe ich nie herausfinden können. Er hatte immer eine Sonnenbrille auf, selbst im Studio 2.

Wir produzierten Weihnachtslieder, die waren alle angesiedelt im Bereich »O du ölige o du mehlige fade schmeckende Weihnachtsgans«, in F-Dur.

Ein blasser magerer Opa saß mir gegenüber und hielt Selbstgespräche. Erst dachte ich, er redete mit mir, und ich versuchte, freundlich auf ihn einzugehen. Aber er redete ganz ohne Zweifel mit sich selbst oder vielleicht mit seiner verstorbenen Gattin.

»In Heimersdorf, bei Karstadt, da koß än Taß Kaffee sechzisch Pennigen«, teilte er ihr mit. »Un ä Stöcksche Prummetat ä Mark zwanzisch.« Die Gattin schien das nicht zu interessieren, und deshalb wechselte er das Thema. »Die Terroriste werde och immer frescher.« Und so weiter.

Ich dachte an den Seelendoc. Und an die Gattin von Lalinde, die nun völlig legitimerweise ihrer Wege ging und das mir zu verdanken hatte. Und an das Kind, das endlich mal eine Sängerin in Jeans kennenlernen wollte. Und an Heino, der hoffentlich so indisponiert sein würde, daß die Produktion verschoben werden müßte.

Am Sender stieg ich aus.

Die Produktion wurde nicht verschoben. Sie dauerte geschlagene vier Stunden. Zur Strafe für meine Sünden. Hauptsächlich in Gedanken, etwas in Worten und ansatzweise in Werken.

Als endlich die unansehnliche und noch unanhörbarere Schülerin weg war und der Videorecorder wieder funktionierte, war es zu spät, um noch mein Auto abzuholen. Ich hatte noch eine halbe Stunde Zeit bis zum Meeting mit dem Seelendoc. Wie ich den einschätzte, würde er auf die Minute pünktlich kommen. Von wegen akdemisches Viertel. Der nicht.

Es kam schlimmer als erwartet. Er klingelte bereits um zehn vor sieben.

Ich stand da, in Jeans und Pullover und ohne eine Spur von Make-up im Gesicht. Dann eben nicht. Selber schuld, Herr Doktor.

»Sie haben Glück, daß ich meine Gurkenmaske gerade entfernt habe«, begrüßte ich den überdimensionalen Blumenstrauß auf Beinen.

»Och, das wär aber nicht nötig gewesen«, lenkte ich dann ein und überlegte, in welchem Eimer ich das Riesengebinde einstweilen unterbringen könnte.

Ich bat den Herrn Doktor artig herein und fragte ihn, ob er etwas trinken wolle.

»Ja gern, einen Sherry, wenn Sie haben.«

Ich hatte keinen Sherry.

»Dann tut es auch ein Glas Saft.«

Ich hatte kein Glas Saft.

»Ein ... Bier?«

»Kein Bier.«

Der Doktor warf einen Blick in meinen Kühlschrank (wie peinlich, er enthielt etwa sieben Großpackungen Magerquark und sonst nichts) und schlug dann vor, vielleicht bald zu gehen. Er habe einen Tisch reservieren lassen. Ach Gott, Frau Kommerzienrat, wähle ich nun das kleine Schwarze oder das brustfreie Graumelierte?

Ich fragte in leicht provozierendem Tonfall: »Muß ich mich umziehen?« Kind, aus dir wird nie eine Dame!

Er beteuerte, daß es nicht nötig sei, und ich solle sein, wie ich sei. So der Psychiater. Nimm dich an, sei, wie du bist, jeder selbstverwirklicht jetzt den andern, steh zu dir, laß dich zu. Ich ließ mich zu.

Unten auf der Straße fragte ich, ob wir mit seinem Wagen fahren könnten. Meiner stünde dummerweise immer noch am Gemeindehaus.

»Soll ich Sie schnell hinfahren? Sie brauchen doch bestimmt Ihren Wagen.«

»Nein, vielen Dank. Ich kann ihn morgen holen.« (Georg und ich können ihn morgen holen.)

Der Seelendoc hatte eh nicht vorgehabt, in meinen rostigen

VW zu steigen. Wir stiegen in seinen knallroten BMW. Ein Aufreißerauto. Warum nur? Hatte er so eine Kiste nötig? Er betätigte irgendwelche Hebel, und leise surrend verstellten sich Lehne, Sitz, Armstütze und Fensterscheibe. Frank Sinatra gab unaufgefordert seine Meinung über New York bekannt, in Sülz-Moll.

In Erwartung eines Roboterarmes, der mir ein Glas Champagner anbieten würde, lag ich ehrfurchtsvoll in der Beifahrernußschale in hellem Leder. Wie fürnehm.

»Haben Sie schon mal japanisch gegessen?«

»Sie meinen, Vogelnester in Aspik und gegrillte Regenwürmer in Wachteleiern?«

Zu meiner Überraschung nickte er erfreut.

»Also Sie kennen das Daitokai?«

»Das Was?« fragte ich bange.

»Das japanische Restaurant an der Börse.«

»Nein«, sagte ich matt. »Das ist nichts für meine Börse.«

»Nanana«, kam es aus der linken ledernen Nußschale, »Ich lad Sie ja ein.«

Verstand der nun Spaß oder nicht?

Während er das sagte, klopfte er mir nämlich beruhigend mit der Hand aufs Bein.

»Bitte nach Ihnen!« Kind, der Mann ist aus gutem Hause! Der Seelendoc hielt mir die Tür auf, ein schlitzäugiger Mensch mit weißer Kochmütze auf dem Kopf empfing uns dienernd und sagte mit heller Stimme: »Guten Abend, Hell Doktol, guten Abend, gnädige Flau.«

Mir war ziemlich flau, als er fordernd seine Ärmchen nach meinem alles verhüllenden Mantel ausstreckte.

»Bitte die Galdelobe!«

Widerwillig ließ ich mich aus der Galdelobe schälen. Lote Jeans und ein glünel Pullovel kamen zum Vorschein. Die ganze gnädige Flau fiel in sich zusammen. Der Garderobenjapaner verzog keine Miene, und seine Schlitzäuglein lächelten noch immer.

Nachdem er meinen Second-hand-Mantel einem Landsmann übergeben hatte, der keine Kochmütze trug und deshalb befugt war, den Mantel aufzuhängen, und nachdem letzterer disklet übelsehen hatte, daß del Aufhängel abgelissen war, führte uns ersterer unter devotem Dienern ins Innere des Restaurants.

Was nun folgte, war ebenso absurd wie komisch. An großen Tischen, deren Oberfläche gleichzeitig als Grillplatte verwendet wurde, saßen lauter geschniegelte Geschäftsmänner mit einigen wenigen korrekt gekleideten Damen; sie alle hatten ein weißes Lätzchen um, als wären sie im Kindergarten, und versuchten artig, mit Stäbchen zu essen, sehr zum schlitzäugigen Lächeln der Köche, die an jedem Tisch standen und alle möglichen Köstlichkeiten brieten.

Ich fühlte mich so fehl am Platze wie eine Nonne im Kino. Kaum daß ich saß, bekam ich schon so ein Lätzchen umgebunden. Mein lauter Protest ging im Gelächter meines reizenden Begleiters unter. Ich spürte meine roten Flecken kommen, besonders den einen auf der Stirn, der aussieht wie Afrika.

Mein Doc bestellte Leiswein, einen Cocktail und das Menü »Zur Feier des Tages«. Quark war nicht dabei. Wohl aber Forellenbrüstchen, Lachsschwänzchen, Blumenkohl »Aufgehende Sonne« und Broccoli »Untergehende Sonne« und feinstes Filet »Verschwundener Geldschein« und zum Nachtisch Vanilleeis »Verschwundene Taille«. Oder so ähnlich.

Zuerst tranken wir den heißen Reiswein, der einem die Tränen in die Augen trieb und Afrika verschwimmen ließ. Dann sog ich an einem Strohhalm am Bauchnabel eines porzellanenen Buddha den Cocktail und kam mir so dekadent vor wie noch nie im Leben.

»Nett ist es hier«, sagte ich mit einem Seitenblick auf die Geschäftsmänner mit Lätzchen, die uns zu beiden Seiten saßen.

Uns gegenüber stand der Koch und jonglierte mit unglaublicher Geschwindigkeit einen winzigen Fisch über der Grillplatte, den er in Windeseile in mehrere mikroskopisch kleine Einzelteile zerhackte und dann mit Schwung, wie aus der Hüfte schießend, auf unsere Teller warf. Sich an unserer Überraschung weidend, sagte er: »Follellenblüstchen!«

Der Doc lächelte mich aufmunternd an und ergriff die Stäbchen. Ich mache mir nichts aus so umständlichen Ritualen und fragte laut, ob eine Gabel aufzutreiben sei. Allgemeines bestürztes Schweigen. Geschäftsmänneraugen ruhten befremdet auf mir.

Der Koch grinste noch immer, wenn auch das Weiße in seinen Augen wieder sichtbar wurde, schnippte mit den Fingern, und eine trippelnde Dame, die aussah wie ein gehbehinderter Schmetterling, brachte mit spitzen Fingern Messer und Gabel. Zuviel des Guten.

Ich spießte den gedrittelten Fischbrustkasten auf und steckte ihn heißhungrig in den Mund. Damit war die erste Vorspeise erledigt.

Der Doc zelebrierte andächtig das Zerteilen, Entgräten und Einführen in den Mund mit Hilfe der Stäbchen. Als ihm der mühsam erarbeitete Bissen neben den Teller fiel, lachte er.

»Probieren geht über studieren«, ließ er vernehmen und gab nicht auf.

Mir war klar, warum man in diesem Restaurant Sitzplätze reservieren mußte. Das »Essen für Anfänger« brauchte seine Zeit. Und seine Kursgebühren.

Als der fette Buddhabauch leer war, fühlte ich mich schon viel besser. Ich begann, den Abend und das »Essen« zu genießen. Der Doc plauderte angeregt über seine Praxis, seinen letzten Sommerurlaub in Florida und über seine Kindheit im Hinterbayerischen.

Ich erzählte von meiner Kindheit im Westfälischen – was er mit »Sie sind aber keine sture Westfälin« kommentierte –, von meinem letzten Sommerurlaub an der Donau mit dem Fahrrad und auf Anfrage natürlich auch von meinem Musikstudium, meinen Chorjobs und meinen Auftritten.

»Und Sie leben allein?«

»Nein. Mit Rudi.«

»Wer ist Rudi?«

»Rudi ist ein rosaroter Flamingo aus Pappmaché. Ich habe ihn mal in einer Fernsehshow geklaut. Da hatte er noch Beine. Aber die paßten nicht in meinen Kofferraum. Jetzt hockt er auf der Küchenbank, doch er hat sich daran gewöhnt. Und Sie? Leben Sie allein?« Immer ran an den Feind. Kind, dein Mund ist zum Fragen da!

»Ja, ich hab ein Apartment in der Innenstadt.«

»Und wer macht Ihnen die Bügelfalten in die Hose? Ihre Mutter?«

»Ja, zur Zeit.«

Das hatte ich befürchtet.

Auf den Schreck noch etwas warmen Wein, das stärkt die Nerven.

Der Schlitzäugige jonglierte zur Zeit mit zwei Erdbeeren herum, die er, ebenfalls aus der Hüfte schießend, auf das Vanilleeis der Geschäftsmänner rechts neben mir warf. Alle vier Erdbeerhälften waren Volltreffer, keine einzige landete versehentlich auf meinem Bambussprossensalat, und das brachte ihm frenetischen Applaus ein. Er bedankte sich dienernd, und das Weiße in seinen Augen verschwand wieder völlig. Dann wendete er sich flink mit Beilchen und Messerchen unserem Filet zu, zerteilte in peinlicher Kleinarbeit für jeden von uns einen Steinpilz und einen Tomatenschnitz und begann erneut mit dem Geschicklichkeitswerfen. Wahrscheinlich war er internationaler Meister im Lebensmittelweitwurf.

Inzwischen war mein Doc auch zu Messer und Gabel übergegangen. Ich mochte das an ihm. Er war kein Prinzipienreiter. Er ließ sich zu.

Er ließ auch seinen Bierdurst zu. Und trank richtiges Kölsch. Nach dem dritten Glas edlen urdeutschen Gerstensaftes legt er plötzlich wieder die Hand auf mein Bein, das heißt auf mein Lätzchen und sagte, mit der anderen Hand das Kölschglas hebend: »Ich heiße Klaus.«

Ich verschluckte mich an meinem Blumenkohlröschen.

»Klaus Klett?« Alliteration am Abend, erfrischend und labend!

»Klaus Konrad Klett.«

»Das wird ja immer schlimmer!«

Ich gluckste vor Begeisterung. »Was haben sich Ihre Eltern denn dabei gedacht?«

»Sie lieben Alliteration. Mein Bruder heißt Karl Kuno und meine Schwester Katharina Kirsten.«

Ich dachte: »Selig sind, die Verfolgung leiden.«

Und fragte: »Sind Sie deshalb Psychiater geworden?«

»Nein. Das ist eine lange Geschichte. Aber erst will ich mit dir auf Du anstoßen.«

Wir stießen und tranken und sagten du. Ein kleiner Kuß war auch inbegriffen. Er schmeckte nach Bier und ein kleines bißchen nach mehr.

»Und warum bist du nun Psychiater geworden, Klaus Kuno?«

»Klaus Konrad.«

»Meinetwegen auch Klaus Konrad.«

Klaus Konrad erzählte mir nun in anschaulichen Farben, daß er ehemals Internist gewesen sei, aber mit »jemand anders zusammen« eine psychiatrische Praxis geerbt habe. Er machte daraufhin ein Aufbaustudium und arbeitete nun seit drei Jahren in der Gemeinschaftspraxis als Gesprächstherapeut. Aus seiner Zeit als Internist habe er aber noch Patienten und liebäugelte mit dem Gedanken, wieder in dieses Gebiet zurückzukehren. Warum er lieber EKGs machte und Spritzen gab, als mit Leuten über deren Ödipus-Komplex oder pädophile Anwandlungen zu reden... Georg. Ich hatte stundenlang nicht mehr an ihn gedacht. Der lag jetzt im Kinderzimmer und redete mit seiner Tochter über Pferdebilder oder jeanstragende Sängerinnen. Weit weg jedenfalls. In irgendeinem Bonner Kinderzimmer.

»He, jetzt bist du aber ganz weit weg mit deinen Gedanken. Schau doch mal, der Nachtisch kommt!«

Er kam tatsächlich angeflogen, der Nachtisch, aber ich konnte nichts mehr verdrücken.

Der Doc – Verzeihung, Klaus Konrad – schob dem dienernden Japaner seine Kreditkarte zu, dieser winkte wieder den gehbehinderten Schmetterling heran, ich bekam meinen Mantel (der abgerissene Aufhänger hing rücksichtslos über der Kapuze), und nach einem fleundlich-zweideutigen »Angenehme Nachtluhe« fielen wir in den Nußschalen-BMW (nicht ohne vorher die Alarmanlage unschädlich gemacht zu haben) und fuhren zurück in meine schäbig-dreckige Wohngegend. Der Höflichkeit und Vollständigkeit halber bat ich den Doc noch auf einen Kaffee herauf.

Auf dem Wohnzimmertisch standen die sieben roten Rosen von Lalinde. Klaus Konrad Kletts Kübel hatte ich auf das Klavier gewuchtet. Ehrlich gesagt, um ihn aus dem Weg zu haben.

»Wenn ich gewußt hätte, wie klein deine Wohnung ist, hätte ich dir nur ein Vergißmeinnicht mitgebracht«, sagte er, meine Gedanken berufsmäßig nachvollziehend.

»Ich vergesse dich auch so nicht«, antwortete ich leichtzüngig.

Für ihn hieß das wohl übersetzt: »Reiß mich bitte vom Stuhl hoch und umarm mich, daß es kracht!« Denn genau das tat er. Mein Kaffee schwappte über, und über meinem Afrika war Sonnenuntergang, so rot leuchtete es.

»Gell, du vergißt mich auch nicht mehr«, kam sein hinterbayerisches Temperament zum Vorschein. »Ich muß auch ständig an dich denken.«

Zum Wehren war ich zu reisweinselig. Im übrigen war er mir durchaus sympathisch. Sein Kuß schmeckte schwach nach Bier und überwiegend nach Kaffee und ziemlich viel nach mehr. Wir sanken auf das jungfräuliche Sofa meiner Tante Lilli. Ich gehe jedenfalls sehr stark davon aus, daß das Sofa meine Tante Lilli nur jungfräulich erlebt hat. Von mir war es da leider schon anderes gewöhnt. Aber es war ja schließlich Ende Dreißig, also ein reifes Sofa.

Als wir so in Liegeposition gerieten, konnte ich mir nicht verkneifen, aus zusammengekniffenen Augen auf den Zähler meines Anrufbeantworters zu schielen. Er stand auf 36. Lalinde?

Ich verspürte heftige Sehnsucht nach meiner Wärmflasche. Nach mehrmaligem Anspannen meines Bizeps in beiden Armen kam das Signal bei dem leidenschaftlichen Schmuser über mir an.

Erfreut stellte er fest, daß ich kein Mädchen für die erste Nacht sei, strich sich die gediegene Frisur glatt und schob die Krawatte wieder zurecht. Dann stellte er die Kaffeetasse artig in die Spüle, gab mir einen feuchtkalten Schmatzkuß irgendwo in den Atlantischen Ozean neben Afrika und öffnete mit Schwung die Klotür. Fast wär's ein gelungener Abgang geworden. Meine Wärmflasche lag müde und mager in der Sitzbadewanne. Mir fiel auf, wie rostig die Wanne war. Ich schob die Tür wieder zu und machte ihm die Wohnungstür auf. Kalter Treppenhauszug schlug uns entgegen. Es roch noch immer schwach nach Bratkartoffeln, aber diesmal eindeutig mit Zwiebeln. Die fette Katze meiner Nachbarin stand unmittelbar hinter der Wohnungstür, ich hörte sie schnurren.

Klaus Konrad eilte mit jugendlichem Schwung die Treppen runter. Von ganz unten, vor der Wohnungstür von Frau Maggeloni, warf er mir noch eine geräuschvolle Kußhand zu. »Ich ruf dich an!« Ohne »wenn ich darf«.

Ich machte »pssst«, und die Katze plärrte gekränkt.

Unten fiel die Tür ins Schloß.

Kurz darauf startete der BMW.

Während ich meine Wärmflasche füllte, fragte ich den Badezimmerspiegel, ob er irgendeine Meinung zum Thema hätte. Er warf mir nur einen müden rotfleckigen Blick aus verschwommenen Augen zu.

Und die vier Zeiger meiner beiden Armbanduhren standen auf zehn nach drei.

8

Es wurde ein denkwürdiger Dienstag.

Schon beim Vertilgen meines Quarkbreichens begann es. Um punkt neun der erste Anruf.

Lalinde. Wie ich geschlafen habe und ob ich gestern abend einen ruhigen Fernsehabend gehabt habe und was ich heute vorhabe und daß es ihm phantastisch gehe, er den ganzen Abend Strauss-Lieder gehört habe (es folgte ein nicht ganz tonreines Summen einer nicht zu erkennenden Melodie) und daß er mir unbedingt ein Strauss-Lied vorspielen müsse, es heiße Cäcilie.

Ich fragte, was das denn mit mir zu tun habe, ich hieße nämlich nicht Cäcilie und sei darüber auch gar nicht betrübt.

»Das Lied ist trotzdem für dich.«

»Du meinst, ich soll es singen?«

»Nichts würde mich glücklicher machen.«

Der Mann hatte ja Wünsche, und das morgens um neun!

»Wovon handelt es denn?«

»Das möchte ich dir nicht am Telefon sagen.«

Ach so, dahin lief der Hase.

»Sondern?«

»Darf ich dich heute besuchen?«

»Bringst du Cäcilie gleich mit?«

»Ja, natürlich.«

»O. K., dann koche ich heute abend was für uns drei.«

Mit Schrecken dachte ich daran, daß ich weder kochen konnte noch irgend etwas von stilvollen Abendessen verstand, noch ahnte, was man so einem Mittvierziger, der seit zwanzig Jahren gute deutsche Hausmannskost serviert bekommt, vorsetzt, insbesondere dann, wenn er gerade eine Sturm-und-Drang-Phase erlebt.

»Das wäre phantastisch. Aber bitte mach dir nicht zuviel Mühe.«

Worauf du dich verlassen kannst! dachte ich.

»Nein, nein, nur eine Kleinigkeit.«

Was sagte man als einladende Hausfrau für Floskeln? Meine Base empfing uns mal auf einer Geburtstagsparty mit: »Essen nur, wer unbedingt muß!« Da war sie aber noch Studentin.

»Also dann, bis heute abend. Ich freue mich sehr, sehr.«

Ob in seinen Kritiken auch immer so einfallsreiche Superlative standen? Herr Kammersänger Sowieso knödelte sehr, sehr?

»Freu dich nicht zu früh«, antwortete ich und meinte damit das Abendmahl, das mir schon jetzt wie ein Stein im Magen lag. Warum hatte ich das mit dem Abendessen bloß gesagt? Warum hatte ich ihn nicht großzügig in die Pizzeria oder zum Griechen eingeladen? Mein innerer Schweinehund wußte schon, warum. Weil ich mit Lalinde und Cäcilie allein sein wollte. Darum. Ich hatte es also nicht besser verdient.

Der Stadtanzeiger lag unberührt neben dem Quarktopf. Letzterer war allerdings schon meinem unersättlichen Appetit zum Opfer gefallen.

Das Telefon meldete sich wieder. Armer Stadtanzeiger. In Erwartung meines anderen Verehrers meldete ich mich mit: »Japanisches Elnählungsministelium, guten Molgen!«

»Ää, bitte wer?«

Eine unbekannte Männerstimme.

Ich räusperte mich und meldete mich anständig.

Die Stimme fragte pikiert, ob die Sängerin zu sprechen sei.

»Am Apparat.«

Die Stimme brauchte einen Moment Zeit, dann sagte sie: »Sind Sie am Wochenende noch frei?«

Ich weiß, wie ich solche Fragen beantworten muß. Niemals sagen, ja natürlich, das hieße, ich hätte nichts zu tun. Auch niemals sagen, nein, natürlich nicht, denn dann erfahre ich nicht, welches Topangebot mir durch die Lappen geht.

Also Gegenfrage: »Worum handelt es sich denn?«

»Israel in Ägypten, Stadthalle Blattheim.«

Ja was denn nun, Israel oder Ägypten oder Blattheim?

»Das haben Sie doch drauf?« fragte die Stimme humorlos.

»Ja natürlich«, log ich und kratzte den Quarktopf aus. »Generalprobe wann?«

»Samstag vormittag Solistenprobe, ab 16 Uhr Generalprobe. Blattheimer Symphoniker. Honorar inklusive Spesen ...« usw.

Ich fand das alles passabel, bis auf den ganzen langen Samstag in Blattheim und die Tatsache, mir jetzt noch so ein endloses Oratorium »draufschaffen« zu müssen.

Ich hatte noch nicht aufgelegt, da rief der Doc an.

Noch mal traute ich mich nicht, mich mit »Ernährungsministerium« zu melden.

Das war aber auch besser so. Es war wieder dieses Mädchen dran. »Praxis Dr. Klett, ich verbinde.«

Dann eine Frauenstimme: »Klett.«

Ich sah den Hörer an und fragte ganz blöd: »Wer?«

Die Frauenstimme sagte ungeduldig: »Wer ist da bitte?«

Und ich entgegnete: »Das möchte ich von Ihnen wissen!«

Es folgte ein Knacken und Rascheln in der Leitung, dann hörte ich den Doc: »Also das war ein bedauerlicher Irrtum. Das Mädchen hat sich vertan. Jetzt bin ich dran.«

»Und vorhin, das war deine Mutter?« half ich ihm kameradschaftlich.

»Na ja, wenn du so möchtest. Guten Morgen. Wie geht es dir?«

»Mir geht's prima. Ich gebe am Sonntag mein sensationelles Debüt in Blattheim. Ziemlich viel Orientkunde. Israel in Ägypten.«

»Das ist ja schon wieder Händel.«

Ich hätte ihn küssen können. Er schien Händel-Spezialist zu sein.

»Muß ich noch üben, das Zeug. Ist nicht ganz wenig.«

»Heißt das, du hast heute keine Zeit?«

»Ja, ganz recht.« Prima Ausrede, dieser Händel.

»Auch nicht heute nachmittag auf einen Kaffee?«

»Nein, ich muß mein Auto holen.«

»Ich bring dich hin.«

»Mußt du nicht in der Praxis sein?«

»Nein, heute nachmittag ist meine Fr... Mutter hier.«

»Deine Frau Mutter? Sie ist aber geradezu rührend um dich besorgt. Grüß sie herzlich von mir.«

Bei dem einen war es die Tochter, bei dem anderen die Mutter, die regen Anteil an unseren Zusammenkünften zu nehmen schien.

»Äm, ja, bei passender Gelegenheit.«

»Übrigens erfreulich junge Stimme, die Mutter.«

»Ja, ja, sie hat sich gut gehalten.«

»Genug der Lügerei. Ich hab zu tun, Heino-mäßig.«

»Ich auch, Klaustrophobie-mäßig.«

Wir legten auf. Es schien ein unterhaltsamer Tag zu werden.

9

In der Straßenbahn traf ich wieder Opa Heimersdorf. Er zerbröselte mit seinen langen mageren Fingern einige Scheiben Weißbrot in einer Plastiktüte. »Sonst füttert die Tierschen ja keiner«, sagte er vorwurfsvoll zu der verständnislosen Türkenfrau neben ihm. Und im gleichen Augenblick beschwerte er sich über Adenauer. »Der hät doch och Dreck am Stecken, dat ham die doch all. All ham die dat, Dreck am Stecken. Isch hab es ja immer jewußt, die Bild-Zeitung hat widder über den Adenauer jeschrieben...«

Er mußte ein etwas älteres Exemplar erwischt haben. Jedenfalls gab er noch mal über die Kaffeepreise bei Karstadt in

Heimersdorf Auskunft, was aber die Türkenfrau, die verschämt auf ihre Einkaufstasche blickte, nicht zu beeindrukken schien. Und seine verstorbene Frau war ja darüber schon im Bilde.

Die Produktion im Studio 2 verlief quälend. Diesmal war Heino höchstselbst nicht erschienen, dafür ertönte sein wohlklingendes Organ als Playback aus dem Lautsprecher. Wir mußten nur duaa duaa machen, oder mal einwerfen: »Halleeelujaa, beim Kind im Stall.«

Nach der Pause rückte ein Castrop-Rauxeler Kinderchor an, und eine untersetzte pubertierende Brillenschlange hatte den Original-Mireille-Matthieu-Tremolo-Sound drauf und plärrte was von »Weihrrrauch, Myhrrre und Gollld«. Die Weltkarriere stand ihr offen.

Ich war begreiflicherweise müde und verschwendete meine restliche Energie zur Planung des Diners.

»Was soll ich kochen, ich krieg heute abend Besuch«, wendete ich mich an Tracy, meine Nachbarin. Sie war frisch aus Kalifornien importiert und liebte diese Art von Unterhaltungsmusik, zumal »Jingle Bells« und »I'm dreaming of a white christmas« zum Programm gehörten.

»Für einen Typ? Mach doch eine schöne Truthahn, Turkey, you know?«

»Tracy, ich kann überhaupt nicht kochen, und so'n Gummigeier hab ich noch nie gemacht!«

»Na ja, schließlich willst du der Kerl nicht vergiften. So mach doch eine richtig gute alte Hamburger.«

Tracy hatte die rettende Idee.

Ich erstand in der Kantine zwei Frikadellen und bastelte zu Hause daraus einen Matsch-Auflauf mit Nudeln, Eiern und überbackenem Käse.

Als der Doc an der Haustür klingelte, nachmittags um halb fünf, schob ich das ganze köstliche Eintopfgericht hastig in den Backofen.

»Hier riecht es aber köstlich«, begrüßte mich mein stürmischer Klaus Konrad, entledigte sich zweier hübsch eingepackter Flaschen, riß mich an sich und versuchte, meinen Mund mit seinem zu treffen. Ich erschwerte ihm das, so gut es ging mit meinen schwachen Ärmchen. Ihn schätzte ich gut und gern auf zwei Zentner. Eigentlich ein Kerl von Mann. In Jeans und T-Shirt vermutlich ein Götz George in lieb. Nur diese plötzlichen Leidenschaftsanfälle konnten mich an ihm nicht so begeistern.

»Was ist denn da drin?« Ich entwand mich seiner Umklammerung.

»Sherry, meine Liebe, und in dem anderen ist bester O-Saft. Damit du deinen Gästen demnächst was anbieten kannst.«

»Das ist aber zu aufdr... aufmerksam«, gab ich klein bei.

»Setz dich. Darf ich dir einen Sherry anbieten oder einen Saft?«

»Ja bitte, einen Sherry«, sagte er und ließ sich auf das ächzende Tante-Lilli-Sofa nieder.

Ich eilte leichtfüßig in die Küche, öffnete den roten Hängeschrank... keine Sherrygläser. Nur rote Eierbecher. Wie peinlich. Kind, du wirst eben nie eine Dame.

»Du, Klaus? Woraus trinkt man Sherry im Alternativfall?«

Ich hätte gar nicht so laut zu rufen brauchen, er stand schon hinter mir, umfaßte mich.

»Die bring ich dir das nächste Mal mit, die Sherrygläser. Und Blumenvasen scheinen dir auch zu fehlen...«

Kuß auf den Hals. Erneutes Entwindemanöver.

»Ich nehm immer Gurkengläser...«

»Du scheinst überhaupt eine improvisationsfreudige Dame zu sein.«

»Dame nicht, aber improvisationsfreudig. Stört es dein ästhetisches Empfinden, wenn wir ausnahmsweise Weingläser nehmen?«

Wir tranken Sherry aus Weingläsern, er sagte feierlich: »Auf dein Wohl« und wollte mir tief in die Augen schauen.

»Auf deins auch«, sagte ich. Was sagt man sonst in solchen Fällen?

Wir fuhren dann durch dichten Berufsverkehr über die regentrübe Rheinuferstraße. Der Sherry tat seine Wirkung, ich lümmelte schläfrig in meiner ledernen Nußschale.

»Bei dem Stau nützen dir deine 70 PS auch nichts«, gähnte ich.

»70 PS?« entrüstete sich der Sportsfreund am Servolenkrad. »Das Auto hier hat 220 PS!«

»Oh, Entschuldigung. Ich wollte deine Pferdezucht nicht schmälern. Wozu brauchst du so ein Aufreißerauto?«

»Ein... was?«

»Na ja, so'n Anmacherschlitten. Erlaubt das denn deine Mutter? Das macht aber keinen guten Eindruck.«

»Also hör mal, ich bin ein erwachsener Mann, und ich kaufe mir die Autos, die mir gefallen, und dieser hier ist schnell, sicher und außerdem für meine Größe...«

»Da täte es doch ein Opel Commodore.«

»Jeder Popel fährt 'n Opel. Ich bin doch nicht Mitte Fünfzig und hab 'n Hut auf beim Autofahren.«

Wo er recht hatte, hatte er recht. Er war ein hervorragender Autofahrer, ich hatte erst kürzlich Schlimmeres erlebt. Jedenfalls kannte ich jetzt seine Meinung über Opelfahrer.

»Aber wo wir gerade beim Thema sind«, sagte Klaus Konrad, »dein rollender Abfalleimer kann ja wohl auch nicht dein Ernst sein.«

»Nein, mein Herbert«, erklärte ich ihm. »Außerdem, wieso rollender Abfalleimer? Hast du ihn etwas genauer betrachtet?«

»Ja natürlich, dazu hatte ich ja ausreichend Gelegenheit am Sonntag. Das ist ja kein Auto, das ist ein, ein...« Ihm fehlten die Worte. Das »Aufreißerauto« schien ihn schwer getroffen zu haben.

Ich sagte: »Herbert und ich sind alte Freunde. Wir hängen aneinander. Es ist eben ein Mehrzweckfahrzeug. Garderobe, Übezelle, Transportmittel, manchmal auch Papierkorb.«

»Das macht aber keinen guten Eindruck.«

»Eins zu null für dich, Klaus Konrad.«

Ich wußte nicht, ob Klaus Konrad ein ausgesprochener Klugscheißer oder nur ein wohlerzogener biederer Mensch mit Doktortitel und dazugehörigem Akademikergehabe war. Als wir bei meinem Herbert ankamen – er stand naß und armselig seit drei, nein, vier Tagen an jenem unglückseligen Gemeindehaus –, quälte ich mich ungrazil aus der ledernen Nußschale und sagte: »Vielen Dank, Konrad. Das war unheimlich nett von dir.«

»Ich fahr vor dir her«, antwortete er vorbeugend.

»Wohin?« fragte ich absichtlich blöd zurück.

»Zu dir oder zu mir, was ist dir lieber? Ich habe zu Hause Champagner kaltgestellt und Lachs im Kühlschrank.«

»Äm...« entfuhr es mir. Sollte ich ihm sagen, daß ich einen matschigen Nudelauflauf mit Kantinenfrikadellen für den Kritiker im Ofen hatte? Es wurde schwierig.

»Ich möchte lieber nach Hause fahren, Klaus.«

»Ja, in Ordnung, fahren wir zu dir.«

Jetzt hatte ich mein Fett.

»Ich bekomme Besuch heute abend. Meine Mutter und meine Tante Berta und meine Tante Evangelia...«

»Und meine Tante Phantasia«, unterbrach mich Klaus Konrad.

»Nein, im Ernst...«

»Du bist mir keinerlei Rechenschaft darüber schuldig, mit wem du den Abend verbringst. Sehe ich dich denn morgen wieder?«

Erster Satz ziemlich trotzig, zweiter um so lieber im Ton.

»Ja klar, ruf mich an«, sagte ich erleichtert. Und entschuldigte mich noch, ihn nicht vorgewarnt zu haben. Wie blöd von mir, dachte ich, als ich wieder im Auto saß. Was bildet der sich ein? Fährt mich zu meinem Auto und meint, heute abend ging's dafür lachs- und champagnermäßig ab.

Was denkt der eigentlich, wer ich bin? Oder womit er mich kaufen kann? Zumal Lachs und Champagner mich völlig kaltlassen. Wenn der wüßte!

Konrad überholte mich und hupte. Ich wollte zurückhupen, fand aber die Hupe nicht (ich hupe nie!) und beschränkte mich auf freundliches Winken. Schnittig sah der aus, der rote BMW, und der große Mann darin auch nicht schlecht. Eigentlich echt was zum Angeben.

Komisch. Ich wollte nicht angeben. Ich wollte mit einem Waldwiesen-Popelinemantel-Familienvater in meiner Küche sitzen und matschigen Nudelauflauf essen.

Das wollte ich.

»Schmeckt ausgezeichnet, wirklich. Wie nennt sich denn diese Komposition?«

Georg Lalinde saß an meinem roten Küchentisch vor seinem matschigen Nudelauflauf, pickte dann und wann ein Krümchen überbackene Kantinenfrikadelle, sah mich aber meistens durchdringend an. Vor uns stand eine Flasche Rotwein, Côte du Rhône, bei Aldi vier Mark neunzig. Und rote Rosen.

»Für deine rote Küche«, hatte er gesagt. Die anderen standen ja im Wohnzimmer. Und Konrads Riesengebüsch auf dem Klavier.

»Die Komposition«, ich dehnte das Wort übertrieben französisch, »nennt sich ›Sehnsucht nach Freia‹«, sagte ich. Seine Frau hatte den adlig-elitären Namen Freia.

Er sah irritiert auf seine Gabel. Ihm fehlten die Worte des Protests.

»Wieso?« kam es schließlich.

»Wenn du das ißt, bekommst du wahrscheinlich Sehnsucht nach deiner Frau«, erläuterte ich ihm den Sachverhalt und steckte mir mit Appetit eine lauwarme Nudel in den Mund.

Er versicherte mir, daß es nicht an dem sei, und je länger er in meiner Nähe sei, um so weniger Sehnsucht habe er nach Freia, im übrigen habe sie einen Freier, Verzeihung, einen Freund. Ein Freund aus ihrer Schulzeit sei wieder aufgetaucht, und die Liebe auf den ersten Blick von damals sei wieder hochgekommen. Sie übernachte ständig bei diesem Knaben und gedenke, den Rest ihres Lebens mit ihm zu verbringen.

»Und eure Tochter?« fragte ich besorgt.

»Bleibt bei mir.«

»Und wer macht euch den Haushalt?«

»Das wird sich finden. Wir haben da eine Frau Bär. Die hat bis jetzt bei uns den Haushalt gemacht, wenn Freia verreist war.«

»War Freia oft verreist?«

»Sie hatte Kunst studiert und wollte nun nicht Hausfrau sein. Sie fuhr auf Ausstellungen und Kunstauktionen.«

»Und das tat sie nur so aus Spaß?«

»Sie schreibt Kritiken und Besprechungen.«

Also Kollegen, die lieben Lalindes.

»Weißt du was, Georg?« fragte ich, einer plötzlichen Eingebung folgend. »Ich wette mit dir. Um irgendwas Hohes. Meinetwegen um eine Kiste Champagner.« (Wie ich nur auf Champagner kam!) »Ich wette mit dir, daß ihr am... sagen wir, 17. November in zwei Jahren wieder zusammen seid.«

Georg lächelte milde und doch siegesbewußt.

»Die Wette hab ich schon gewonnen. Wir haben die Scheidung beantragt. Wir wollen beide nicht mehr. Sie liebt ihren Schulfreund, und ich liebe... also gut, ich nehme die Wette an. Unter der Bedingung, daß ich den Champagner mit dir trinken darf.«

»Die ganze Kiste?«

»Die ganze Kiste. Es muß ja nicht auf einmal sein.«

»Abgemacht. Wenn du das dann noch willst...«

»Ich werde es immer wollen. Ich kann mir nichts Schöneres vorstellen, als mit dir Champagner zu trinken. Fast nichts Schöneres...«

Ich spielte an meinem Rotweinglas herum und bemerkte, daß der Stiel längst fettig war. Es funkte so wahnsinnig über meinem roten Küchentisch, es glühte und sprühte, und ich wußte, wenn ich ihn jetzt ansehe, dann explodiert's. Es klingt albern, aber mein Herz raste wie vor einem ganz wichtigen Auftritt. Genauso pochte und lärmte es immer, wenn ich auf die Bühne ging und die ersten Gesichter aus vollbesetzten Reihen mir entgegenstarrten.

Da war sein Finger auf meiner nervösen Rotweinglashand. Ganz sanft, fast schwerelos. Als streichele er einen halbtoten Schmetterling. Ich war dieser halbtote Schmetterling. Ich wollte mit den Flügeln schlagen oder wenigstens wegkriechen, aber nichts von beidem funktionierte. Nur alle zwei Millionen Härchen auf meiner Haut stellten sich wie elektrisiert in die Höhe.

George Lalinde. Der Familienvater mit Eheproblemen. Ein Durchschnittsmann in einer Durchschnitts-Midlife-crisis. Und dessen Zeigefinger machte mich verrückt.

»Kind, du wirst nie eine Dame«, schoß es mir durch den

Kopf, und im gleichen Moment küßte ich erst den Zeigefinger und dann den dazugehörigen Mann.

»Hast du einen Aschenbecher oder darf man in deinem Schlafzimmer nicht rauchen?«

Der erwähnte Zeigefinger, der jetzt allerdings knapp zwei Stunden älter war als vorhin in der Küche, elektrisierte gerade mein linkes Schulterblatt.

»Kein gelber Aschenbecher, aber eine gelbe Blumenvase«, antwortete ich, rappelte mich mühsam auf und angelte den ehemaligen Zahnputzbecher (und da gelb, ins Schlafzimmer zwangsversetzt) von der Fensterbank. Blumen waren eh nicht drin.

Der Arm, zu dem der Finger gehörte, fischte sich aus dem Waldwiesensakko neben meinem Bett die goldene Zigarettendose. Ich griff zu. Nach diesem Ereignis mußte ich eine rauchen, nur um alles mit ihm gemeinsam zu tun. Und wenn er Kautabak gekaut oder Schnupfpulver in die Nase gezogen hätte.

Wir rauchten, bliesen den Qualm unter die Schlafzimmerdecke, und mir wurde wie üblich schwindelig. Es war ein herrlicher Schwindel. Der schwindeligste Superschwindel einer völlig irrealen, verrückten Traumwelt.

»Du, Georg«, sagte ich und sog an dem giftigen Stengel. »Gildet das mit dem Champagner noch?«

»Natürlich. Wieso sollte es nicht mehr gelten?«

Ich schwieg. Ja, warum sollte das nicht mehr gelten? Was war denn schon passiert? Das, was vielen Midlife-crisis-Endvierzigern mit ledigen jungen Frauen passierte. Im Büro oder daneben oder davor oder danach. Völlig alltägliche Angelegenheit.

»Ich denke gerade, wenn wir uns in einem Jahr oder in zweien mal wieder treffen, zufällig oder in einem Konzert oder so, ob wir dann hinterher in aller Freundschaft ein Glas Sekt trinken gehen.«

»Warum denn nicht?« Der Zeigefinger wanderte über meinen dritten Halswirbel.

»Weil bis dahin eine Menge passiert sein wird.«

»Das hoffe ich auch.«

»Was hoffst du?«

»Daß wir uns in einem Jahr oder in zweien nicht zufällig treffen werden.« Er betonte das Wort »zufällig«.

»Sondern?« Ich drückte die Zigarette in der Blumenvase aus, die wacklig auf meinem Bauch stand.

»Ich wünsche mir, daß wir in einem Jahr oder zweien noch genauso nah beieinander sind wie jetzt.«

Das war natürlich völlig utopisch. Georg war doch nicht mehr als eine Affäre! Er für mich und ich für ihn. Anders konnte, anders durfte das doch nicht sein!

»Ich wünsche es mir auch.«

War ich das? Habe ich das gerade gesagt? Kind, hast du den Verstand verloren? Warum sagst du Sachen, deren Gegenteil du eigentlich meinst? Weiterdenken ging nicht. Wir flogen schon wieder weg, wir zwei. Es war ein sanfter und doch ungeheuer aufregender Höhenflug, in Höhen, die ich nie zuvor erlebt hatte (und ich hatte schon einiges erlebt, an Höhen und Tiefen!), und er wollte und wollte nicht enden, dieser Segelflug um die ganze Welt, oder was es auch immer war, es läßt sich sowieso nicht beschreiben.

Hinterher gab's wieder eine Zigarette. Die Blumenvase wurde in eine Kuhle in der gelben Bettdecke eingebuchtet. Wir redeten. Über dies und das. Über unsere Vergangenheit, über Erlebnisse mit anderen, wir kicherten dabei und vergruben unsere Gesichter im Kopfkissen, an der Schulter des anderen. Es war eine Vertrautheit, ein Vertrauen, eine Nähe, die ich sonst selten erlebt hatte.

»Weißt du, wozu ich jetzt Lust habe?« fragte ich schließlich.

»Na?«

»Zu einem Spaziergang.«

»In Ordnung.«

Es war kurz nach Mitternacht, als wir auf die öde, tote Straße traten. Das Fabrikgebäude gegenüber ragte schwarz in den milchig-grauen Himmel. Es roch nach Schnee. Irgendwo bellte ein Hund. Vermutlich der des Nachtwächters in der Fabrik. Ein magerer Baum hob seine vielen dürren Zweige und Äste wie händeringend gegen die Wolken. Der Mond riskierte hin und wieder einen verschlafenen Blick zwischen mächtigen Wolkenfetzen hervor.

Wir gingen Arm in Arm. Schnell und schweigend. Überquerten den trostlosen kleinen Spielplatz, auf dem sonst die Türkenkinder solch einen Lärm machten, daß wir uns gegenseitig übertönten, die Türkenkinder und ich, wenn ich übte. Wir gingen an den Sportanlagen vorbei, die dunkel und verlassen dalagen, und kamen auf den Parkplatz des Supermarktes. Der Mond lugte gerade wieder hervor. Ich erkannte einige achtlos abgestellte Einkaufswagen und ziemlich viel Abfall in Form von Bierdosen, Zigarettenschachteln und leeren Flaschen. Öde und schwarz der Sandhügel, auf dem die Kinder immer mit diesen kleinen gefährlichen Fahrrädern rumsausten. Die Klimaanlage des Supermarktes rauschte. Es roch nach Öl und Bohnerwachs.

Wir blieben stehen, als wollten wir diese höchst unromantische Atmosphäre in uns aufsaugen. Wir sahen uns an, im milchig-grauen Licht des Mondes hinter schneebeladenen Wolken und der einen noch funktionierenden Lampe des Supermarktparkplatzes. Ich betrachtete seine Lippen, die ich immer für schmal gehalten hatte und die normalerweise kaum merklich abwärts zeigten. Sie waren rauh und ungeheuer weich, als ich sie küßte.

Wir taten nichts, standen nur da, und ich fühlte seine rauhen, trockenen, weichen, warmen Lippen auf meinen, sonst nichts. Dann gingen wir weiter.

Als wir auf den Wiesen angekommen waren, wohin sonst sämtliche Stadtköter zwei- bis dreimal am Tag zum Haufenablegen und Stöckchenholen geführt werden, begann es zu schneien.

»Das ist der schönste Spaziergang meines Lebens«, sagte Georg.

»Ich hab mich auch schon mal mehr gelangweilt«, sagte ich.

»Langweilst du dich?« kam es ungläubig, und sein Atem dampfte vor Kälte.

»Natürlich nicht«, sagte ich. Jede Pointe mühsam erklären und doch nur eisiges Schweigen erbeuten.

»Andere Leute müssen nach Sri Lanka fahren oder wenigstens nach Ibiza, um eine solche Nacht zu erleben«, meinte ich.

Der Stadtweiher lag braun und stumm und ziemlich übel riechend vor uns. Einige Enten und Schwäne trieben schlafend auf ihm herum. Die Bäume am Ufer rauschten leicht, wenn der Wind mit ihren kahlen Zweigen spielte. Eine Maus, vielleicht war es auch eine jugendliche Ratte, huschte die Uferböschung hinab und verschwand im Schlick. Eine Ente wachte auf und quakte verärgert. Wir blieben stehen. Als gäbe es etwas Interessantes zu sehen, beugten wir uns über die Brüstung des Teiches. Schulter an Schulter, biederer Popelinemantel an runtergesetztem Kaufhaus-Trenchcoat, lehnten wir da und sahen auf die verfaulten Blätter, die dekorativ mit einigen abgestoßenen Entenfedern dekoriert waren und unter denen vermutlich die jugendliche Ratte mit ihrer Freundin und deren Mutter wohnte.

»Hättest du Lust, mich morgen zu einem Konzert zu begleiten?« fragte Georg, und sein Atem mischte sich in den Rauch seiner Zigarette.

»Was denn für ein Konzert?«

Ich wollte Zeit gewinnen.

»Ein Streichquartett, sehr bekannte, sehr gute Leute.«

Ich hatte noch nie ein Streichquartettkonzert gehört. Konzerte ohne Sänger waren für mich immer wie ein Frühstück ohne Quark. Also ging ich nicht hin.

Ich überlegte, ob ich Georg am nächsten Abend wieder treffen wollte. Kind, mach dich rar. Willst du was gelten, so komme selten.

»Nein, Georg. Morgen kann ich nicht. Ich habe eine Probe.«

Enttäuschter Zug an der Zigarette mit nachfolgender weißer Rauchschwade über dem muffigen Ententeich.

Er tat mir leid.

»Du schreibst doch bestimmt bald wieder über einen Liederabend oder über eine Oper. Da komme ich dann mit.«

Er nannte mir seine Termine. Es war verlockend. Drei Puccini-Opern, ein Rosenkavalier, zweimal Mozart und ein Tannhäuser. Dazu drei größere Liederabende. Alles noch vor Weihnachten.

»Wenn ich selbst nicht in Pusemuckel-Süd konzertiere, werde ich bestimmt dann und wann mitkommen, schon der Musik wegen.«

Wir gingen zurück. Er erzählte von den interessantesten Konzerten, nannte Namen, vor denen ich in Ehrfurcht erzitterte, erwähnte ohne jede Protzigkeit, mit welchen Künstlerinnen er schon gesprochen, diniert oder gar auf Pressebällen getanzt hatte.

»Ich kann mir das so schlecht vorstellen, Georg. Du wirkst so bescheiden.«

»Soll ich das als Kompliment auffassen?« Er lachte.

Ich überlegte kurz. »Ja. Ich finde es wunderbar, wenn jemand es nicht nötig hat, mit prominenten Bekanntschaften anzugeben oder Erlebnisse mit Künstlern auszuwalzen, als stiege dadurch der eigene Wert.«

»Weißt du, ich glaube, das ist wie mit diesem Spaziergang. Er hat es nicht nötig, im Sonnenschein oder am Meer oder im Frühling stattzufinden. Es ist dunkel und kalt und windig und schneit, und die Gegend ist öde, aber es ist der schönste Spaziergang meines Lebens.«

Wir blieben wieder stehen, betrachteten einen dieser öden, kahlen Stadtbäume, bei deren Anblick ich meistens eine Gänsehaut bekomme.

»Laß uns diesen Spaziergang nie vergessen«, sagte er.

Ich versprach es ihm.

Ich habe diesen Spaziergang nie vergessen.

12

Leute, die mit einem Walkman in der Straßenbahn sitzen, sind nichts Besonderes. Sie verkriechen sich unter ihren Kopfhörern, fliehen vor der Umwelt oder wollen sich einfach nicht langweilen bei den allgemeinen Alltagsgeräuschen. Mitfahrende stören sich dann manchmal an den rhythmischen

Geräuschen, die aus den Kopfhörern dringen, oder ärgern sich über lautes Mitsingen oder rockiges Swingen und Füßestampfen der rücksichtslosen Walkmanbesitzer.

Aus meinem Kopfhörer kam eine Sopranstimme.

Georg hatte mir die Kassette noch unten am Auto gegeben, bevor er ging. Ich hatte ihn nicht mehr mit raufgebeten, er hatte auch keine Anstalten gemacht, noch einmal gelbe Tapeten zu sehen. Ich war sehr schnell und ohne mein Spiegelbild um seine Meinung zu fragen, ins zerwühlte Bett geschlüpft, nicht mal die Wärmflasche hatte ich mitgenommen. Ich wollte nur noch ihn fühlen, den Rest seiner Körperwärme in meinem Bett, und sogar der Geruch von Zigarettenrauch durfte heute nacht bei mir übernachten.

Nun also hockte ich in der Straßenbahn, mir gegenüber eine ältere Frau, die die Bildzeitung las, und schräg hinter mir der unvermeidliche Opa Heimersdorf.

Ich hörte ihn nicht. Ich lauschte der Sopranstimme in meinem Kopfhörer. Die Bildzeitungsoma schaute irritiert hinter ihren roten Großbuchstaben hervor. Kein rhythmisches Gestampfe? Dafür eine hohe Frauenstimme?

Ich schloß die Augen.

Der Text des Liedes erschütterte mich. Im übrigen ging er die Frau mit der Bildzeitung gar nichts an.

»Wenn du es wüßtest, was träumen heißt,
von brennenden Küssen, von Wandern und Ruhe,
mit der Geliebten, Aug in Auge,
und kosen und plaudern, wenn du es wüßtest,
du neigtest dein Herz…
Wenn du es wüßtest, was bangen heißt,
in einsamen Nächten, umschauert von Sturm,
da niemand tröstet milden Mundes die kampfmüde Seele,
wenn du es wüßtest, du kämest zu mir…
Wenn du es wüßtest, was lieben heißt,
umhaucht von der Gottheit weltschaffendem Atem,
zu schweben empor, lichtgetragen, zu seligen Höhn,
wenn du es wüßtest… du lebtest mit mir!!«

Ich hatte eine solche Gänsehaut, daß ich dachte, die ganze Straßenbahn müßte zittern. Warum entgleiste sie nicht? Warum erfrechte sich die Oma, einfach weiter in einer profanen Bildzeitung zu lesen? Warum stierte der Mann gegenüber so leer vor sich hin? Warum faselte der Opa Heimersdorf von der »Tass Kaffee«? Warum sagte die blecherne Frauenstimme im Lautsprecher »Friesenplatz«? Warum polterten einige Jugendliche mit nassen Schuhen lärmend herein, und warum schüttelte die Bildzeitungsoma über sie den Kopf? War etwa ganz normaler Alltag? Ein ganz normaler Mittwochmorgen? Und keiner hatte was gemerkt?

Ich spulte die Kassette zurück und hörte sie noch zweimal, dann stieg ich aus und ging zum Sender. Es war tatsächlich Mittwoch morgen, und die Mikrophone standen noch an derselben Stelle wie gestern. Hatte denn kein Erdbeben im Studio stattgefunden?

Kind, sei nicht hysterisch. Nimm dich selbst nicht so wichtig. Kind, bilde dir bloß nichts ein.

Mittags wanderte ich zu Fuß nach Hause.

Es war voll auf den Straßen, die Leute drängten sich an den Fußgängerampeln, und ein grau-feuchter Schwall Menschen ergoß sich wie eine Steinlawine auf die Straße, sobald es Grün wurde. Ich ging schnell, die Hände in den Taschen, überholte, wo ich konne, und hörte das Lied, wieder und immer wieder. »Wenn du es wüßtest...«

Die Gänsehaut stellte sich zuverlässig immer an der gleichen Stelle ein. »Du lebtest mit mir!!«

Ich lebte allein. Ich lebte gern allein. Ausgesprochen gern sogar. Ich frönte mit Begeisterung allen Lastern einer berufstätigen Junggesellin, ich schlief unregelmäßig, oft auch mal tagsüber, dafür sah ich nachts mit Begeisterung Videofilme, über deren Niveau ich niemandem Rechenschaft ablegen mußte. Ich aß mit dem Plastiklöffel Mengen von Magerquark mit Süßstoff, übte zu jeder Tageszeit meine Tonleitern, lud mir Freunde ein oder besuchte selbst welche, wann ich Lust auf sie hatte, ging stundenlang allein spazieren, telefonierte unbegrenzt, buddelte mich auf Tante Lillis altem Sofa ein, um zu lesen oder Schallplatten zu hören... Nein wirklich. Ich lebte gern allein. Und das sollte sich auch nicht ändern. Mein bester Freund war Rudi, der Pappflamingo, und meine Wärmflasche, nicht zu vergessen. Wenn ich mich einsam fühlte, verbrachte ich viel Zeit mit Engelbert, dem Verstimmten. Das Klavier war auch ein Erbstück von Tante Lilli, und auch wenn es zu melancholischem Dämpfklang neigte, so liebte ich es doch und versah es mit Aufklebern wie »Üben – nein danke« oder »Wer schön ist, kann auch singen«.

»Wenn du es wüßtest...«

Ich kam zu Hause an. Warmgelaufen, durchgeschwitzt und voll der seligsten Musik.

Mittagessen. Quarkbreichen. Die Zeitung, der Anrufbeantworter. Alles liebe Freunde meines jahrelangen Alleinlebens.

Während ich den Süßstoff mechanisch in meinem Quarkbecher verrührte, hörte ich den Anrufbeantworter ab. Tante Lilli. »Kind, melde dich doch mal.«

Dann zwei Aufleger. Dann ein Rauschen, ein Knacken, eine Sopranstimme. »Wenn du es wüßtest, was träumen heißt...« Ich stand mit geschlossenen Augen vor dem Anrufbeantworter, den Quarktopf in der einen, den Süßstoff in der anderen Hand, summte das Lied leise mit. Dann die Stimme von Georg: »Guten Morgen, geliebte Löwenfrau, ich wollte dir nur sagen, wie glücklich ich bin. Für den Anrufbeantworter war das schon fast zuviel. Ich denke heute abend im Konzert an dich und versuche, dich danach noch anzurufen. Schöne Probe wünsch ich dir. Sing so traumhaft wie immer.«

»Wenn du es wüßtest«, dachte ich. Ich hatte keine Probe.

Nächster Anruf: der Doc. »Es ist wohl am einfachsten, dich morgens um neun zu erwischen, aber da konnte ich meine Patientin gerade nicht unbeaufsichtigt auf meinem Sofa liegen lassen. Ich bin am späten Nachmittag in deiner Nähe und komm mal kurz auf einen Sherry rein. Gläser habe ich dabei. Bis dann, so etwa gegen sechs.«

Ich sah auf die Uhr. Halb drei. Na bitte. Volle drei Stunden ganz für mich. Nur ich und meine Launen. Wenn das kein Luxus ist!

Eigentlich hätte ich »Israel in Ägypten« lernen müssen.

Aber ich ging mit dem Walkman ins Bett und hielt einen unverschämt wunderbaren Mittagsschlaf.

Ich träumte irgendwas Rosarotes, Warmes, Weiches, Kuscheliges, Süßes und Schwebendes. Vermutlich war es obendrein noch erotisch. Jedenfalls wurde ich jäh durch das Klingeln an der Wohnungstür aus diesem Paradies gerissen, und mein Herz raste los, als hätte ich ein wichtiges Konzert verschlafen.

Blick auf den Radiowecker.

Halb sechs. Klaus etwa schon?

Ich taumelte mit nackten Beinen und mit völlig zerstörter Frisur zur Tür, um durch das Guckloch zu schauen, das einen vor Einbrechern, Hausierern und Zeugen Jehovas bewahrt. Klaus etwa schon.

Sein Gesicht erschien verzerrt hinter einigen größeren Paketen mit Schleifchen und anderem Gedöns, als hätte ich Geburtstag.

Hektischer Blick in den Spiegel. Der wollte auch nicht zu mir halten. Was ich sah, hätte jeden Briefträger verschreckt. Zerknautschtes, rotfleckiges Gesicht (also doch ein erotischer Traum), Haare, die kreuz und quer und unvorteilhaft zu Berge standen (Kind, du mußt mal was mit deinen Haaren machen), verklebte halbgeschlossene Augen. Übergroßes schwarzes Männer-T-Shirt. (Kind, zieh wenigstens einen BH an.)

Ich öffnete.

»Sagtest du nicht sechs?«

»Ich sagte: so etwa gegen sechs. Wieso? Komme ich ungelegen?«

»Nein, nicht doch. Ich habe nur gerade etwas rumgelegen.«

»Bist du krank?« Er schob sich und die drei Pakete mit den Geschenkschleifen in meinen engen Flur. Der Garderobenständer wackelte.

»Nein, ich fühl mich topfit. Mach es dir gemütlich, ich geh nur mal eben ins Bad.«

Ich schob mich an ihm vorbei und hoffte, er würde die Orangenhaut an meinen Oberschenkeln nicht bemerken. Was fand der bloß an mir?

Als ich aus der Dusche kam und mich notdürftig bekleidet hatte (die Sachen lagen im Schlafzimmer, und er hockte groß und breit vor der Schlafzimmertür, so daß ich mit zufällig im Badezimmer herumliegenden Klamotten vorliebgenommen hatte), reichte er mir mit Schwung alle drei Pakete.

»Die sind für dich!« sagte er und strahlte mich an. Dann sprang er auf und riß mich in seine Arme. Sein Bart war feucht vom Novembersprühregen, seine Wangen waren gerötet und kühl. Sein versuchter Kuß war ebenfalls feucht. Eins der Pakete fiel zu Boden. Es klirrte hintergründig.

Wir bückten uns beide hektisch, stießen mit den Köpfen aneinander. Nie werde ich diesen Schmerz vergessen und das knirschende Geräusch, das unser beider Schädel von sich gaben.

»Die Sherry-Gläser!«

»Mein Kopf!«

»Meiner auch!« Er zog mich auf den Fußboden, ich verlor das Gleichgewicht und landete unsanft auf dem Hintern. Wie romantisch.

Wir packten die Scherben aus und räumten sie mitsamt dem zerknautschten Geschenkpapier in den Papierkorb.

Als ich mich mühsam wieder hochrappeln wollte, hielt er mich am Arm fest. Ich sank wieder zurück.

Klaus Konrad legte seinen Arm um mich, nicht ganz gewaltlos, wie ich fand, drehte meinen Kopf zu sich herum und küßte mich. Feucht und kalt. Und bestimmt ausgesprochen leidenschaftlich. Ich entwand mich freundlich, aber bestimmt. Kind, mit »freundlich, aber bestimmt« erreicht man noch am meisten.

»Möchtest du einen Kaffee?«

»Ich möchte einen Kuß!« Er saß auf der Erde und trotzte.

»Wenn du es wüßtest...«

Ich trollte mich in die Küche, machte einen Kaffee.

Er kam hinterher, mit den zwei restlichen Paketen.

»Magst du die gar nicht auspacken?«

»Was Zerbrechliches drin?« fragte ich spektisch zurück.

»Blumenvasen«, antwortete er und erledigte das Auspakken für mich, während ich mit roten Kaffeetassen und dem Filter herumhantierte.

Die Vasen waren schön und geschmackvoll. Ich bedankte mich und stellte sie neben die Gurkengläser.

»Wie war es gestern mit deinem Besuch?« fragte Klaus, als wir beim Kaffee am Tisch hockten.

»Wie meinst du das, politisch oder sexuell?«

»Ich denke, es war deine Mutter und deine Tante Pharisäa?«

»Evangelia«, sagte ich und liebäugelte mit der Süßstoffflasche. Vor Klaus hatte ich in dieser Hinsicht Hemmungen. Meine Süßstoffsucht ging den gar nichts an.

»Zucker?« fragte Klaus und schob mir die Zuckerdose hin.

»Nein, danke.« Mist. Ungesüßter Kaffee schmeckt mir nicht. »Also es war nett gestern abend. Wir haben gegessen und geplaudert und sind anschließend etwas spazierengegangen…«

»Und die roten Rosen, sind die von deiner Mutter oder von Tante… Harmonia?« fragte er. Er begann, mich zu nerven.

»Von Tante Allergia«, sagte ich.

Wir sahen uns an, er wirkte gekränkt.

»Weißt du was?« fragte er plötzlich. »Ich glaube, ich habe alles falsch gemacht.«

Das war so wunderbar entwaffnend, daß ich ihn plötzlich schrecklich gern hatte.

»Nein, Klaus. Nicht alles. Nur manches ein bißchen. Ich steh nicht so auf überfallartige Leidenschaft. Wir kennen uns doch kaum!«

»Entschuldige bitte«, sagte er.

Ich hätte ihn so in den Arm nehmen können, aber ich fürchtete, seine Leidenschaft könnte uns beide zu Fall bringen und uns wie bei der Geschichte vom Zappelphilipp mitsamt Tischtuch und Porzellan auf den Küchenboden werfen.

»Bitte entschuldige«, sagte er noch mal, und ich fand, soviel devotes Schuldbewußtsein sei überhaupt nicht angebracht. »Ich bin ein ausgewachsener Vollidiot«, fügte er zu allem Überfluß noch hinzu.

»Was machst du eigentlich mit Patienten, die unter übertriebenem Schuldbewußtsein leiden?« fragte ich.

»Übertrieben?« fragte er zurück. »Du hast ganz recht, mich für einen Trottel zu halten. (Woher wußte er das?) Ich mag dich halt so schrecklich und möchte dich so gern für uns gewinnen.«

Anstatt ihm jetzt endgültig um den Hals zu fallen und ihm unter Tränen meine Liebe zu gestehen, wie das in jedem Lore-Roman der Fall gewesen wäre, kam in mir leichter Spott hoch. Es war ganz schrecklich. Ich hätte mir selbst den Hintern versohlen mögen. Statt dessen dachte ich an Georg. An seine unglaublich zurückhaltende, feine Zärtlichkeit. Georg war auch verliebt. Georg wollte mich auch »für uns gewinnen«. Aber er fiel nicht so barbarisch über mich her! Dabei wäre Klaus doch viel besser geeignet...

Kind, wie kannst du dir einen solchen Mann entgehen lassen! Ein Arzt in bester Position, und altersmäßig paßt er auch zu dir, er trägt dich auf Händen, Kind, und du machst dich über ihn lustig und denkst an diesen älteren Mann, der verheiratet ist und dir sowieso über kurz oder lang nichts mehr bieten kann. Kind, so überleg es doch noch mal!

Ich überlegte. Es kam nichts dabei raus.

Klaus hatte Theaterkarten. Wir fuhren in die Altstadt, in eine Travestie-Show.

Zum Glück hatte ich, einer Intuition folgend, etwas feinere Garderobe angelegt, jedenfalls war sie gerade noch im Bereich dessen, was in diesen erlaucht-neureichen Kreisen erwartet wurde. Enger Strickrock und locker fallende Seidenbluse. Dazu Lackstiefeletten. Wer hat, der hat.

Ich hatte noch nie eine Travestie-Show gesehen, dafür schon Hunderte von Opern. Man sollte nie einseitig werden.

Wir saßen eng an kleinen runden Tischen, man kredenzte uns für über fünfzig Mark Wein in übergroßen Gläsern.

Vorne auf der kleinen Bühne hampelte etwa ein halbes Dutzend der hübschesten und niedlichsten Frauen herum, die, wie Klaus mir versicherte, alle Männer waren. Bei genauem Hinsehen konnte ich Kehlköpfe, magere Hälse und künstliche Busen ausmachen. Trotzdem sahen die meisten von ihnen absolut entzückend aus, und die Wespentaillen und knackigen Popos imponierten mir ganz besonders.

»Gefällt's dir?« Klaus hatte den Arm um mich gelegt und sorgte damit für leichte Platzangst. Es war ziemlich eng in dem dunklen Kellertheater; die Leute saßen zu viert an winzi-

gen runden Tischen und tranken pflichtschuldigst »Herren«-
oder »Damengedecke«.

»Ich amüsiere mich prächtig!« gab ich zurück.

Gerade wurde ein dicker schwitzender Mann aus dem Publikum von zwei reizenden Schwuchteln auf die Bühne genötigt, um dort zum allgemeinen Jubel seine Jacke und seine Schuhe auszuziehen. Ich jubelte nicht. Ich hatte Mitleid mit dem dicken schwitzenden Mann, der vermutlich einen akuten Bühnenschock hatte und meinte, nun besonders übertrieben geschmacklos handeln zu müssen. Zum Gespött der Leute werden ist schrecklich. Sich selbst zum Gespött der Leute zu machen ist noch schrecklicher. Am schrecklichsten ist es, später noch tage-, wochen- oder sogar jahrelang daran zurückdenken zu müssen. Und sich fürchterlich zu schämen. Ich spreche da aus Erfahrung. Meine ersten Auftritte vor Publikum waren ganz, ganz schrecklich. Ich habe jahrelang gebraucht, um keine Angst mehr zu haben vor den Hunderten von Gesichtern im Halbdunkel, die einen gnadenlos anstarren, auch wenn man das Gefühl hat, jeden Moment sterben zu müssen.

Also ich amüsierte mich prächtig. Der dicke schwitzende Mann war gerade bei seiner geblümten Unterhose angelangt, als der Vorhang fiel. Das Publikum schrie und johlte, die Neureichs wurden zu Hyänen. In der Pause hockte man an der Bar, trank ein Gläschen Champagner und wischte sich die Lachtränen aus den Augen.

»Was möchtest du trinken?« Klaus schob mir einen Barhocker unter den Hintern.

»Am liebsten möchte ich an die frische Luft«, sagte ich.

Wir vertraten uns draußen etwas die Beine.

»Ist es nicht köstlich?« fragte Klaus.

»Nein, es ist nicht köstlich. Ich finde es ausgesprochen geschmacklos.«

Klaus war sichtlich gekränkt. »Möchtest du gehen?«

»Am liebsten ja, wenn du dann nicht böse bist.«

»Ich bin nicht böse. Aber ich kann nicht gehen. Ich muß hierbleiben.«

»Wieso?«

»Ich bin Theaterarzt.«

»Du bist… was?«

»Ich vertrete einen Studienfreund, der hier normalerweise Dienst hat, wenn Vorstellungen sind. Der hatte keine Lust und hat mich gefragt, ob ich den Job für ihn machen will heute abend. Ich hatte gedacht, es wäre nett, mit dir hierher-zukommen.«

»Ja, brauchen die denn einen Psychiater?« Mir wurde plötzlich klar, daß sie ganz bestimmt einen brauchen könn-ten.

»Nein, aber ein Arzt muß in jeder Theateraufführung an-wesend sein. Das ist Vorschrift.«

»Dann würde ich an deiner Stelle mal schnell nach dem Striptease-Helden schauen. Bevor er aus seiner Trance er-wacht, gib ihm eine Spritze des seligen Vergessens!«

»Wieso? Der hat das doch genossen! Dem hat das doch Spaß gemacht!«

Klaus hatte eben keinerlei Bühnenerfahrung.

Wir wechselten das Thema, das heißt, er wechselte das Thema.

»Was wird denn am Wochenende? Soll ich denn mitfahren nach Blattheim?«

»Ja, wenn du möchtest.«

»Möchtest du es denn?« Diese Gegenfragen-Taktik!

Ich sah ihn schweigend an. Diese Buhlerei um »Bitte, danke, Sie zuerst, nein, bitte, nach Ihnen«!

»Ich gebe dir dann schriftlich Bescheid«, sagte ich.

»Warum so schnippisch? Ist dir eine Laus über die Leber gelaufen?«

Eine Laus? Ein ganzer Ameisenhaufen! Ich wußte auch nicht, warum ich so gereizt war. Das Leben war in den letzten Tagen ziemlich anstrengend gewesen.

Ab sofort wollte ich nett zu Klaus sein. Ich setzte mein Sonntagsgesicht auf: »Komm, wir gehen wieder rein.«

»Wenn du noch magst…«

»Natürlich, ich brenne darauf, den zweiten Teil zu sehen!«

»Ach, du nimmst mich auf den Arm!«

»Das würde ich nie schaffen«, sagte ich. »Zwei Zentner!«

Wir lachten, er legte den Arm um mich, alle Welt konnte sehen, welch harmonisches, glückliches junges Paar wir waren. Und zur Krönung unserer Liebe verbrachten wir diesen einzigartigen Abend in einer einzigartigen Travestie-Show. Wenn das kein junges Glück war!

Wir nahmen wieder Platz, ich nippte an meinem Glas. Der Wein schmeckte abgestanden. Klaus legte den Arm um mich: »Vielleicht gefällt es dir doch ein bißchen!«

Es wurde dunkel, außer den Rauchschwaden war nichts mehr zu sehen.

Ich dachte an Georg. »Wenn du es wüßtest...«

Der saß jetzt im Streichquartett.

Vielleicht spielten sie jetzt gerade »Der Tod und das Mädchen« von Schubert. Er saß bestimmt konzentriert und vornübergebeugt, die Hand am Mund, und lauschte. Er machte sich nie während des Konzertes Notizen. Seine Artikel hinterher waren um so brillanter.

Hier im verrauchten Kellertheater wurde gerade Hilde Knef imitiert und anschließend Nana Mouskouri durch den Kakao gezogen. Ich fand diese Nummer gut und lachte. Klaus drückte mich an sich. »Na siehst du, es gefällt dir ja doch!«

»Klar, gefällt's mir«, sagte ich in sein Ohr. »Ich war eben ein bißchen mies drauf. Das hab ich manchmal so. Ein Fall für den Psychiater!«

Noch ehe ich den Kopf wieder wegdrehen konnte, hatte er schon mit beiden Händen mein Gesicht umfaßt und mir einen feuchten Kuß gegeben. Er schmeckte nach Herrengedeck. Oh, diese ungezügelte Leidenschaft! Er lebte unzweifelhaft nach dem Motto: »Geben ist seliger denn nehmen.«

Wenn du es wüßtest...

13

Nachdem die Show vorbei und Klaus in einem Nebenzimmer seine Unterschrift geleistet hatte, um zu bezeugen, daß er dagewesen war und niemand während der Vorstellung zu größerem Schaden gekommen war, zogen wir noch auf ein Bier in die Altstadt. Wie jeden Abend war dort was los, die Leute zogen scharenweise, einem nicht zu unterdrückenden Entdeckungsdrang folgend, durch die Kneipen und hofften vermutlich auf die Bekanntschaft ihres Lebens.

Der Sprühregen wurde von Lichtreklamen erhellt.

»Worauf hast du Lust? Möchtest du noch was essen?«

Eigentlich hatte ich Lust auf ein Quarkbreichen. Das konnte ich dem Herrn Doktor aber nicht sagen.

»Und du? Du hast doch bestimmt noch Hunger!«

Schließlich hatte der Zwei-Zentner-Mann-Magen lange nichts mehr zu tun bekommen.

Wir landeten in einem teuren feinen Restaurant, klein, aber vornehm, wo schon der Aperitif, ein rotes Gebräu aus Sekt und Campari, versehen mit einer gläsernen Giraffe zum Umrühren, über sechzehn Mark kostete. Ich hatte ganz plötzlich überhaupt keinen Appetit mehr.

Auf der riesigen, in Leder gebundenen Speisekarte standen Gerichte wie »Poulardenbrüstchen in feinster Sahnemarinade mit einem Schuß Champagnercreme und einem gratinierten Erdäpfelchen« oder so ähnlich. Preise standen auf der Karte nicht. Ich entschloß mich zum Hungerstreik.

»Aber, meine Liebe, so sorg dich doch nicht um den Preis! Du bist eingeladen! Iß doch bitte, worauf du Lust hast!«

Ich hatte auf nichts Lust. Außer auf einen großen Teller Grießbrei mit Zimt und Zucker.

Der Kellner stand erwartungsvoll neben mir und versuchte, meinen Appetit durch gezielte Ratschläge zu beeinflussen. »Vielleicht hat die Dame Lust auf etwas Fischiges! Ich darf Ihnen das Sahnemeerrettich-Forellenbrüstchen empfehlen, ganz, ganz zart, oder vielleicht erst mal einen kleinen Krabbencocktail. Der Appetit kommt beim Essen!«

Ich wollte weder Forellen- noch sonstige Brüstchen. Ich nahm den Krabbencocktail, um des lieben Friedens willen. Und dazu ein wunderbares, köstlich schmeckendes Mineralwasser.

»Was ist denn bloß heute mit dir?« fragte Klaus liebevoll besorgt.

(»Wenn du es wüßtest...«)

»Nichts, entschuldige. Dieses feine Dinieren und überhaupt solche Abende sind nicht unbedingt nach meinem Geschmack. Ich denke da immer an die Leute, die sich das nicht leisten können. Ich gehöre ja eigentlich auch dazu.«

»Aber Liebes, ich bitte dich. Wer viel arbeitet, soll sich auch ab und zu mal was Gutes tun.«

»Ich arbeite aber gar nicht viel.«

»Natürlich, du leistest doch eine Menge. Wie viele Menschen hast du schon mit deinem Gesang erfreut!«

»Das frage ich mich auch manchmal. Wahrscheinlich kann man sie an einer Hand abzählen. Es ist nicht gerade eine soziale Höchstleistung, was ich da meinen Beruf nenne. Mutter Teresa wär vermutlich nicht begeistert.«

»Aber es muß doch nicht jeder Mutter Teresa sein! Dein Beruf hat einen hohen Stellenwert, auch sozial gesehen!«

Der Krabbencocktail kam.

Ich machte mir nachdenklich daran zu schaffen. Wahrscheinlich aß ich gerade den zweifachen Stundenlohn einer Putzfrau. Die Welt ist ungerecht.

»Du glaubst gar nicht, wie wichtig Musik für die Psyche des Menschen ist«, sagte Klaus und tunkte seinen Toast in die Schneckenbutter. Ein Tropfen heißen Fettes blieb ihm im Bart hängen. Ich reichte ihm die damastene Serviette.

»Doch, ich glaub's ja. Für mich ist sie lebenswichtig. Du hast Butter im Bart.«

»Ich habe Patienten, denen verschreibe ich regelrecht Konzerte und Opern.« Klaus tupfte und wischte, und der untere Zipfel der Serviette hing in der geschmolzenen Butter.

Ich fand ihn so ungeheuer rührend menschlich. Hinter der ganzen Akademiker-Etikette wohnte doch ein großer lieber Junge, der es mir schön machen, mich unterhalten und mir etwas Nettes bieten wollte. Ich hatte plötzlich ungeheure Lust, ihn von seinen Förmlichkeiten zu befreien.

»Erzähl mir was von dir«, forderte ich ihn auf. »Mit wem bist du verheiratet?«

Er trank sich einen großen Schluck Mut an und sagte dann: »Deine Frage überrascht mich nicht. Sie war schon lange fällig. Ja, ich bin verheiratet, und das hast du dir wohl schon gedacht.«

»Ja. Es spricht für dich, daß du bisher noch nicht von deiner gescheiterten Ehe gesprochen hast.«

»Wieso gescheitert? Woher weißt du das?«

»Alle Männer sprechen von ihrer gescheiterten Ehe, wenn sie was von einem Mädchen wollen.«

»Sie ist tatsächlich gescheitert.«

»Ich glaub's dir ja.«

»Die Anwälte sitzen in den Startlöchern!«

Ich mußte lachen. Ich stellte mir so ein paar honorige Herren mit Brille und im schwarzen Talar vor, die in Adidas-Turnschuhen auf roter Sportplatz-Erde hockten und darauf warteten, daß Klaus einen Schuß aus der Schreckschußpistole abgab oder »Achtung fertig los« rief.

»Warum lachst du?«

Der Kellner kam und schenkte ihm unaufgefordert Wein nach. »Die Dame vielleicht auch ein Gläschen?«

Die Dame nickte. Vielleicht ging er dann um so eher wieder.

»Hat die Dame sich nun für ein Hauptgericht entschieden?«

Die Dame hatte sich nicht für ein Hauptgericht entschieden. Die Dame wollte eigentlich die Story von den Anwälten in den Startlöchern hören.

»Nein, danke.«

Der Kellner ging.

Klaus erzählte von seiner Ehe. Seine Frau arbeitete mit ihm zusammen in der psychiatrischen Praxis. Ich hatte mir so was schon gedacht.

»Und jetzt könnt ihr euch nicht so ohne weiteres trennen?«

»Wir haben die Praxis gemeinsam geerbt.«

»Ausgemachtes Pech. Und jetzt?«

»Wir haben außerdem ein Haus geerbt und ein Gummiwarengeschäft.«

»Wie schrecklich für euch!«

Der Kellner brachte ein Glas für mich, zeigte mir das Etikett der Weinflasche und schüttete mir ein.

Als er weg war, sagte ich seufzend: »Tja, Besitztum kann etwas ungeheuer Lästiges sein!«

»Mach du dich ruhig über mich lustig«, meinte Klaus.

»Ich mache mich nicht lustig! Ich meine es ganz ernst. Sieh mal, wenn du jetzt ein armer Schlucker wärst und deine Frau

auch, dann würdet ihr vielleicht über den Wohnzimmer-
schrank diskutieren und über den Wellensittich, aber nach
einer halben Stunde hättet ihr euch geeinigt und könntet die
Anwaltskosten sparen. So meine ich das!«

Klaus erläuterte mir bei Entenbraten mit gedünsteten
Broccolispitzen und Kroketten in Weißweinsauce seine be-
jammernswerte Situation.

Die Ehe bestehe seit Jahren nur noch auf dem Papier,
aber tagein, tagaus müsse er mit seiner Frau zusammenar-
beiten. Das sei auf die Dauer unerträglich, zumal zu den
Patienten darüber nichts durchdringen dürfe. Die Sprech-
stundenhilfen seien reihenweise entlassen worden, sobald
sie zuviel wußten, und nun arbeite zu allem Überfluß auch
noch die ungeliebte Schwiegermutter im Familienunterneh-
men mit, während der noch unerträglichere Schwiegervater
die Leitung des Gummiwarengeschäftes an sich gerissen
habe.

»Und deine Eltern?«

»Die halten sich da raus.« Wie sympathisch.

»Und wie lebst du nun? In der gemeinsamen Villa?«

»Nein. Ich habe mir eine Wohnung in der Stadt genommen.«

Die Villa war natürlich außerhalb.

»Habt ihr Kinder?«

»Nein. Sie wollte nie welche.« Wie unsympathisch. Aber
sich um anderer Leute Seelenheil kümmern. Und damit
schwer Geld machen.

»Und wer bügelt dir die Hemden?«

Vielleicht hatte er auch so eine Art Frau Bär.

»Meine Mutter, wenn sie kann. Sie ist schon alt und fühlt
sich nicht immer gesund.«

»Das ist aber kein Dauerzustand«, sagte ich besorgt.

Er nahm meine Hand. »Nein, nicht wahr?«

Um Mißverständnissen jeder Art vorzubeugen, sagte ich:
»Nimm dir doch so eine Hausdame, die bügelt und kocht und
dir morgens das Vier-Minuten-Ei ans Bett bringt.«

»Solange es eben geht, möchte ich mir so was ersparen.«

Das konnte ich auch wieder verstehen. Eine vertrackte Situation.

Der Kellner brachte das Mokkaeis mit heißen Himbeeren. Auf der ganzen zerfließenden Pracht steckte ein Papierschirmchen. Ich nahm es ab und leckte gedankenverloren daran.

»Möchtest du mal probieren?« Er schob mir die Kalorienbombe vor die Brust.

»Nein, nein… ääh, doch.«

Es schmeckte köstlich. Entfernt nach Karamelpudding. Jetzt noch einen Plastiklöffel…

»Siehst du, du kannst den irdischen Freuden auch nicht so ganz widerstehen!« freute sich der Doc.

»Sag mal, Klaus, und du warst früher eigentlich praktischer Arzt?« Ich schob ihm das verfängliche Eis wieder rüber.

»Ja, ich habe es dir, glaub ich, schon im Zug erzählt.«

Im Zug? War das denn erst fünf Tage her? Wir kannten uns erst fünf Tage, der Gediegene und ich. Es kam mir vor, als wären es Monate.

»Als wir die Praxis erbten, habe ich noch ein Zusatzstudium gemacht. Das ist jetzt auch schon wieder fünf Jahre her.«

»Kann es sein, daß du viel lieber ›normaler Arzt‹ geblieben wärest?« wagte ich zu fragen.

Er sah mich über den abgekratzten Mokkateller hinweg an. »Ja.« sagte er. »Wie kommst du darauf?«

»Nur so«, sagte ich. Ich traute mich nicht, ihm zu eröffnen, daß ich ihn nicht für einen guten Psychiater hielt.

»Eigentlich war ich mit Leib und Seele Internist.« Klaus stellte den Nachtischteller beiseite. »In dem Krankenhaus, wo ich arbeitete, konnte ich aber keine Karriere machen. Ich wäre mein Leben lang Oberarzt geblieben.«

»Das ist aber doch eine ganze Menge! Du hast Mokka-Eis im Bart!« Ich reichte ihm meine Leinenserviette. Seine hatte einen gefährlichen braunen Butterfleck.

»Für Irene war das nicht genug. Sie wollte immer, daß ich Karriere machen würde.«

»Von wem habt ihr denn die Praxis geerbt?« wollte ich wissen.

»Von ihrem Onkel. Unter der Bedingung, daß ich mich daran zur Hälfte beteilige.«

Vertrackt, vertrackt.

Jedenfalls hatte ich jetzt zwei höchst interessante Eheschicksale kennengelernt. Absolut verschieden, aber höchst interessant, alle beide. Dem einen war die Frau stiften gegangen, weil sie den Schulfreund wiedergetroffen hatte. Und er hatte sich in die erste beste weibliche »Gelegenheit« verknallt. Soll ja passieren, so was.

Der zweite saß seit Jahren in einer Art goldenem Gefängnis und schaffte es anscheinend nicht, die Goldstäbe durchzubeißen. Da mußte schon so ein Dornrötzchen kommen und ihn da rausholen. Und diese Rolle sollte nun ich übernehmen.

Also, daß ich für beide Männer die Klagemauer war, fand ich spannend und weidete mich an der Kurzweiligkeit ihrer Schilderungen. Daß mich aber beide Männer offensichtlich ganz oben auf die Einspringerliste setzen wollten, kam mir unheimlich vor.

Eigentlich liebe ich ja Einspringer.

Natürlich rein beruflicher Art.

Private Einspringer hielt ich bis dahin immer für indiskutabel.

Aber ein bißchen mit dem Feuer zu spielen wäre auch nicht uninteressant...

Kind, tu's nicht.

»Gehen wir?« Klaus hatte schon seine Diners-Club-Karte gezückt und dem devoten Kellner eine Unterschrift gegeben. Was man mit so einer hingepfuschten Unterschrift alles machen kann... Klaus war eben einfach wer. Oder?

Wir gingen. Arm in Arm, unter seinem großen schwarzen Beschützer-Schirm. Ich vergrub die Hände in den Manteltaschen, als er stehen blieb und sich zu mir runterbeugte. »Wohin, zu mir oder zu dir?«

»Ich zu mir und du zu dir.«

Er mußte es doch einmal kapieren, daß da nichts drin war!

»Auch nicht auf einen Kaffee?«

»Na gut, auf einen Kaffee. Aber ich muß morgen früh raus und dann den ganzen Tag üben. Und du mußt bestimmt noch viel früher raus.«

»Halb sieben.«

»Da bin ich gerade in der dritten Traumphase!«

»Und von wem träumst du?« Er war wirklich kein guter Psychologe.

»Von Tante Harmonia«, sagte ich.

Er schloß mir die Beifahrertür seines roten Schlittens auf. Mit hysterischem Geheul ging die Alarmanlage los. Die Leute blieben stehen und lachten.

Klaus rannte um das Auto herum, fummelte an seinem Schlüsselbund und entsicherte die blöde Alarmanlage. Das rote Auto gab Ruhe. Ich sank auf den Nußschalensitz.

»Reichtum ist entsetzlich anstrengend«, sagte ich genervt.

Klaus gab Gas, die Stereo-Anlage gab Vivaldi von sich, und wir fuhren zu mir. Mit dem BMW und dem hervorragenden Rennfahrer im Imponierstadium brauchten wir exakt siebeneinhalb Minuten.

Zu Hause machte ich Kaffee und leckte heimlich am Quarktopf. Klaus Konrad studierte inzwischen meine Konzertplakate. Aus dem Wohnzimmer hörte ich ihn laut die Namen der Sänger, Dirigenten und Veranstalter vorlesen. Sie interessierten mich nicht. Ich kannte sie ja alle schon.

Plötzlich knackte der Anrufbeantworter. Einen Augenblick lang glaubte ich, mich zu täuschen, aber dann erklang die Sopranstimme: »Wenn du es wüßtest, was träumen heißt...« Weiter kam sie nicht. Wie von der Tarantel gestochen, raste ich ins Wohnzimmer und würgte sie mit zitternden Fingern ab.

»Bist du wahnsinnig?« keuchte ich Klaus wütend an.

»Du bist süß, wenn du zornig bist«, sagte Klaus gelassen.

Am liebsten hätte ich ihm den Anrufbeantworter über den Schädel gehauen, aber ich kam eh nicht dran, an den Schädel.

»Machst du das immer so?« Ich konnte vor Wut kaum stehen.

»Nein, aber ich wollte, daß du ins Wohnzimmer kommst.«

»Du bist ein absolut mieser...« Mir fehlten die Worte.

Klaus weidete sich an meiner Fassungslosigkeit. »Was gibt es denn zu verbergen?« fragte er grinsend. »Das Lied da von deiner Kollegin kann doch so geheimnisvoll nicht sein. Oder war das deine Tante Harmonia?«

»Genau«, giftete ich und warf mich zornentbrannt auf Tante Lillis Sofa.

Wir schwiegen. Ich hätte ihn gern rausgeschmissen. Aber ich hatte Angst, ihn zu sehr zu verletzen. Komisch. In meiner Wut hatte ich Angst, ihm weh zu tun.

Er setzte sich zu mir und strich mir ganz sanft eine Wutlocke aus der Stirn. »Es tut mir leid.«

»Mir auch«, schmollte ich.

Da klingelte das Telefon.

Verdammt. Den Anrufbeantworter hatte ich ja nun ausgeschaltet. Ich mußte drangehen. Das konnte Georg sein. Klaus reagierte überraschend diskret, ging in die Küche und machte sich an der Kaffeemaschine zu schaffen. (Die riesige Pfütze auf dem Fußboden wischten wir später gemeinsam auf.)

»Hier ist Georg. Ich habe schon zweimal auf deinen Anrufbeantworter gesprochen.«

»Ach ja? Ich bin noch gar nicht dazu gekommen, ihn abzuhören.«

»Bist du allein?«

»Nein.«

»Soll ich später noch mal…?«

»Nein, vielen Dank. Besser nicht.«

Pause. Entsetzliche zehn Sekunden nichts. Dann:

»Morgen früh um neun?«

»Ja bitte. Schlaf gut. Nicht böse sein.«

Ich kam mir elend und mies vor.

Er pfiff unsere Melodie. Ich legte auf. Stand noch einen Augenblick am Telefon. Georg. Wenn du es wüßtest… Als ich in die Küche ging, vermied ich es, unterwegs in den Spiegel zu sehen.

»Na, ein neues Engagement?« Klaus Konrad hielt gerade ratlos den Filter über die Tischdecke, während aus dessen unterem Ende ein ekelhafter brauner Brei sickerte. Ich sprang ihm zu Hilfe, wir beseitigten gemeinsam das Chaos.

»Du bist kein besonders geeigneter Hausmann«, mäkelte ich.

»Nein, ich weiß. Ich brauchte schnellstmöglich wieder eine Frau.« Also dieser Klaus Konrad war entwaffnend.

Wir tranken den Kaffee im Wohnzimmer.

Klaus schaute mich über die Tasse hinweg an.

Ich schaute zurück. Sollte er doch schauen, bis er schwarz

wurde. Ich gehörte nicht zu den Mädels, die irritiert die Augen senken. Guck doch, du Blödmann.

Er guckte, rutschte näher, streichelte meinen Kopf und dann meine Wangen und dann meine Lippen, und dann machte ich die Augen zu.

Sein Kuß schmeckte nach Kaffee und nach mehr.

Verdammte Kiste. Kind, das kannst du doch nicht machen. Nein, das kann ich wirklich nicht machen.

Ich machte ja gar nichts. Er machte. Selbst ist der Mann. Und Klaus Konrad schon erst recht.

In seine stürmische Leidenschaft mischte sich versuchte Zärtlichkeit, und ich fand das ausgesprochen rührend. Was wollte der bloß von mir?

Mit seinem Titel und seiner Knete und seinem Auto konnte der doch ganz andere Miezen aufreißen, welche mit Traummaßen und ohne Orangenhaut, welche, die gerne Forellenbrüstchen aßen und wahrscheinlich auch welche hatten. Welche, die in Travestie-Shows vor Begeisterung quietschten und die anschließend mit ihm in die Szenerie der High-Society eintauchten. Welche, die willig mit ihm ins heimische Wasserbett tauchten und nicht, wie jetzt, prüde und halbherzig auf Tante Lillis verschlissenem Jungfrauensofa passive Duldsamkeit inszenierten.

Ich verstand ihn nicht. Er verstand mich auch nicht.

»Gehen wir rüber?«

»Nein. Lieber nicht.«

»Möchtest du lieber hier...«

»Nein, lieber nicht hier.«

»In der Küche etwa...?«

»Wie, auf dem Kaffeefleck?« Ich gewann wieder Oberwasser. Er ließ von mir ab.

»Möchtest du gar nicht?«

»Rischtisch.«

»Warum nicht?« Irritiert setzte er sich auf. Ich konnte wieder tief durchatmen. Zwei Zentner sind doch was Schweres.

»Ich bin keine Frau für die erste Nacht. Hast du doch selbst gesagt und für gut befunden.«

»Für die zweite auch nicht?«

»Rischtisch.« (Gelogen!!!)

»Find ich immer noch gut.«

Er griff zu der Kaffeetasse und führte sich die lauwarme Labsal ein. Wahrscheinlich nimmt das letzte Reste von Lust.

Wir gingen dazu über, einige alte Fotoalben von mir durchzublättern, Kopf an Kopf, und er fand mich »niedlich« und »allerliebst«. Ich fand mich gräßlich und pummelig und entdeckte immer mehr Ähnlichkeit mit einer Raupe. Das sagte ich ihm aber nicht. Wenn er doch so positiv über mich denken wollte, mußte ich ihn ja nicht unbedingt daran hindern.

Jedenfalls war er, als er gegen zwanzig nach zwei ging, über meine familiären Verhältnisse im Bilde, kannte Tante Lilli im Frühstadium, damals, als sie noch die Haushälterin von Onkel Pastor war und einen Knoten im Nacken trug, und auch später, als sie Onkel Paul geheiratet hatte und als Frau Juwelier natürlich Dauerwellen hatte. Er kannte mich mit der Schultüte, mit dem Springseil, auf Rollschuhen, im Badeanzug. Als die ersten Tanzstundenbilder kamen, klappte ich das Album zu.

»Fortsetzung folgt.«

»Aber jetzt wird's doch erst interessant!«

»Nein, jetzt ist es genug.«

»Du willst mir nur deine bewegte Vergangenheit vorenthalten!«

(Wenn du es wüßtest...!)

»Als ob das das Schlimmste wär!« sagte ich zweideutig.

Er verstand mich wieder mal falsch. »Schlimmer wäre es, wenn du mir deine bewegte Zukunft vorenthalten würdest!«

Mir blieb der Mund offenstehen. Ich wußte keine Antwort. Er nutzte die Gunst des Augenblicks, stand auf, griff mich beherzt, knallte mir noch einen feucht-stürmischen Abschiedskuß auf den Mund und verließ im Sturmschritt meine Wohnung. Diesmal öffnete er sogar die richtige Tür. »Ich ruf dich an!« rief er noch durchs Treppenhaus. Die fette Katze von nebenan schrie zurück.

»Aber nicht um neun«, sagte ich leise und schloß die Tür. Mit ziemlich vielen schwirrenden Gedanken im Kopf räumte ich die Tassen und die Fotoalben weg, machte mir eine Wärmflasche und ging mit ihr und einem halben Pfund Quark ins Bett. Der Radiowecker zeigte halb drei. Gedankenverloren lutschte ich am Plastiklöffel. »Es bleibt schwierig«, sagte ich befriedigt, legte den Löffel weg und mich hin und schlief sofort ein.

14

Es blieb schwierig.

Tag für Tag, Woche für Woche.

Morgens um neun begann der Tag schon damit, schwierig zu werden. Da klingelte nämlich das Telefon. Dann durfte ich raten, wer dran war. Einer von beiden war es immer. Wir plauderten, fragten einander, wie wir geschlafen hätten, verabredeten uns. Entweder für heute oder für morgen. Ich brauchte schon in aller Herrgottsfrühe meine gesamte Konzentration, um nichts durcheinanderzubringen. Kaum hatte ich aufgelegt, klingelte es wieder.

»Es war zehn Minuten lang besetzt!«

»Ja, das war der Gärtner.«

»Du hast doch gar keinen Garten.«

»Deswegen darf man doch mit Gärtnern telefonieren.«

»Am frühen Morgen?«

»Gestern abend sind wir nicht mehr dazu gekommen.«

»Was will er denn von dir?«

»Im Garten arbeiten, was sonst?«

»In welchem Garten?«

»Na, in dem da unten vor dem Haus.«

»Ich denke, du hast keinen Garten.«

»Nein. Es war ja auch nicht der Gärtner.«

So oder ähnlich blöd versuchte ich mich aus der Schlinge zu ziehen.

Am Wochenende hatte ich das Konzert in Blattheim. Zur Generalprobe kam Georg mit. Morgens um halb neun fuhren wir in seinem Türkenopel durch strömenden Regen Richtung Ruhrgebiet. Ich war müde und nicht eingesungen. Georg mußte noch viel müder sein, hatte er mich doch um halb fünf Uhr früh verlassen, um gegen sieben mit seiner Tochter »aufzuwachen«.

»Merkt sie eigentlich nicht, wenn du abends nicht ins Bett kommst?«

»Sie schläft tief und fest, mit ihrem Teddy im Arm.«

»Ahnt sie denn überhaupt nichts?«

»Sie geht davon aus, daß anständige Leute nachts schlafen.«

»Und sie wird nicht wach, wenn unanständige Leute nachts vom Wachsein zurückkommen?«

»Man muß ja nicht mit der Tür ins Haus fallen!«

Also Georg schlich sich in den frühen Morgenstunden ins Kinderzimmer, um dort im Etagenbett unter seiner Tochter noch ein Stündchen anständig zu sein. Dann wachte er mit ihr zusammen auf, wünschte ihr und dem Teddy guten Morgen, rasierte sich pfeifend und frühstückte mit Tochter und Teddy.

Welche Rolle Freia in dieser morgendlichen Inszenierung spielte, war nicht so leicht zu ergründen.

»Sie schläft aus.«

»Frühstückt ihr denn nicht zusammen?«

»Wir vermeiden es möglichst.«

»Aber das Kind. Das muß doch was spüren.«

Das Kind spürte tatsächlich. Es spürte, daß es Papa und Mama ganz prima in der Hand hatte. Wenn Mama was verbot, konnte sie sicher sein, daß Papa es erlaubte und umgekehrt.

»Mama, ich will heute nicht mit der Straßenbahn zur Klavierstunde fahren.«

»Ich kann dich aber nicht im Auto hinbringen. Ich bin heute nachmittag mit Onkel Sowieso verabredet.«

»Dann frag ich eben Papa.«

»Papa kann nicht, der muß arbeiten. Fahr bitte mit der Straßenbahn.«

Das Kind fragte Papa.

Papa konnte nicht, der war mit Tante Sowieso verabredet.

Das Kind machte Terror.

Papa bestellte ein Taxi. Das Kind fuhr mit dem Taxi zur Klavierstunde und auch wieder zurück. Obwohl es seit drei Jahren den gleichen Weg mit der Straßenbahn gefahren war. Das Kind war schlau. Es merkte, daß beide Eltern ein schlechtes Gewissen ihm gegenüber hatten.

Innerhalb kurzer Zeit bekam es einen Konzertflügel, eine Katze, Ballettschuhe. Für die Ferien meldete man es in einem Skikurs an, und für die nächsten buchte man Reiterferien auf einer Ponyfarm.

Ich fand nicht, daß ich schuld sei an dem ganzen neuen Glück für das Kind.

Trotzdem hatte ich ein schlechtes Gewissen.

»Georg, bitte vernachlässige niemals dein Kind meinetwegen.«

»Das tue ich nicht. Es versteht, daß Papa da jemanden kennt, mit dem er sehr glücklich ist.«

Die Sängerin mit den Jeans unter dem Abendkleid. Ich war dem Kind vermutlich sympathisch. Zumal es die Reiterferien und den ganzen anderen Luxus auf meine Rechnung schrieb.

»Und Freia? Weiß sie von mir?«

»Sie denkt sich vermutlich etwas.«

»Ich meine, weiß sie, daß ich es bin? Schließlich kennen wir uns vom Sehen.«

»Also von mir weiß sie es nicht.«

»Sprecht ihr denn gar nicht zusammen?«

»Nur das Nötigste. Vor dem Kind sprechen wir natürlich zusammen. Wer heute das Katzenfutter kauft und wer abends mit der Kleinen für die Englischarbeit übt und so was.«

Das mußte ja ein rosiges Familienglück sein.

Manchmal zweifelte ich ganz sanft an Georgs Schilderungen. Was nun, wenn Freia gar keinen Freund hatte. Wenn sie gar nicht mit der Ehebrecherei angefangen hatte, sondern er? Wenn ich nun doch die heimliche Geliebte war, derentwegen zu Hause die Tassen flogen?

Wir kamen in Blattheim an. Müde Geiger und lustlose Bläser lümmelten da rum und hofften, daß dieser Samstagvormittag vorübergehen würde. Wir paßten alle prima zusammen, die gähnenden Orchesterleute, der undisziplinierte Chor, der genervte Dirigent und ich, die unausgeschlafene Solistin. Georg saß hinten im leeren Saal. Bürschchen, wenn du mir nicht die Wahrheit gesagt hast!

»Bitte an die Altistin, können Sie kurz vor der Fermate ein leichtes Decrescendo machen?«

»Wie meinen? Ach so, ja natürlich.« Ich kramte einen Bleistiftstummel heraus und notierte kurz vor der Fermate ein Decrescendo.

Meine Güte, wenn der wüßte, was für Sorgen ich habe, und der hat nichts anderes im Kopf als ein leichtes Decrescendo! Eigentlich wäre es an mir, mal ein starkes Decrescendo zu machen. Privat nämlich. Vielleicht sogar langfristig nur noch mit einem Stimmband zu singen? Privat gesehen. Aber welches von beiden Stimmbändern? Eines von beiden mußte ich mir aus dem Hals reißen. Aber mit nur einem Stimmband kann ich nicht singen. Stopp, der Vergleich hinkt doch wohl. Menschlich gesehen brauchst du nur ein Stimmband, äm, Gängelband, Treueband, Eheband... Schluß mit solchen Gedanken. Wer redet denn vom Heiraten?

»Bitte noch mal die Alt-Arien, jetzt aber die Reprise in einem durchgehenden Mezzopiano.«

Aber bitte sehr, können Sie haben.

Ich sang mein Zeug, das Orchester schrubbte sein Zeug, der Dirigent pinselte sein Zeug. Es sah alles nach einer wunderschönen, mitreißenden und tiefe Eindrücke hinterlassenden Aufführung aus.

Die anderen Solisten tauchten auf. Zwei von ihnen kannte ich schon flüchtig.

Der Tenor war ein lustiger dicker Holländer, der genauso gesund sang, wie er aussah. Sein überlanger gelber Schal paßte farblich zu seinem überlangen gelben Gebiß, welches er ständig präsentierte, beim Singen sowieso, aber auch beim Lachen, Sprechen, Gähnen oder nur so Dasitzen. Er hatte Ähnlichkeit mit einem nordfriesischen Bauern. Ich dachte immer, der ist mit dem Trecker angereist und muß nachher schnell wieder weg, die Schweine füttern. Wahrscheinlich sang er im Kuhstall beim Melken seine mächtigen, fetten Arien, so daß die Kühe mächtig fette Milch gaben.

Der Baß war das genaue Gegenteil. Ein hochsensibler, feingliedriger dünner Mann mit wenigen dünnen Haaren, die er stets sorgfältig mit einem Kämmchen beieinander hielt. Seine zarte Sängerkehle war mit einem kostbaren Seidentüchlein umwickelt, seine Noten in kostbares Leder eingebunden, und seine mageren Waden steckten vermutlich in langen Rheumaunterhosen. Seine Stimme klang überraschend männlich und warm, wenn sie auch von einem mächtigen Vibrato geschüttelt wurde, was wohl der Beweis für die Beseeltheit dieses Mannes war. Er hatte sich ausschließlich der Kirchenmusik und der hochgeistigen Muse des Mittelalters verschrieben, und weil man davon nicht leben kann, gab er noch Unterricht in Seidenstickerei und natürlich Gesang. Dieser Mann war so heilig und so mimosenhaft, daß er ständig unter der Grobheit und Unsensibilität anderer litt. Vermutlich auch unter mir, die ich ganz undamenhaft in Cordhosen, Stiefeln und einem Schlabberpullover, Marke »Kind, das kaschiert«, meine Stücke sang, mit unbeseelt wenig Vibrato und kaum zum Himmel gerichteten Augen. Ich nannte ihn den »Heiligen Sankt Mimosius« und in frivoleren Stunden auch den »Heiligen Sankt Vibrator«, aber das sagte ich natürlich keinem.

Außer Georg, bei dem konnte ich mir meine Beobachtungen nicht verkneifen.

Es war Mittag, und die Kollegen hatten mich gefragt, ob ich mit ihnen essen gehen würde, da sei ganz nahe an der Autobahnauffahrt ein Steakhaus, in dem keine laute Musik liefe und man ganz anständig zu zivilen Preisen... Ich fragte, wie lange die Mittagspause denn dauern würde. Dem Orchester stehe gewerkschaftlich eine Pause von zwei Stunden zu, wurde ich belehrt. Da hielt ich dann nichts mehr von zivilen Preisen. Das Gegenteil lockte mich.

Ein Mittagsschlaf im Hotel.

»Bitte ein Zimmer mit Minibar.«

»Für wieviel Nächte?«

»Für keine Nacht. Für zwei Stunden.«

Musternder, abschätzender Blick. Junge Frau, Marke lässige Studentin, mitteljunger Herr, Marke opelfahrender Familienvater. Blattheim am Samstagmittag.

Die rundliche Dame an der Rezeption mußte schwer mit sich kämpfen. Schließlich waren sie doch kein Stundenhotel, wenn da jeder kommen wollte!

»In diesem Falle bitte ich um Barzahlung im voraus.«

Georg kramte steinernen Gesichtes in seiner Brusttasche. Ich kam ihm zuvor, legte einen Hunderter auf den Tresen.

»Einhundertzwanzig Mark bitte, die Dame.«

Bei dem Wort »Dame« mußte sie ihre Zahnkronen aber ganz schön auseinanderzwingen.

Ich lächelte sie pinkelfreundlich an.

»Aber bitte, gerne!«

Wir schlichen uns rauf wie die Diebe, fühlten uns beklemmt. Verdammte Pute in der Rezeption. Enthalte dich gefälligst jeder moralischen Regung. Die unterdrücke ich doch schon selbst mit größter Mühe.

Zur Aufmunterung und zur Restunterdrückung von Tante Lillis anerzogener Moral genehmigten wir uns einen Pikkolo. Das war also die Umgebung von heimlichen, verbotenen, erotischen oder auch manchmal gefühlsbetonten sogenannten »Verhältnissen«. Zwischendurch, in der Pause, im Hotel. Natürlich nicht in so einem gediegenen, teuren, direkt am Marktplatz, wo jeder einen kennt. Ganz andere heimliche Winkel werden da schätzungsweise immer aufgesucht, in Vororten vielleicht, im Nachbardorf oder an der Autobahn.

Fühlen sich alle heimlichen Liebespaare so »schlecht«, so durch und durch verdorben und in Sünde? Oder schleift sich das ab mit der Zeit? Oder weicht das schlechte Gewissen nach und nach einem Hochgefühl, einer unglaublichen Spannung, einer Erregung, die sich mehr auf den Umstand bezieht, etwas Verbotenes zu tun, als auf das, was man tut?

Auch wenn Tante Lilli die ganze Zeit am Fußende des sterilen weißen Hotelbettes saß, es war eine wunderschöne Mittagspause.

»Georg, fühlst du dich schlecht?«

»Nein, du bist doch bei mir. Wie könnte ich mich da schlecht fühlen?«

»Aber Tante Lilli sitzt am Fußende und droht mit einer Haarnadel aus ihrem Dutt.«

»Wer ist Tante Lilli?«

Ach so, Georg kannte Tante Lilli ja noch nicht. Klaus kannte sie.

»Tante Lilli hat mich erzogen. Ich bin bei ihr aufgewachsen, bevor sie Onkel Paul heiratete.«

»Und die pflegte mit Haarnadeln zu drohen?«

»Na ja, im übertragenen Sinne. Auf unmoralisches Ver-

halten stand Nachtischentzug oder eine Woche lang kein
›doppeltes Lottchen‹.«

»Wie grausam von deiner Tante Lilli. Inwiefern konntest
du dich denn unmoralisch verhalten?«

»Kann ich etwa nicht?« Ich war ehrlich entrüstet. Wenn der
wüßte, über wie viele meiner Schatten ich schon gesprungen
war! Das war direkt goldmedaillen-verdächtig!

»Doch, du kannst. Du bist das wunderbarste unmoralische
Wesen auf der ganzen Welt.«

Wir gingen dazu über, unmoralisch zu sein. Es war wunderbar. Die Sektgläser auf dem Hotelbettnachttisch klirrten
ganz leise aneinander.

Später fragte Georg bei einer gemeinsamen Zigarette: »Was
war denn für deine Tante Lilli bestrafenswert unmoralisches
Verhalten?«

»Zum Beispiel, zuerst sein Unterhemd ausziehen und dann
in den Spiegel sehen.«

»Umgekehrt war es erlaubt?«

»Klar war das erlaubt.«

»Und was noch?« Neugieriger Georg.

»In der hochheiligen Mittagszeit zwischen zwei und vier
ein Geräusch zu machen. Sie schlief immer um die Zeit. Spielen war innerhalb des Hauses nicht erlaubt. Also spielte ich
draußen.«

Wir schwiegen, dachten nach. Steckten uns eine zweite gemeinsame Zigarette an.

Es war Zeit, die gastliche Stätte zu verlassen. Die Probe
ging weiter.

Zuerst hatte die Sopranistin einen unvergeßlichen Auftritt.
Sie war Amerikanerin, spätes Mädchen, würde ich sagen. Ich
schätzte sie auf Mitte Dreißig und absolut jungfräulich. Ihre
drallen kurzen Beine steckten in Wollstrumpfhosen, die in
Wadenhöhe unter einem grauen Flanellrock mündeten. Unter ihrer lilafarbenen Strickjacke trug sie eine grellrosa Bluse
mit einer riesigen Schleife am Hals. (»Kind, das putzt!«) Ihre
Augen hinter der dicken Brille zwinkerten ununterbrochen,
ob aus Nervosität oder späten Versuchen, frivol zu wirken,
konnte ich nicht ermessen. Ihre Stimme war makellos, aber
völlig uninteressant. Sie sang wie eine Maschine, technisch

perfekt, aber im Grunde stinklangweilig. Ich mochte sie von Anfang an nicht. Sie hatte den Dirigenten aber sofort in ihrem Bann.

»Können Sie das Orchester sagen, es soll leiser spielen!« radebrechte sie mit ihrem amerikanischen Akzent.

Der Dirigent sagte dem Orchester, es solle leiser spielen. Das Orchester scherte sich den Teufel drum.

Um achtzehn Uhr war Sportschau, und überhaupt ging der Dienst nur bis siebzehn Uhr. Und für eine Sopranistin mit Flanellrock und Wollstrumpfhosen wird überhaupt kein Kompromiß gemacht. Nicht ein Phon leiser.

Der Dirigent schlug wieder den Vierertakt, das Orchester schrubbte unbeirrt weiter.

Die Sopranistin setzte nicht ein.

Der Dirigent winkte ab. Die Instrumentalisten spielten noch eine Zeitlang weiter, dann machte einer: »Pssst.« Der Klangbrei verlief so allmählich in privaten Unterhaltungen und Stimmgeräuschen.

»Da war Ihr Einsatz«, sagte der Dirigent, er hieß Fugge, Kirchenmusikdirektor Hans Fugge. Dabei zwinkerte er nervös und genervt mit dem Auge.

Die Sopranistin zwinkerte zurück.

»Das Orchester spielt zu laut«, sagte sie akzentuiert, »ich kann nicht mit Gott reden!«

Peinliches Schweigen.

Der gelbzahnige Tenor grunzte wie eines seiner Schweine. Wahrscheinlich mußte er, um diese Bemerkung seiner wollbestrumpften Kollegin zu verdauen, erst mal seinen ganzen tenoralen Rotz durch die Atemwege ziehen.

Das seidene Halstüchlein meines Baßkollegen bibberte. Ich selbst biß mir auf die Lippen, um nicht laut zu kichern. So eine kleine seelische Exhibitionistin! Im Orchester brummelte man »Die Kleine will mit Gott reden, laßt sie doch, spielt doch um fünf Pfennig leiser« usw. Kirchenmusikdirektor Hans Fugge putzte sich die Brille und dann die Nase und dann wieder die Brille. Ich hielt diese Reihenfolge für ungünstig. Umständlich nahm er die Brille wieder ab, hauchte sie an, putzte sie neu, jedoch von keinem Erfolg gekrönt. Ich reichte ihm ein Tempotaschentuch.

Er hob erneut den Taktstock, das Orchester zirpte ein säuselndes Pianissimo, und die Sopranistin hielt mit geschlossenen Augen ihre Privatmeditation ab, sehr wirkungsvoll. Die Stimme klang völlig makellos und technisch einwandfrei, aber ich fand sie unsympathischer denn je. Zum Duett mit dem Tenor mußte die kleine Beterin allerdings die Augen und den Mund öffnen, sonst wäre sie neben dem bäurisch fetten Tenorschmelz des Kollegen überhaupt nicht mehr zu hören gewesen.

Wir sangen das Schlußquartett, der Chor polterte die Schlußfuge.

Ende der Probe.

Es war ein großartiges Erlebnis.

»Bitte morgen alle um 17 Uhr beim Einsingen im kleinen Saal!«

»Hinterher ist Empfang am Buffet.«

»Brauchen Sie eine Karte für Ihren Begleiter?«

Letzteres galt mir persönlich.

Erst wollte ich nein sagen, dann fiel mir siedend heiß ein, daß morgen Klaus Konrad mitfahren wollte. Also ja.

»Vielen Dank, bitte ja.«

»Bleiben Sie und Ihr Begleiter nachher zum Empfang?«

»Ich denke, ja.«

Ich wollte dieses Gespräch beenden, hatte sich doch Georg von seiner hinteren Bank erhoben und war im Begriff, sich zu uns zu gesellen.

»Essen Sie beide warm?« fragte die Organisationsdame weiter.

»Einmal bitte warm«, sagte ich genervt. Ich dachte an Klaus Konrads abendlichen Appetit.

Georg stand nun bei uns.

»Ich fragte Ihre Frau gerade, ob Sie beide morgen abend warm essen wollen«, erklärte Frau Organisationstalent ihm. Georg stand stumm dabei. Seine Frau wollte bestimmt nicht warm essen, da sie doch ihre 38er Figur um keinen Preis aufs Spiel setzte.

Ich zog ihn weg. »Auf Wiedersehen dann, bis morgen.«

Die Dame notierte etwas auf ihrem Block.

»Was du ziehst morgen abend an?«

Frau Wollstrumpf zog mich am Ärmel. Es war ihr erstes persönliches Wort an mich.

»Wollstrümpfe und eine Seidenbluse mit Schleife am Hals«, wollte ich sagen, aber statt dessen antwortete ich artig: »Lang und schwarz, und Sie?«

»Ich habe einen Kleid in Pink und einen in Lila. Hallo. Ist das deinen Mann?«

Meinen Mann gab ihr artig die Hand und machte ihr Komplimente bezüglich ihres »eindrucksvollen Auftretens«.

»Nicht wahr, das sagte meinen Lehrer in den States immer. Man muß die Leute etwas bieten, nicht nur der Arien selbst. Die Leute sollen denken, daß man selbst ist ganz beeindrückt.«

»Ja, es war wirklich beeindrückend«, sagte ich und zog Georg erneut am Ärmel. Weg hier! Artiges Schütteln der schweißfeuchten Dirigentenhand, artiges »Wiedersehen« zum sportschaulüsternen Orchester. Wir trollten uns im Eilschritt.

»Was machen wir jetzt?«

Blick auf die Uhr. Samstag abend, Dämmerung, eine Glocke läutete zur Abendmesse. Nieselregen. Schwach beleuchtete Schaufenster. Ein Abend zum Trübewerden.

Plötzlich hatte ich das riesige Bedürfnis, allein zu sein. Mit meiner Wärmflasche und einem großen Topf Quark auf Tante Lillis Sofa sitzen und lesen. Oder fernsehen. Oder mit Tante Lilli telefonieren. Ewig hatte ich nicht mehr mit Tante Lilli telefoniert. Mindestens eine Woche lang.

»Laß uns erst mal hier wegfahren.«

Wie selbstverständlich streckte ich die Hand nach den Autoschlüsseln aus. Den Türkenopel fuhr ich, da gab es keine Diskussionen drüber.

Georg steckte mir eine Zigarette an und schob sie mir zwischen die Lippen.

»Du warst wunderbar«, eröffnete er das Gespräch.

»Meinst du, in der Mittagspause oder nachher?«

»Oh, wenn du so fragst: In der Mittagspause warst du unbeschreiblich wunderbar, nachher...«

»Ist schon gut. Du bist ja nicht als Kritiker mitgefahren.«

Trotzdem interessierte mich seine fachmännische Meinung über die soeben erlebten Darbietungen.

»Tja, also wenn der Dirigent morgen genauso unpräzise schlägt wie heute, weiß ich nicht, ob das Orchester nicht schmeißt«, sagte er. »Außerdem bin ich gespannt auf die Reaktion des Publikums auf die Sopranarie.«

Ach du Schreck. Er ging also davon aus, daß er morgen... Ich schwieg, sog an meiner Zigarette. Mir wurde längst nicht mehr schwindelig davon. Nur übel. Das konnte aber auch an der Situation liegen. Oder an dem nicht mehr zu überhörenden Magenknurren.

»Darf ich dich noch zu einem Salatblatt überreden?« fragte Georg, nahm mir den Zigarettenrest aus der Hand und drückte ihn für mich aus.

Ich konnte ihn unmöglich abweisen. Schließlich hatte er den ganzen Tag an meiner Seite verbracht, stundenlang kleinstädtische Oratorienkunst angehört und seit dem Frühstück mit seiner Tochter nichts mehr gegessen. Wir fuhren noch zu der Pizzeria an der Ecke.

Ich war gereizt vor Hunger und Müdigkeit. Er nahm meine kalte Hand.

»Du hast ja blaue Fingernägel!«

»Apart, nicht? Spart den Nagellack.« Frotzel, frotzel.

In Wirklichkeit sehnte ich mich nach der Wärmflasche und Tante Lillis Sofa und meinem orangefarbenen Herrenpyjama. Wenn du es wüßtest...

Doch das ging nicht. Egoschwein, bitte draußen bleiben. Er liebt dich, und du denkst an Quark und Fernsehen. An irgendeinen wunderbaren Unterhaltungsfilm wie »Traumschiff« oder »Schwarzwaldklinik«. Wie trivial. Wie ungeheuer niveaulos und mittelmäßig von mir. Meinetwegen auch »Der Alte« oder »Derrick«. Hatte ich gestern abend aufgezeichnet. Gestern. Als ich mit Klaus Konrad im Theater war.

Wann war ich das letzte Mal allein? So richtig köstlich allein?

»Prego?«

»Zweimal Salat Niçoise und einen halben Rotwein.«

Georg pflegte dasselbe zu essen wie ich, also entweder gar nichts oder einen Salat. War das Anpassung oder einfach Appetitlosigkeit aus Liebe?

Auf solche Gedanken kam Klaus Konrad ja nicht. Der

wählte immer mit Begeisterung ein halbes Schwein oder sonst ein Fünfgangmenü. Auf den Magen schlug ich dem jedenfalls nicht.

Georg schenkte mir Wein ein und reichte mir das goldene Zigarettenetui. Mechanisch nahm ich einen Glimmstengel.

»So schweigsam, Löwenfrau?«

»Heute genug gebrüllt.«

»Darf man fragen, woran du denkst?«

»Ich dachte gerade an einen Psychiater.« Irgendwann mußte ich ja mal mit der Wahrheit heraus.

»Brauchst du einen?« Kleines, schmallippiges Lächeln.

Ich rauchte geschäftig.

»Nein, nicht in beruflicher Hinsicht. Ich habe privat einen kennengelernt.«

Schweigen. Er rauchte, ich rauchte. Zwei riesige Salatschüsseln wurden vor uns aufgebaut. Vom Hinsehen war ich schon satt.

»Möchtest du mir von ihm erzählen?«

»Du kennst ihn schon. Flüchtig, meine ich. Du hast ihn nach dem Messias im Gemeindehaus kennengelernt.«

»Ach der!« Georg lehnte sich erleichtert zurück. Drückte die Zigarette aus, griff zur Gabel, putzte sie an der Serviette und begann umständlich, ein Salatblatt aufzuspießen.

Ich beobachtete ihn. Klaus Konrad hätte jetzt schon mit gesundem Appetit die halbe Schüssel leergegessen. Ohne seine Gabel vorher zu putzen. Und hätte mir dabei »tief in die Augen« geschaut.

Georg schaute immer knapp daran vorbei, an anderer Leute Augen.

»Jedenfalls«, sagte ich und rutschte auf meinem Stuhl hin und her, »jedenfalls will der morgen mitkommen zu dem Konzert.«

»Warum will er das?«

»Weil es ihn interessiert, nehme ich an.«

Schweigen. Umständliches Aufspießen eines Tomatenschnitzes.

»Ach so. Dann ist es also besser, ich fahre nicht mit?«

Große Erleichterung meinerseits. »Ja. Danke, Georg.«

»Wieso danke?«

»Für dein Verständnis.«

Ich nahm seine Hand und hatte ihn auf einmal schrecklich lieb.

»Du sagst, er habe Interesse an dem Konzert«, sagte Georg zögernd.

»Ja?« fragte ich bange ahnend.

»Nur an dem Konzert?«

»Vermutlich auch am Abendessen hinterher«, versuchte ich zu frotzeln.

»Ich könnte auch verstehen, wenn er Interesse an dir hätte.«

»Als interessanten Fall für die Psychiatrie?«

Scheiß-Hinhaltetaktik. Er bohrte jedoch weiter.

»An dir als Löwenfrau.«

»Der weiß doch gar nicht, daß ich eine bin!«

»Doch. Der ahnt das. Aber es geht mich nichts an, was du mit ihm oder er mit dir vorhat.«

»Was sollte ich denn mit ihm vorhaben?« fragte ich und schaute den Lippenabdruck auf meinem Weinglas an.

Er sagte nichts mehr dazu.

Ich sagte auch nichts mehr dazu.

Wir redeten über Sänger und Opern und Kritiken und Kinder, die mit dem Taxi in die Klavierstunde fahren. Dann war der Salatpott bewältigt, der Wein bildete eine Restpfütze im Glas. Wir rauchten noch eine. Georg winkte dem Kellner, zahlte.

»Gehen wir?«

»Ja, Georg. Jeder zu sich nach Hause. Bitte.«

»Bin ich dir zu nahe getreten?«

Der Popelinemantel vor mir drehte sich unsicher weg und dann wieder in meine Richtung.

»Nein, nein. Ich bin nur wirklich hundemüde und möchte jetzt mit meiner Wärmflasche und einem guten Buch ins Bett.«

Ich sah ihn richtig bittend an, so wie früher bei Tante Lilli: »Bitte laß mich noch ein Viertelstündchen lesen!« Dabei gelüstete es mich ganz heftig nach fernsehen und Quark essen. Zum Nachtisch. Je mehr ich um mein Alleinsein betteln mußte, um so mehr entwickelte sich mein Quarktrieb. Georg stand rauchend neben seinem Türkenopel. Ich hatte nur zwei Häuserecken zu gehen, um zu meiner geliebten, kleinen, improvisierten, farbenfrohen, quarkhaltigen Zweizimmerwohnung im vierten Stock zu gelangen. Nur zwei Häuserblocks! Er müßte nur einsteigen. Und losfahren.

»Darf ich dich denn wenigstens noch nach Hause bringen?« (Bin weder Fräulein, weder schön, kann ungeleitet nach Hause gehn!)

»Georg, nicht so devot, bitte! Von meinen früheren Freunden oder Verhältnissen oder was sonst ich alles noch nicht hatte, bin ich einen anderen Tonfall gewöhnt. Zum Beispiel: Äi, wennde willz, bringich dich noch umme Ecke!«

»Also gut, ich würde dich gern noch ein Stück begleiten.«

Andere Generation, andere Musik. Kind, warum mußtest du dich auch auf so was einlassen. Nun sei eine Dame und laß dich von dem Herrn am Arm nach Hause geleiten.

Ich wär so gern gerannt. Oder gehüpft oder im Zickzack gelaufen. Aber wir gingen gemessenen Schrittes Arm in Arm. Wie sich das gehört. Unten an meiner Haustür kramte ich nach dem Schlüssel und murmelte was von danke und bis bald und fahr vorsichtig – was bei ihm nicht unbegründet war – und kam wir vor wie ein Schwein. Eiskalt und widerlich. Warum wollte ich ihn denn jetzt nicht mehr? Heute mittag im Hotel hatte sich doch die Decke gedreht! Und den ganzen Tag waren wir uns doch so nahe!

Er sah knapp an mir vorbei, ein lebender Popelinemantel voll Unsicherheit. Ich liebte ihn plötzlich sehr.

»Du, Georg, es war ein wunderschöner Tag. Danke, daß du heute bei mir warst. Ich habe dich sehr lieb.«

Sprach's und umarmte ihn furchtbar fest und herzlich und küßte ihn als Zugabe noch auf den Mund. In dieser Zehntelsekunde spielte sich in mir ein erbitterter Zweikampf ab. Quarktrieb gegen Triebtrieb. Quarktrieb gewann. Ich schloß die Tür auf und stürzte die vier Treppen hoch, als wäre die räudige Katze der Nachbarin hinter mir her.

Oben stürzte ich noch im Mantel an den Kühlschrank, holte ein halbes Kilo Quark heraus und beruhigte mich erst nach dem fünften Eßlöffel voll. Die saure kühle Masse betäubte langsam meine Hast. Ich machte mir die Wärmflasche, legte mir eine feine Videokassette ein und zog den geliebten orangefarbenen Herrenpyjama an. »Kind, du bist keine Dame« war angesagt. Den Rest vom Quark vermengte ich genußvoll mit Süßstoff und aß ihn einigermaßen kultiviert mit dem Plastiklöffel. Welche Wonne. Endlich allein.

15

Am nächsten Tag begann die ganze Story einigermaßen gefährlich zu eskalieren. Klaus Konrad erschien wieder mal zu früh in meiner Wohnung. Er hatte ein riesiges Tablett Sahnetorte mitgebracht, was Sängerinnen kurz vor Auftritten meistens nicht zu Begeisterungsschreien hinreißen kann und quarksüchtige Emanzen mit einer heimlichen Haßliebe zu Kalorien erst recht nicht. In der anderen Hand balancierte er einen wunderschönen Adventskranz mit blauen Kerzen, der aufdringlich unauffälligen Grundfarbe meines Wohnzimmers angemessen. Das entzückte mich schon weit mehr. Drittens fiel mir an meinem gediegenen Freund auf, daß er beim Friseur gewesen war, und der Friseur muß die Gelegenheit buchstäblich beim Schopf gepackt haben, endlich einmal einen guten Zuhörer unter der Schere zu haben. Jedenfalls hatte der Friseur sich wohl mal seine Potenzschwierigkeiten von der Seele geredet und Klaus Konrad einen recht brachliegenden Charakterkopf be-schert. Ich fand ihn ausgesprochen ätzend, aber Tante Lilli hätte vor Wonne gejubelt.

»Ich bin etwas eher gekommen, damit wir noch ein gemütliches Kaffeestündchen haben können.«

Keine Ahnung von hysterischen Sängerseelen, dieser Psychiater.

»Ja dann... komm doch rein.«

Er ließ sich das nicht zweimal sagen, machte es sich bequem, bediente sich mit dem Sherry (inzwischen hatte ich Gläser), und ich fragte ganz blöd: »Soll ich noch einen Kaffee machen?« Eigentlich war ich gerade bei der Tonleiter, die meistens mit einem Kiekser auf dem hohen »schiß« landet.

»Wenn du noch üben willst, mach ich den Kaffee!«

Ich dachte an das gemeinsame Aufwischen von zermatschten, durchweichten Filtertüten auf nicht pflegeleichtem Küchenfußboden und gab den Gedanken an Einsingen auf. Wozu auch. Nachher in der Garderobe schmeiß ich noch ein paar Töne an die Wand. Jetzt ist Sahnetorte angesagt.

Wir saßen vor dem Adventskranz, dessen Kerzen wir selbstverständlich in jungfräulichem Zustand beließen (da ja noch kein Advent war), führten uns die fettigen süßen Kalorien zu Gemüte und unterhielten uns.

»Wie war gestern die Generalprobe?«

»Unterhaltsam bis endlos.«

»Wovon handelt das Stück?«

Ich erklärte es ihm. »Von Fröschen ohne Zahl und giftigen Nattern und all solchem Ungeziefer.«

Wir ließen uns die Torte schmecken.

Im Auto fragte er, ob ich gestern den Weg gut gefunden hätte.

»Ja, danke.«

»Bist du mit deinem rollenden Abfalleimer gefahren?«

»Nein, mit einem Bekannten.« (Mit meinem Herrn Bekannten.)

»Aha.«

Er legte den fünften oder sechsten Gang ein, ich wurde in die lederne Nußschale gepreßt, und wir rasten gen Blattheim, um an der sensationellen Aufführung des sagenumwobenen Kulturereignisses teilzuhaben.

Für Klaus Konrad lag eine Freikarte bereit. »Ehrenkarte für den Begleiter der Solistin« stand darauf, und wer das geschrieben hatte, meinte bestimmt einen Herrn, Ende Vierzig, im Popelinemantel.

Klaus Konrad hatte einen schwarzen Koffer bei sich.

»Ist das der Notarztkoffer? Falls ich ohnmächtig werde?«

»Nein, da ist eine Videokamera drin.«

»Eine was? Wen willst du denn überwachen?«

»Dich. Hast du was dagegen, wenn ich das Konzert filme?«

»Wie, das ganze Konzert?«

Ich dachte mit Schrecken an den röhrenden Schweinezüchter und an den heiligen St. Vibrator, dessen Halstüchlein mit jedem Schweller zitterte. Und an Frau Wollstrumpf, die auf Kommando für ihr Publikum mit Gott redete.

»Nein, wenn du willst nur deine Arien.«

»Aha.« Merkwürdiger Gedanke. Aber warum eigentlich nicht? Zickig stellen, Mimose spielen, ich habe einen Exklusivvertrag mit Onkel Pauls Schmalfilmkamera? Nein.

»Also gut, filme, wenn du möchtest. Aber wenn dir der Arm lahm wird, laß es bleiben.«

Ich mußte mich verabschieden. »Wenn ich mich am linken Ohr kratze, dann heißt das, film lieber nicht. Dann ist es mir unangenehm.«

»O. K. Und wenn du dich am rechten Ohr kratzt, dann heißt das, ich soll filmen, die Szene ist dir wichtig.«

Ich fand die Vereinbarung gut.

Sie sollte noch lange Gültigkeit haben.

Es ist kaum zu beschreiben, wie oft man sich als Sängerin auf der Bühne unbemerkt am Ohr kratzen muß.

In meiner Garderobe fand ich Frau Wollstrumpf vor. Sie saß in Unterwäsche auf einem Stuhl mitten im Raum, dessen Wände mit riesigen Spiegeln verkleidet waren, und sang in ihrem albernen amerikanischen Akzent: »Mit den Händchen klapp klapp klapp, mit den Füßchen trapp trapp trapp, einmal hin, einmal her, rundherum das ist nicht schwer.«

Ich fürchtete, im falschen Stück zu sein, und wich erschrocken zurück. Ist hier heute »Hänsel und Gretel« von Humperdinck, oder spielen wir einen soliden Händel?

»Hello, komm doch rein. Wir spielen die Szene zusammen!«

Die kleine dralle Dame in rosa Unterwäsche hüpfte auf mich zu, zog mich in den Raum und wollte die alberne Szene mit mir zelebrieren. Zum Glück konnte ich das Stück nicht.

»Ich hab den Hänsel nicht drauf«, wehrte ich sie ab.

Sie tanzte unbeirrt allein weiter, rosa Unterwäsche auf drallen Beinen, darüber ein albern hochtoupierter Lockenkopf. »Einmal hin, einmal her, rundherum das ist nicht schwer.« Irgendwie hatte dieser Ausbund an dämlicher Naivität ja recht. Ausgesprochen recht. Einmal hin, einmal her, rundherum, das ist nicht schwer. Eigentlich ist es wirklich nicht schwer. Einmal hin, einmal her.

Wir saßen auf der Bühne, Gesicht zum Publikum, Rücken zum Chor und Orchester. Links neben mir ruderte der Dirigent laut keuchend den Eingangschor, der schleppend und unsauber aus dem Hintergrund erscholl.

Die Dralle steckte bis zum Kinn in Rüschen, ich hatte wie immer die Jeans unterm »Kind-das-kaschiert-Kleid«, der Schweine-Tenor war wahrscheinlich im Frack Trecker gefahren (er wirkte leicht angeschmuddelt, der Frack), und der mimosig-heilige Baß mußte bibbernd auf sein Seidentüchlein verzichten.

Ich ließ meine Arie mit den Fröschen und Nattern ab. Dabei schaute ich grimmig, rollte die Rs und zischte und fauchte, daß die Spucketröpfchen nur so durchs Scheinwerferlicht stoben.

Klaus Konrad saß in der ersten Reihe auf seinem Ehrenplatz und filmte unaufhörlich. Ich hatte vergessen, mich im entsprechenden Augenblick am entsprechenden Ohr zu kratzen. Mein Herz klopfte zugegebenermaßen ziemlich unrhythmisch, und mein Magen betete zur Buße einen ganzen schmerzensreichen Rosenkranz für die Sahnetorte. Noch beim Nachspiel der Blattheimer Sportschaufanatiker und Fröschestimmenimitierer zitterten mir die Hosenbeine, aber dank Tante Lillis Kaschier-Sack war das mein Geheimnis. (Jede Frau hat ihr kleines Geheimnis.)

Schlußakkord. Amen. Halleluja. Ich setzte mich wieder. Frau Rüsche neben mir raunte »Gaanz tooll«, und der tenorale Landwirt zog wieder geräuschvoll Rotz durch die Atemwege. Der mimosige Kehlkopf des Baßkollegen wanderte auf und ab, immer an der weißen Fliege vorbei, die jedesmal unwillig zusammenzuckte. Wahrscheinlich machte er irgendwelche Entspannungsübungen in Ermangelung seines bibbernden Halstüchleins.

Ich versuchte mich zu entspannen. Also schaute ich interessiert ins Publikum. Das tue ich immer, wenn ich mich ablenken und aufheitern will. Ich stelle mir immer vor, die Leute, die da so in langen Reihen hintereinander sitzen, hokken in einer Achterbahn, und gleich werden sie entsetzlich schreien und quietschen, weil es steil bergab geht. Sie werden sich aneinander festhalten und durcheinanderpurzeln, und der ganze wohlgeordnete kultivierte Akademikerverein wird zum kreischenden Haufen. Diese Vorstellung amüsiert mich jedesmal von neuem und macht mich heiter und gelassen.

Oder ich stelle mir vor, welcher Mann zu welcher Frau gehört, zu der rechts neben ihm oder zu der links, und wem der gähnende Bengel zuzuordnen sei, der beinebaumelnd und sichtlich gelangweilt aus dem Programmzettel ein Schiffchen faltet.

Die aufgedonnerte Blonde in Giftgrün, gehörte die zu dem gläsern blickenden Toupettträger in Graugestreift, oder war sie die Gattin des dickbäuchigen, rotgesichtigen Schläfers auf der anderen Seite? Ach nein, zu dem gehörte wohl die beleibte Mutti mit den frischen Dauerwellen im Leberwurstkleid. Schräg dahinter diese vier Omas, eine immer aufmerksamer als die andere, sie reckten und streckten sich und fielen vor lauter eifriger Neugierde fast aus der Achterbahn. Meine Augen wanderten schnell und unorientiert. Vorne erste Reihe Mitte: Konrad. Geschniegelt und kurzgeschoren wie ein dicker Streber aus meiner Klasse. Mit Filmkamera. Herr Lehrer, ich bin ein ganz Schlauer. Er fing meinen Blick auf, lachte mich an. Es hätte nicht viel gefehlt, da hätte er gewinkt oder »Huhu« gerufen. Ein Ausbund an entwaffnender Offenheit. Und lieber naiver Wärme. Ein Bär zum Knuddeln. Nur daß ich den Bären nicht knuddeln wollte. Meine Augen schlugen einen Haken und flitzten in die letzten schwach beleuchteten Reihen. Machten eine Vollbremsung. Wanderten zwei bis drei Reihen zurück. Da. Gebeugte Haltung, schwarze Haare, Seitenscheitel. Brauner Anzug, hellblaues Hemd. Die Hand am Mund, lauschend, im Halbdunkel die Schatten eines Gesichtes. Schmale, leicht spöttisch verzogene Lippen nur zu erahnen. Ich starrte ihn an, bis er verschwamm. Warum, Georg. Warum tust du mir und dir das an. Hast du denn an so einem Sonntagnachmittag nichts Besseres zu tun? Kannst du nicht mit deinem Kind Klavier spielen oder Pferdebilder ausschneiden? Oder mit Freia am Kamin sitzen und Cognac trinken und über Zugewinnausgleich sprechen?

Das Duett mit dem meditierenden Rüschensopran fiel leicht unkonzentriert aus. Ich fand kaum meine Einsätze. Scheiße. Georg hier. Konrad hier. Kind, sing anständig. Konzentrier dich. Die Kleine redet mit Gott (wenn auch mit amerikanischem Akzent), und du denkst an Männer und Opel und BMW und Mittagspause im anständigen Hotel und Kaffeetrinken auf Tante Lillis Sofa...

Ich war nicht besonders gut. Einfach nicht überzeugend. Der beseelt bibbernde Baß und der gesund krähende Tenor schlugen mich um Längen. Georgs Gesicht in grauer Menge, unklar, düster, verdeckt. Konrads Gesicht in der ersten Reihe, hell, klar, lächelnd. Und meine zitternden Beine unter dem Abendkleid. Kind, nun reiß dich mal zusammen.

Schlußchor, Ende, Beifall. Schweißfeuchter Händedruck des keuchenden Dirigenten. Blumen von knicksenden pubertären Blattheimer Schönheiten. Blitzlichter. Ein Abklatsch von Bühnenrausch, ein Hauch von großer weiter Welt.

Verbeugen, rausrauschen.

Draußen neben der staubigen Bühne im Dunkeln gratulierten wir uns halbherzig gegenseitig.

»Schön gesungen.« »Brav gemacht.« »Prima durchgehalten.« Alles lieblose Unverschämtheiten.

Hans Fugge kam zum Verbeugen, keuchte »Los, wieder rein«, wir rauschten zurück ins Scheinwerferlicht. Blattheimer High-Society machte standing ovations. Wofür bloß?

Beim Verbeugen bemerkte ich, daß meine Schuhe ungeputzt waren. (Kind, du bist und bleibst eine Schlunze.) Die Rüsche neben mir hatte Schuhgröße 34, aber dafür in Glanzlack mit Schleife. Apart. Wir rauschten wieder in die staubigdunkle Unterwelt.

»Da saß einer in der ersten Reihe mit einer Kamera. War das für den Lokalsender?«

»Äm, nein, das war mein Freund.«

»Gestern hattest du aber ein anderer Mann«, ließ sich meine Kollegin vernehmen.

»Ja«, bibberte die weiße Fliege. »Ich dachte, es sei ihr Herr Vater!«

»Ach was«, bölkte der bäurische Blöker. »Unsere Altistin steht auf reife Männer!«

»Oh, da hätte ich ja vielleicht noch Chancen«, kicherte der mimosige Baß.

Ich dachte, ach, ist der doch nicht schwul?, während wir ein letztes Mal dienernd und dankend den Blattheimer Beifall entgegennahmen.

Der ebbte gerade ab, als die Sopranistin noch draußen war. Sie brauchte natürlich Sonderklatscher für gekonntes Meditieren. Kaum waren wir in der Garderobe, als sie ihre Lackschühchen auszog und gegen den Spiegel pfefferte. Überkandideltes Grillhuhn aus Kentucky!

Ich entledigte mich meiner schwarzen Arbeitskleidung, knüllte sie in den adidas-Beutel (Noten, Schuhe, Kleid, Stimmgabel, Krimi, Stadtplan, Lutschpastillen), raffte meine Blumen und meinen Mantel zusammen und stellte mit einem Seitenblick in den Spiegel fest, daß mein Gesicht so von roten Flecken geziert war, daß jede Maskenbildnerin mit meiner Hilfe ihre künstlerische Reifeprüfung mit Auszeichnung gemacht hätte.

In dem Moment klopfte es laut, aber herzhaft. Obwohl in rosa Unterwäsche, zwitscherte die Kollegin »herrain«, wollte vermutlich Autogramme oder Exklusivinterviews in diesem einmalig reizvollen Aufzug geben. Es war der Gediegene. Groß, breit, bepackt mit Videokamera, Koffer und Ledermantel. Ich stellte die beiden einander vor und widmete mich wieder meinen roten Flecken.

»Prima, ich bin stolz auf dich«, sagte Klaus Konrad und hätte mir vermutlich auf die Schulter geklopft, wenn er nicht so bepackt gewesen wäre.

Unter seinem Ledermantel tauchte ein riesiger Blumenstrauß auf, den er mir mit Schwung überreichte. Dabei fiel der Ledermantel zu Boden. Ich war gerührt. Wo hatte er denn dieses Monumentalgebinde wieder aufgetrieben? Und wie hatte er es geschafft, mir die ganze Pracht bis jetzt zu verheimlichen?

»Ich habe die Blumen gestern telefonisch bestellt«, erklärte er mir später. »Ein Botenjunge hat sie eben an der Abendkasse abgegeben.«

Ach, so ging das. Ein Mann von Welt eben, der Klaus.

Wir verließen die Garderobe, beide schwer bepackt. Da

stand ein einsamer Fan. Im Popelinemantel. Mit einer einzigen kleinen roten Rose.

Georg.

Halb gesenkter Blick, schräg an mir vorbei.

Ich blieb stehen, Klaus Konrad blieb auch stehen.

»Ach, guten Abend«, heuchelte ich angenehme Überraschung. »Der Kritiker gar höchstpersönlich!«

Georg war keine Sekunde irritiert.

»Ich möchte mich bei Ihnen für das Konzert bedanken.«

»Klaus, das ist Herr Lalinde, ein Kritiker. Ach, ihr kennt euch ja schon flüchtig.«

Klaus erinnerte sich anscheinend nicht. Er stellte seinen Koffer mit Schwung auf den Boden, legte den frei gewordenen Arm mit Besitzergeste um mich und sagte: »War sie nicht wunderbar? Ich bin richtig stolz auf sie!«

»Ich auch«, sagte Georg und guckte dabei auf den einen meiner ungeputzten Schuhe.

Ich nahm ihm beherzt die Rose ab und steckte sie zu dem üppigen Strauß.

»Werden Sie die Kritik schreiben?« fragte Klaus interessiert.

»Ja, es wird mir ausgesprochenes Vergnügen bereiten.«

Georg hatte wieder das schmallippig-spöttische Lächeln drauf. Ich fand, daß dieses Flurgespräch ziemlich unerträglich sei.

»Zerreißen Sie mich nicht völlig in der Luft«, sagte ich zweideutig und schüttelte Georg kräftig die Hand. Er hielt sie eine Sekunde länger als nötig. Meine Weiblichkeit erlebte einen Hormonsturz.

»Also dann...«

»Schönen Abend noch!«

»Kommen Sie gut nach Hause!«

»Wir bleiben noch ein bißchen. Da ist so ein Empfang mit Bürgermeister und Tischreden und Sektglas halten.«

»Und warmem Essen? Guten Appetit!« Bissiger, hintergründiger Georg!

»Danke.« Wir drehten uns um, wollten gehen.

»Und noch was!«

»Ja?« Ich zuckte zusammen. Was denn noch?

»Vergessen Sie die Agentur nicht, von der ich Ihnen erzählte. Die ist nach wie vor interessiert an einem Exklusivvertrag!«

»Da mußt du dich wirklich mal hinterklemmen«, sagte Klaus, als wir den Flur hinuntergingen.

Ich drehte mich nicht mehr um. Aber ich hatte wahnsinnig Lust auf eine Zigarette.

16

Montag morgen, neun Uhr. Quarkbecher, Plastiklöffel, Kaffeetasse und Tageszeitung. Welch ungetrübter Morgen. Das Telefon klingelte. Eine Minute später als sonst. Ich hoffte, es sei Georg.

»Guten Morgen, hier ist Klaus.«

»Hallo.«

»Gut geschlafen?«

»Danke. Du auch?«

»Na ja, nach deinem Rauswurf gestern abend...«

»Das war doch kein Rauswurf! Ich war nur müde und wollte alleine sein. Nimmst du mir das übel?«

»Ein bißchen schon. Ich bin noch stundenlang in verschiedenen Kneipen gewesen, weil ich so wütend war.«

Jetzt wurde ich aber wütend.

»Was denkst du eigentlich, Klaus? Du hast kein Recht, wütend zu werden, nur weil ich dich um halb drei nachts bitte, zu gehen. Ich hatte Konzert und war einfach kaputt!«

»Ist ja schon gut, ich will mich nicht mit dir streiten. Ich wollte dich fragen, ob du heute abend mit mir ins Theater gehen willst. Ich habe Notfalldienst.«

Ich überlegte. Wollte ich? Eigentlich nicht.

»Was denn für'n Stück?«

»Ich glaube, eine Verdi-Oper.«

Eigentlich liebe ich alle Verdi-Opern.

»Klaus, darf ich mir das noch überlegen?«

»Nach welchen Kriterien wirst du denn deine Entscheidung treffen?«

Er sagte das so spöttisch, daß ich mich ärgerte.

Mein Quark lachte mich an. Ich wollte das Gespräch beenden.

»Ruf mich heute nachmittag noch mal an, ja? Ich weiß nicht, ob ich mit dem Üben hinkomme. Im Advent kommt es knüppeldick mit den Konzerten.«

»O. K., ich ruf dich um fünf an. Tschüs!«

Er legte auf. Anscheinend war der große gediegene Seelendoc gekränkt.

Ich versuchte, Zeitung zu lesen und meinen Quark zu genießen.

Kurz darauf rief Georg an.

»Du warst gestern wunderbar.«

»Warum mußtest du denn auftauchen, Georg? Das war unfair!« Eigentlich fand ich mich selbst entsetzlich unfair.

»Ich konnte es zu Hause nicht mehr aushalten.«

»Was war denn? Streit? Szene? Nudelrollenweitwurf?«

»Nein. Totenstarrenkälte. Mir war so kalt in meinem eigenen Haus, daß ich einfach wegmußte. Zu dir. Auch wenn ich dich nur aus der Ferne sehen durfte gestern abend.«

Wie schrecklich devot sich das wieder anhörte!

»Georg, laß das doch. Nicht Süßholz raspeln, bitte! Davon kriege ich eine Gänsehaut!«

»Oh, Entschuldigung. Trotzdem war es so. Als ich in deiner Nähe war, ging es mir besser. Darf ich dich heute abend sehen?«

Wann würde er mit dieser »Armer-Ritter«-Sprache aufhören? Meine Tante Lilli machte früher oft ein Gericht, das hieß so: »armer Ritter«. Das schmeckte ähnlich süß und klebrig wie die Worte, die aus dem grünen Telefon tropften.

»Georg, ich weiß noch nicht. Ich bin heute morgen so entscheidungsunfreudig. Gestern war es spät, und heute bin ich sehr müde…«

»War es wenigstens schön gestern abend?«

»Ja, ganz nett.« Verdammte Unterhaltung. Morgenstund hat Schleim im Mund.

»Ich habe heute abend in der Oper zu tun. Ich schreibe die Maskenball-Kritik.«

Ach wie interessant. Jetzt konnte ich wählen, mit wem ich

mir den Verdi reinziehen wollte. Mit dem Notarzt vom Dienst oder mit dem Kritiker. Das größere Kunsterlebnis war es sicherlich mit Lalinde. Seine Arbeit interessierte mich brennend. Klaus würde vermutlich schlafen oder wenigstens laut gähnen und nur an das Essengehen nachher denken.

Wenn überhaupt Verdi, dann mit Georg.

Kind, sei vernünftig, geh überhaupt nicht in die Oper heute abend. Bleib zu Hause und spar deine Kräfte. Außerdem ist das doch ein Spiel mit dem Feuer. Gehst du mit dem einen hin, triffst du mit Sicherheit den anderen. Kind, laß es!

»Du, Georg, es ist lieb, daß du mich einlädst, aber ich möchte heute abend mal zu Hause bleiben. Ich war schrecklich viel unterwegs in letzter Zeit.«

Schweigen. Dann: »Hm.« Hm, sonst nichts!

Der Küchenuhrzeiger tickte aufdringlich. Zeit zum Einsingen, Zeit zum Schminken und In-die-Straßenbahn-Setzen. Ich beschloß, auch nichts mehr zu sagen. Noch nicht einmal Hm.

Es ist quälend, einen Telefonhörer ans Ohr zu pressen, aus dem nichts kommt als stumme Enttäuschung.

Dann schließlich: »Kann ich dich gar nicht überreden? Maskenball-Premiere mit erstklassiger Besetzung?«

Plötzlich dachte ich, Kind, du lebst nur einmal. Nun mach es doch. Erleb doch mal eine rauschende Premiere aus dem Publikum, an der Seite eines bekannten scharfzüngigen Kritikers. Und wenn du den Doc triffst, kann es nur noch spannender werden, das Leben! Zu Hause in der Ecke sitzen wirst du früh genug.

»Also gut. Ich komm mit. Treffen wir uns um halb acht vor der Oper?«

»Darf ich dich nicht abholen? Ich könnte schon ab fünf!«

Verdammte Tat. Ja, ich will sie begehen. Du willst es ja nicht anders. Und ich eigentlich auch nicht. Also um fünf. Wunderbares Leben.

»Na gut. Komm auf einen Kaffee. Ich versuche, um fünf zu Hause zu sein.«

Hormonstoß im Unterleib, Vorfreude fühlbar. Das mit dem Kaffee war eine pure Floskel. Wir würden etwas ganz anderes tun als Kaffee trinken.

Das taten wir. Georg war noch nicht ganz in meinem kleinen muffigen Flur, als ich ihn auch schon von seinem Popeline-mantel und seiner Seidenkrawatte befreite.

Wir dachten beide nicht an Kaffee. Die ganzen zweieinhalb folgenden Stunden nicht. Zwischendurch rauchten wir ein paar Zigaretten. Das Klingeln des Telefons überhörten wir. Dann fuhren wir in die Oper. Ich am Steuer. Maskenball also. Eine heitere Verwechslungskomödie mit tragischem Ende.

Schon im Foyer meinte ich jede Sekunde, Klaus in die Arme zu laufen.

»Können wir uns schnell auf unsere Plätze begeben?«

»Wenn du es möchtest...«

Hätte ich gefragt, ob wir schnell noch ein Glas Sekt trinken könnten, hätte er auch geantwortet: »Wenn du es möchtest.« Und wenn ich vorgeschlagen hätte, noch dreimal um die Oper zu joggen, hätte er auch dies ohne Rückfrage prima ge-funden.

Wir schlängelten uns an der blauweißgestreiften Pro-grammtante vorbei und schoben uns in die vierte Reihe. Nach der Pause würden wir im Rang sitzen, der unterschiedlichen Akustik wegen.

Im Orchestergraben waren die üblichen Stimmgeräusche zu vernehmen, hier und da erklang bereits ein Motiv aus der Oper, eine Klarinette dudelte in schlimmstem Mißklang zur Posaune, während die Blondine an der zweiten Geige sich unnötigerweise die Lippen schminkte. Das allerdings ge-räuschlos.

Ich guckte verstohlen im Publikum umher. Kein Doc weit und breit. Ob er gar nicht gekommen war?

»Na, nach wem reckst du dir den Hals aus?« fragte Georg.

»Och, ich guck nur so, wer alles da ist«, sagte ich. »Wie in der Kirche. Bevor es losgeht, muß man doch sehen, mit wem man es so zu tun hat den ganzen Abend. Und wer was anhat. Und wer mit wem da ist. Und warum.«

Er lächelte. »Und warum bist du mit mir da?«

»Weil ich erleben will, wie eine Lalinde-Kritik entsteht.«

Die Lichter im Saal gingen aus. Ich lehnte mich erleichtert in meinem Sitz zurück. Kein Doc, keine Peinlichkeiten, keine Erklärungen. Jetzt nur noch Verdi im Dunkeln. Mit dem aufregendsten Herrenparfum der Welt rechts neben mir. Eine Hormonstoß-Assoziation, dieses Parfum.

Diskret und schnell wurden jetzt die Türen geschlossen. Die blauweißen Damen konnten bis zur Pause stricken gehen. Nur die Tür vorne links wurde noch offengehalten. Der Dirigent rauschte bereits herein, wurde von mittelmäßig frenetischem Beifall begrüßt. In diesen Beifall hinein trat er auf, der Doc. Vorne links. Hinter ihm schloß sich die Tür schnell und geräuschlos.

Pang. Das mußte ja noch kommen, das dicke Ende. Georg hatte nichts bemerkt. Er hatte bereits wieder die Hand am Mund und hockte vornübergebeugt auf einer Bügelfalten-Pobacke. Selbst am Po hatte der Anzug Bügelfalten. Wahrscheinlich, weil Georg nie richtig auf dem Hintern sitzen konnte. Wie soll sich da eine Bügelfalte abnutzen.

In der Pause blieben wir erst eine Weile sitzen, bis sich die flanierhungrige Menge aus den Saaltüren gedrängelt hatte. Ich beobachtete den großen, breiten Mann vorne links, der, anscheinend aus wohligem Schlaf erwachend, sich andeutungsweise streckte und dann, ohne sich umzuschauen, den Saal verließ. Georg machte sich Notizen. Ich störte ihn nicht, blieb schweigend sitzen, bis er fertig war.

»Was möchtest du jetzt machen? Sollen wir etwas trinken?«

Ja, was wollte ich machen? Mich unters Volk mischen, Prickeln spüren, den oder jenen treffen, in verständnislose Gesichter schauen, aha, der Kritiker mit der jungen Sängerin, woher kenn ich die noch gleich, singt die nicht in irgendeinem Chor? Dem Doc an der Bar begegnen, sagen: »Guten Abend, welch ein Zufall, bist du auch heute abend hier?«

Plötzlich überlief mich ein kalter Angstschweißschauer. Kind, was bist du dämlich. Du hast den Doc eiskalt abgewiesen, bist nachher nicht ans Telefon gegangen, und jetzt willst du ihm lächelnd mit Georg am Arm gegenübertreten? Der Mann guckt dich nie mehr an, und mit Recht. Vielleicht knallt er dir sogar eine, vor allen Leuten, verdient hättest du es, oder er duelliert sich mit Georg. Mangels einer Pistole wird er als Geschoß vielleicht einen Sektkorken benutzen oder ihm eine Bierflasche über den Seitenscheitel hauen. »O kühne Tat, o

Frevel!« Ich fühlte mich elender als kurz vor einem scheußlichen Vorsingen, was wesentlich schlimmer ist als Zahnarzt.

Georg stand auf und fragte, ob er mich zu einem Glas Sekt einladen dürfe. Er durfte. Wir schoben uns durch die flanierenden Opernfreunde, alle fein gestylt und kultiviertes Großstadtflair verbreitend, in Richtung Sektbar. Während Georg sich in den Pulk der unkultiviert drängelnden Sektorderer stellte, drückte ich mich an die Wand, beobachtete aus den Augenwinkeln alle feindlichen Positionen um mich herum und fummelte mit zitternden Fingern nach Georgs Zigaretten in meiner Handtasche. Daß Klaus in unmittelbarer Nähe sein mußte, war mir klar. Es sei denn, er wäre gerade zur sterbenden Amelia gerufen worden oder zu der ohnmächtigen Gattin des Bankdirektors Haumichtot, der die Luft im Saal einfach nicht bekommen war. Niemand erbarmte sich, niemand fiel tot um oder wurde wenigstens ohnmächtig, niemand mußte sich im Foyer übergeben, und niemand kam auf den Treppen mit einem Kind nieder. Alle Menschen waren erbarmungslos gesund und wohlauf, und da schob sich Klaus auch schon am wartenden und drängelnden Pulk vorbei zum Ausschank, zeigte irgendeinen Zettel vor und bekam augenblicklich ein Bier und irgendwas Fettiges, Kalorienhaltiges in einer Glasschüssel ausgehändigt. Damit beladen, suchte er mit den Augen den Raum nach einem freien Plätzchen ab. Ich drehte mich abrupt um. Suchende blicken immer zuerst in die Augen derer, die sie beobachten. Das ist ein Naturgesetz. Ich spielte also Beduinenfrau. In Ermangelung eines Kapuzenumgangs hüllte ich mich nur in heftige Rauchwolken und drehte mich zur Wand.

Auf diese Weise fand mich Georg allerdings auch nicht, der, zwei Sektkelche balancierend, im Raum umherirrte. Ich konnte ihn unmöglich rufen oder winkend auf mich aufmerksam machen. Meinen Platz in der Nische wollte ich auf keinen Fall verlassen. Also ließ ich Georg irren. Er ging so dicht an dem mit Appetit essenden und Bier trinkenden Klaus vorbei, daß ich vor Angst auf die Zigarette biß. Jetzt sah Klaus ihn, rückte zur Seite, bot ihm einen Platz an. Georg erstarrte einen winzigen Moment lang, reagierte aber instinktiv richtig. Er verneinte dankend und sagte noch zwei, drei freundliche Sätze. Beim Wegdrehen sah er mich und kam auf mich zu. Ich leuchtete vermutlich wie die Insassen eines ganzen Kinderkrankenhauses während einer Masernepidemie mit meinen hysterischen roten Flecken im Gesicht.

»Dein Doc ist da«, sagte Georg und stellte die Gläser ab.

Ich zog ihn in die Nische: »Er muß uns nicht unbedingt sehen.«

»Warum nicht? Stört es dich, wenn wir zusammen gesehen werden?«

Georg nestelte nach einer Zigarette und bot mir auch eine an. Ich nahm mir sofort eine zweite.

»Ich Schwein hab seine Einladung in die Oper abgelehnt und bin mit dir gegangen«, sagte ich und rauchte nervös.

»Das ist natürlich was anderes«, sagte Georg. »Komm weg hier. Er muß uns wirklich nicht zusammen sehen.«

Wir schoben davon, mit Sektglas und Zigarette durch das Foyer, die Treppen hinauf bis zum ersten Rang. Von hier aus konnte man auf die wandelnde Menge unten herabsehen.

»Du liebst wohl das Spiel mit dem Feuer?« fragte Georg, aber es klang nicht streng, sondern eher begeistert.

»Eigentlich nicht«, sagte ich kleinlaut und trank hastig und mit zitternden Fingern den Sekt.

Mir war schrecklich übel. Zwei Zigaretten hintereinander und Sekt auf nüchternen Magen nach einem nicht ganz langweiligen Nachmittag und einem halben Maskenball, der mich meine letzten strapazierten Nerven kostete. Ich wollte nicht mehr bleiben. Weder die dramatische Oper noch das dramatische Drumherum wollte ich weiter erleben. Ich hatte mich regelrecht überschätzt.

Ganz plötzlich wußte ich, daß ich gehen würde, nach Hause, zu meiner Wärmflasche, meinem Quark und meinem Fernseher, allein, unbeobachtet und ohne angehimmelt zu werden. Jetzt sofort wollte ich gehen. Frische Luft! Nicht noch freiwillig erleben, wie diese böse Dreiecksgeschichte mit Amelia, Ricardo und Renato zu Ende geht. Ich wußte es ja schon. Da gibt's Tote. Natürlich ist das nur eine Oper. Aber man ist geneigt, seine eigene Situation im Theater widerzuspiegeln.

»Georg, ich fühl mich krank. Ich möchte nach Hause.«

»Natürlich, Liebes, ich bringe dich.«

»Nein, ich möchte zu Fuß gehen. Ich brauche frische Luft.«

»Wie du willst. Wir können auch laufen. Ich kann den Wagen später holen.« Georg drückte schon seine Zigarette aus.

»Du mußt doch hierbleiben, Herr Lalinde«, versuchte ich streng scherzhaft zu flöten. »Deine Kritik lesen morgen Tausende von Leuten.«

»Wenn du krank bist, gibt es keine Kritik«, widersprach Georg. So was von Ritterlichkeit war mir lange nicht vorgekommen.

»Georg, ob du es verstehst oder nicht, ich möchte allein gehen«, sagte ich bestimmt. Kind, freundlich, aber bestimmt, damit erreichst du bei den Menschen am meisten.

Er verstand es. Oder nicht. Jedenfalls ging ich allein. Ich hastete die zwei Treppen hinunter zur Garderobe, holte meinen Mantel und rannte hinaus auf die Straße. Nach zwei Häuserblocks fühlte ich mich immer noch verfolgt, von Georg, von Klaus, vom Schicksal, von meiner eigenen Blödheit, ja, die verfolgte mich am meisten. Ich schimpfte laut mit mir selbst. »Du dämliche Pute«, sagte ich und traf fast Tante Lillis Ton. Selber schuld, jawohl, selber schuld. Hoffentlich versohlen sie dir beide den Hintern, einer rechts, einer links, jawohl. Wie kann man sich nur auf so was einlassen. Wie kann man nur so blöd sein. Eitel bist du, übermütig, unreif. Hast du das denn nötig? Anscheinend ja, was? Wohl so voller Komplexe, daß du es nötig hast, ja?

Nach zwanzig Minuten eiligen Fußmarsches und erhitzter Selbstgespräche ging es mir besser. Ich genoß den schnellen Gang, die frische kühle Luft und den feinen Sprühregen. Am meisten genoß ich das Alleinsein. Es schien mir das kostbarste Gut auf Erden.

Zu Hause tat ich genau das, wonach ich mich schon den ganzen Abend gesehnt hatte. Wärmflasche, Quark mit dem Plastiklöffel und ein feiner Spielfilm mit deutschen Schauspielern und Liebe, Herz und Schmerz. Na bitte. Und die Beine auf den Tisch. Mit dem Fuß schob ich die Blumenvase mit den Doc-Rosen zur Seite. Auf dem Fernseher prangten die Konzertblumen, rechts an der Seite steckte die einzelne kleine Georg-Rose. Und ich schaute Curd Jürgens und Sonja Ziemann beim Sich-Verlieben zu und war ganz mitgerissen. Im Film klappte das eben alles so gut.

Einer verliebte sich in den anderen und umgekehrt auch, versteht sich. Die Probleme, die dann laut Drehbuch neunzig Minuten dauern, sind am Schluß gelöst, und der Film hört auf, wo es im Leben anfängt. Beim Kuß beispielsweise, oder beim »Ich liebe dich« oder beim Heiratsantrag. Die Liebenden sind immer edlen Charakters, und niemals kämen sie auf die Idee, mit zweien gleichzeitig böses Spiel zu treiben und im hintersten Zipfel ihres Gemütes Sehnsucht nach einer Wärmflasche zu haben. Wenn doch einmal ein schlechter Charakter in so einem Film vorkommt, bestraft ihn das Schicksal. Er fällt vom Dach oder wird von einer Schlange gebissen, je nachdem, wo der Film spielt.

Mein Film spielte in K. und hatte den großen Nachteil, keinen Abstellknopf zu haben. Gerade als Curd Jürgens Sonja Ziemann küssen wollte und die sich zierte, klingelte es an der Wohnungstür. Sollte Georg... er würde sich doch nicht entblöden, hier nach der Oper noch mal aufzutauchen? Einfach nicht aufmachen. Georg hat Feingefühl. Wenn ich nicht aufmache, geht er wieder. Oder doch aufmachen? Georg hereinbitten? »Auf einen Kaffee?« Und zur zweiten Runde übergehen?

Ich hatte schon wieder ganz fürchterliche Lust auf Georg. Auf seine rauhen schmalen Lippen, auf seinen Geruch nach Zigaretten und Parfum, auf seine halb spöttische, halb zärtliche Stimme, auf seine rauhen, aber gepflegten Hände. Ich hatte Lust, ihm den Seitenscheitel zu verwuseln und ihn seiner Krawatte zu entledigen, seines hellblauen Hemdes und seiner Bügelfaltenhose womöglich auch. Ich hatte Lust auf seine Zigaretten, besonders auf die »danach« und noch mehr auf die »zwischendurch«.

Ich rappelte mich hoch, hieß Curd Jürgens schweigen und Sonja Ziemann sich in Luft auflösen. Drückte auf den Türknopf. Jemand kam schnellen Schrittes herauf. Ziemlich geräuschvoll. Das morsche hölzerne Geländer wackelte. Ich lugte durch die Streben. Nicht Georg?

Nicht Georg. Zu meiner großen Überraschung war es Klaus, der mit roten Wangen und strahlenden Augen die Treppe heraufkeuchte.

Aha. Jetzt würde er mir so richtig gründlich den Hintern versohlen. Oder mir mit kühner Geste die Blumen vom Tisch reißen und sie mir dann um die Ohren hauen. Oder er würde sich auf mich stürzen und mich vergewaltigen. Oder alles auf einmal.

Er tat nichts von alledem. Er zog geräuschvoll die Nase hoch und fragte, ob er »auf ein Glas Sherry« hereinkommen dürfe.

»Ja klar, komm rein.«

»Stör ich dich bei irgendwas?«

»Nö. Ich hab gerade Sonja Ziemann und Curd Jürgens geguckt.«

»Mach ruhig wieder an, wenn du den Film zu Ende schauen willst.« Ich sollte mich also wieder mal zulassen. O. K.

Er legte selbstverständlich ab, drückte mir einen beherzten Kuß auf den Mund und holte sich den Sherry aus dem Schrank. Na klar, er wohnte ja seit vier Jahren hier. Warum sollte er sich auch anders verhalten.

Ich machte tatsächlich die Kiste an und setzte mich auf den alten Sessel, von dem die Fasern runterhingen, weil Tante Lillis Katze ihn damals als Kratzbaum auserkoren hatte. Eigentlich saß ich sonst nie in diesem ausgefransten Sessel, sondern mit der Wärmflasche auf dem Sofa an der Heizung. Aber da hatte Klaus sich bereits ganz selbstverständlich niedergelassen, mit Schwung mitten auf die Wärmflasche, die leise Quietschlaute von sich gab. Klaus zog sie unter dem Hintern hervor und warf sie achtlos in die Ecke. Meine geliebte Wärmflasche!

Curd Jürgens und Sonja Ziemann küßten sich immer noch, das heißt, sie sagten sich allerhand liebe Sachen und hatten sich offensichtlich wahnsinnig gern.

»Komm doch ein bißchen zu mir«, sagte Klaus und patschte mit der Hand rechts neben sich auf das Sofa.

»Ich sitze hier gut«, antwortete ich spröde, wie ich nun mal bin. Keinen Bock, Klaus zu knutschen.

»Ich war in der Oper«, sagte Klaus, während Curd Jürgens in ein Auto stieg.

»Ich auch«, hätte ich fast gesagt, aber Sonja Ziemann trauerte so intensiv um den Davonfahrenden, daß wir beide ganz gerührt waren.

»Es war sehr nett«, sagte Klaus.

»Sehr nett« sagte der! Über den Maskenball!

»Ist jemand tot umgefallen oder hat sich ein Darsteller auf der Bühne das Bein gebrochen?« fragte ich teilnahmslos.

»Nein, alles ruhig, nichts passiert. Ich schlafe in Opern meistens ein«, sagte Klaus, »aber diese war ja am Schluß ganz schön aufregend.«

»Ja, ich kenne das Lied«, sagte ich und griff zum Sherryglas. Ich hatte schreckliche Lust auf eine Zigarette.

»Zwei Männer und eine Frau«, sagte Klaus. »Nachher bringen sie sich gegenseitig um.«

»Fast wie im richtigen Leben«, murmelte ich.

Klaus hatte das nicht verstanden.

»Dieser Kritiker war übrigens drin«, sagte er. »Der schreibt wohl die Kritik?«

»War er allein?« fragte ich und bekam Herzklopfen.

»Ja. Wieso? Ja, er war allein. Oder nicht? Nein, er muß eine Frau bei sich gehabt haben.«

Mein Herzklopfen verwandelte sich in Herzrasen. Sollte dieser Mensch mich die ganze Zeit auf die Folter spannen? Ich sagte nichts, versank nur in Tante Lillis angefressenem Sessel und hielt mich am Sherryglas fest.

»Er hatte wohl eine Frau bei sich, denn er trug zwei Gläser, als ich ihn in der Pause sah.«

»Aha.«

»Aber ich langweile dich. Was interessiert uns der Kritiker.«

»Genau. Was interessiert uns der Kritiker.«

Ich kicherte vor Erleichterung. Klaus spielte nicht. Er war nicht hintergründig. Er war so lieb und offen und direkt, daß er niemals so eine Szene inszenieren könnte. Frauen können so was und verschlagene Männer. Klaus niemals, dieser gutmütige, treue, brave Tanzbär.

Plötzlich hatte ich doch Lust, mich neben ihn zu setzen.

Ich nahm mein Sherryglas und zwängte mich hinter den Wohnzimmertisch, auf dem peinlicherweise zwei leergefressene Quarkbecher standen mit festgebackenen, kalkig bröckelnden Resten an den Becherwänden. Der Plastiklöffel stak in einem davon, und auch an ihm waren kalkig-bröckelige Quarkreste. Als ob zwei oder drei hungrige Krabbelkinder abgefüttert worden wären.

Ich setzte mich, nahm meine Wärmflasche in den Arm und wollte Sonja Ziemann beim Heiraten zusehen. Doch Klaus ließ mich nicht. Er legte seine Bärentatze um mich und zog mich mit solcher Wucht an sich, daß Tante Lillis Sofa bedenklich knarrte. Als ich gerade die Zwerchfellmuskeln anspannen wollte, um mich wieder hochzurappeln, klingelte es wieder. Ich verharrte wie gelähmt an der Bärenbrust. Die Tatze streichelte mich rauh, aber herzlich.

»Wir machen einfach nicht auf«, schlug der Bär vor, und Rotfleckchen widersprach ihm nicht.

Klopfenden Herzens lag ich da in seinem Bärentatzengriff und dachte an Georg, der jetzt unten stand und sich wunderte, daß ich trotz Licht nicht aufmachte.

Er schellte nicht zweimal. Lieber Gott, mach, daß er jetzt den roten BMW nicht sieht. Oder ihn nicht als BMW erkennt. Mach, daß er jetzt zu seiner Tochter in das Etagenbett fährt.

Klaus' Tatze war inzwischen in meinem Gesicht angelangt und fühlte sich weich und warm und etwas feucht an.

»Wer könnte das denn sein, so spät noch?«

»Keine Ahnung«, sagte ich und drehte den Kopf weg, so gut es ging.

»Magst du nicht, wenn ich dich streichele?« Die Bärentatze hielt irritiert inne.

Ich versuchte die Zwerchfellnummer noch mal und schaffte es, mich aufzusetzen.

»Im Moment nicht«, sagte ich.

Draußen sprang ein Opelmotor an.

Curd und Sonja heirateten unterdessen unbeobachtet.

Ich trank den Sherry aus, und Klaus schüttete mir sofort das Glas wieder voll.

»Warum nicht?«

»Weil wir doch jetzt fernsehen«, antwortete ich ungehalten und rieb mir die feuchte Wange. Wahrscheinlich war wieder die halbe Weltkarte auf ihr zu sehen. Frisch vom Tau benetzt.

»Ach so, wenn dir das wichtiger ist!«

Klaus schob mit einer Unwilligkeitsgeste die Quarkbecher zur Seite. Was zum Vorschein kam, war das Programmheft des »Maskenball«.

Kommissar Derrick würde ja jetzt zuschlagen. Da! Das entscheidende Indiz! Du Schwein! Entlarvt! Abführen! Klaus sah es nicht oder nahm es nicht wahr. Zu sehr war er mit Gekränktsein beschäftigt. Jetzt unauffällig das Programmheft entfernen, zudecken oder auf die Erde fallen lassen! Oder ein Schiffchen daraus falten oder Apfelsinenschalen darauf pellen. Ich hatte keine Apfelsine. Die Fernsehzeitung darauf legen! Notfalls auch die Wärmflasche. Ja, das ging. Die Wärmflasche auf den Tisch legen, weil sie einen beim gemütlichen Aneinanderlehnen und Curd-Jürgens-Gucken hinderte.

Ich wählte diese Möglichkeit. Entledigte mich der lästigen Wärmflasche, indem ich sie auf das Programmheft legte. Jetzt hatte ich beide Hände frei. Wie nun schöpferisch reagieren? Ich benutzte die beiden Hände, um die Bärentatze zu nehmen und herzhaft zu drücken.

»Klaus, warum bist du gekommen?«

»Weil ich dir von der Oper erzählen wollte, davon, was du versäumt hast, und weil ich sowieso hier in der Nähe war. Ich muß nachher noch in die Praxis und Gutachten diktieren.«

»Jetzt, mitten in der Nacht?«

»Ja, warum denn nicht. Ich arbeite oft nachts in der Praxis, da bin ich ungestört.«

»Von deiner Frau?«

»Ja, das auch.«

Wir kamen auf die Frau zu sprechen und auf die freudlose Zusammenarbeit in der Praxis. Auf die Anwälte, die nach wie vor in den Startlöchern hockten (sie mußten schon einen Krampf in den Waden haben), und auf die elende Schwiegermutter, die ihm durch böses Nachreden Patienten abspenstig machte und sie Irene, der unerfreulichen Ehefrau, zuspielte. Ich hielt die ganze Zeit die Bärentatze fest und hinderte sie am weiteren Benetzen meiner hysterischen rotgefleckten Weltkarte im Gesicht.

Wir schalteten den Fernseher aus und hatten es unheimlich gemütlich. Ich hörte ihm mit großem Interesse zu und mochte ihn schon wieder schrecklich gern. Diese Irene! Wie konnte sie so gemein und lieblos zu dem Tanzbären sein, der vermutlich mit allzu heftiger Liebe in ihr karrierebewußtes Leben getapst war und nun den endgültigen Weg aus dem Karriereleben nicht wiederfand. Anscheinend suchte er Rotfleckchen, das ihm den Weg zeigen sollte. Warum haben diese Jungs, die sich Grimm nannten, darüber nichts geschrieben? Das hätte doch ganze Heerscharen von Kinderohren zum Erröten gebracht, das Thema.

»Und du gehst nicht mehr zu Irene zurück? In die tolle Villa nicht und in das Gummiwarengeschäft vom Schwiegervater auch nicht?«

»Nein, das alles interessiert mich nicht. Ich fang neu an. Ganz neu irgendwie.«

»Du mußt aus dieser Gemeinschaftspraxis raus!«

»Ja, das als erstes. Ich suche mir einen Job in einem Krankenhaus. Ich bin Internist. Das Seelenheil der Leute kann Irene allein wiederherstellen.«

»Nur deines nicht.«

»Nein, das kann nur jemand anderes.«

Die Bärentatze löste sich aus meinem Klammergriff und ging zu neuem Angriff über.

Ich ließ ihn gewähren, das heißt stürmisch über mich herfallen. Tante Lillis Sofa ächzte.

»Du bist so lieb, so warm, du bist so ein offener, wunderbarer Mensch!«

Wenn du es wüßtest, schoß es mir durch den Kopf. Ich bin ein unreifes, übermütiges Früchtchen, das schon seit Wochen auf zwei Hochzeiten tanzt und sich an doppelter Liebe weidet. Und deiner ehrlichen Offenheit bin ich nicht eine Sekunde wert.

Fast wollte ich zum reuevollen Geständnis übergehen. Da klingelte das Telefon.

Nachts um zehn vor zwölf.

Obwohl ich wußte, wer es war, hob ich ab.

»Liebste Löwenfrau, ich wollte wissen, ob du dich besser fühlst.«

Nach meinem Herzrasen zu urteilen, ging es mir selten schlechter.

»Ja, danke, mir geht's ganz gut.« War das neutral genug?

Klaus streichelte meinen Arm, mit dem anderen hielt ich den Hörer.

»Bist du schon im Bett?«

»Nein, ich sitze auf dem Sofa.«

Normalerweise war ich nicht so einsilbig, wenn ich mit Georg telefonierte. Ich gurrte und kicherte und turtelte und plauderte und kokettierte normalerweise. Das konnte ich ja nun schlecht tun.

»Stör ich dich bei irgend etwas?«

Feinfühliger, hochsensibler Georg.

Ich drehte den Spieß einfach um.

»Bist du zu Hause? Schläft die Kleine schon?«

»Wie ein Engel. So süß wie du, wenn ich morgens von dir weggehe.«

Wenn Klaus jetzt meine glühenden Ohren nicht sah, war er blind. Georg war ja sowieso blind. Wenn ich von einem überzeugt war, dann davon, daß ich morgens beim Schlafen kein bißchen Ähnlichkeit mit einem Engel habe. Allerhöchstens mit einer zerrupften Pusteblume.

Ich zog es vor, nichts zu sagen. Turteln war nicht angesagt. Unpersönliche Einsilbigkeit war auch nicht angesagt.

»Ich war vor einer Stunde vor deinem Haus und habe mal geschellt. Ich wollte dir noch gute Nacht sagen und dich vielleicht ins Bett bringen«, sagte Georg leise und rauh und tief, und ich bekam meinen üblichen Hormonstoß unterhalb des Magens.

Klaus hatte aufgehört, meinen Arm zu streicheln, und blätterte in der Fernsehzeitung herum.

Rettender Gedanke. Ich hielt die Hand auf die Sprechmuschel und sagte: »Klaus, tust du mir einen riesigen Gefallen? Unten an der Straße ist ein Zigarettenautomat... bitte, sei ein Schatz...« Stammel, heuchel, bettel.

Ich kam mir entsetzlich mies vor.

Besonders, weil Klaus sich sofort erhob (mit einiger

Wucht, das Sofa ächzte) und weil Georg im gleichen Moment sagte: »Ich liebe dich.«

»Welche Sorte?« fragte Klaus halblaut, und ich sagte »Irgendwas Leichtes.«

Klaus ging, ich nahm die Hand vom Hörer und sagte: »Ich dich auch.«

Für diese Nummer blühen mir wahrscheinlich sieben Wochen Fegefeuer. Wenn nicht acht. Oder ein Ohnmachtsanfall im nächsten Konzert. Oder sonst eine Panne auf der Bühne. Daß ich niesen mußte oder husten oder pupsen oder alles zusammen. Mindestens. Ich würde schon meine passende Strafe erhalten.

Trotzdem war ich ungeheuer erleichtert. In plötzlicher Euphorie lief ich wieder zur Hochform in der Kunst des Telefonierens auf, genau zwei Minuten lang, dann mußte selbst ein Zwei-Zentner-Bär mit Kleingeldschwierigkeiten vom Automaten zurück sein und erneut an die Tür meiner Höhle klopfen. Ich sagte Georg sehr lieb gute Nacht und hatte dreißig Sekunden Zeit, den Maskenball-Prospekt im Schreibtisch zu verstecken. Klaus hatte selbstverständlich den Schlüssel mitgenommen und stand ebenso plötzlich im Wohnzimmer, wie er es verlassen hatte. Mit einer Schachtel HB. Wir rauchten zusammen dieses »Giftkraut«, wie es mein neuer Hausarzt verachtungsvoll nannte, und tranken den Sherry aus.

Gegen halb vier ging er. In seine Praxis. Gutachten diktieren.

17

Zwei Tage später fing es bitterlich an zu schneien. Ich hockte zu Hause mit meiner Wärmflasche auf dem Schoß am Klavier und paukte die Töne für das nächste Konzert. Mein Heizöfchen bullerte und stank sachte vor sich hin, und im Treppenhaus sah man seinen Atem, wenn man aufwärts keuchte. Auf dem Herd in der Küche stand eine Kanne Tee, und Klaus Konrads Adventskranz mit blauen Kerzen verbreitete Gemütlichkeit. Ich erwartete niemanden, übte mit Begeisterung und Fleiß, und war so richtig glücklich mit mir selbst, meinem verstimmten Engelbert und meiner treuen, lieben, warmen Wärmflasche.

Zwischendurch setzte ich den Walkmankopfhörer auf, nahm Georgs wunderbare Strauss-Lieder mit und machte einen ausgedehnten Spaziergang durch öde, graue, matschige Straßen, an Autoschlangen vorbei, fröhlich durch den stinkenden Berufsverkehr, und fühlte mich als Königin der Rushhour, mit seligsten Klängen im Ohr und kalter, rauher Luft im Gesicht. Überall sah ich in hektische, müde, überreizte Gesichter, alle Menschen hatten Termine und Druck, nur ich, ich ließ mich treiben, mit meinen Gedanken, meinen Liedern, meinen Erinnerungen an gestern und vorgestern und an morgen und übermorgen …

Ich hörte keine Auspuffgeräusche und kein Klingeln der Straßenbahnen, ich sah keine grauen Häuserfassaden und keine stinkig-schmutzigen Autos. Ich roch keinen Smog und keine Autoabgase, ich war in einem merkwürdigen Rausch von überkandidelter Seligkeit. Es war geradezu überwältigend wunderbar, unglaublich luxuriös war es, einfach ganz allein den Tag mit mir selbst zu verbringen, mit meinen Gedanken und dieser Strauss-Lieder-Stimme, die Georg mir geliehen hatte. Ich wollte an Georg denken, aber ich wollte ihn nicht bei mir haben. Ich wollte von ihm träumen, mir Begegnungen mit ihm vorstellen, mir ausmalen, was mit ihm eben so sagenhaft toll war, das eine, aber nur in der Phantasiewelt wollte ich es, das eine, heute erleben.

Wieder zu Hause, genehmigte ich mir einen unglaublich luxuriösen Mittagsschlaf, mit einem feinen Buch ging ich ins Bett und warf es bald hinaus, um mit mir, meiner angenehmen Müdigkeit und meinem warmgelaufenen Körper allein zu sein.

Ich drehte mich auf die Seite, kuschelte mich unter der angenehm nach Georg riechenden Bettdecke zusammen und fühlte mich unbeschreiblich wunderbar. Die Entspannung kroch langsam und wohlig von den Stimmbändern bis zu den Fußnägeln, und ich versank in eine rosarote Halbschlaftrance, in der ich vermutlich zwischen sieben und dreizehn Minuten verharrte.

Dann klingelte es nämlich an der Haustür.

Nicht aufmachen, dachte ich, Herz, klopf gefälligst nicht, jetzt wird gepennt, und heute ist Urlaub von allen Lieben und Leidenschaften angesagt. Betriebsferien. Bitte nicht stören.

Aber meine Neugierde war größer als meine Faulheit. Ich streifte mir nur hastig ein übergroßes T-Shirt über und tappte mit nackten Füßen zur Tür. Wenn das jetzt ein Zeuge Jehovas war oder ein armer Strafgefangener im Ruhestand, der mir ein Lesemagazin verkaufen wollte, dann war aber was gefällig!

Georg und Klaus konnten es doch nicht sein, um halb vier Uhr nachmittags.

Ich drückte auf den Summknopf, und unten sprang die Tür auf. Kein »Dankeschön« oder »Müülllabfuuhr« oder »Telegramm« war zu hören. Jemand bemühte sich tatsächlich die Treppen herauf. Ich sah die Atemwolke, bevor ich die Person erkannte.

»Bitte, erschrecken Sie nicht«, sagte eine Frauenstimme und keuchte weißen Atem vor sich her.

Kurzer gepflegter Haarschopf mit Strähnchen drin, feiner beigefarbener Hosenanzug mit ausgestopften Schultern, alles vom Neuesten und Feinsten. Popelinemantel, offen. Lederne kleine Handtasche salopp über der Schulter.

Frau Lalinde.

Und ich stand mit weißen nackten Beinen im übergroßen T-Shirt (Kind, zieh dir wenigstens einen BH an) im Flur und fand mich absolut indiskutabel gegen diese adrette Person. Und überhaupt, Kind, das ist eine Dame.

»Ja, äm...« sagte ich und fand diese Begrüßung ausgesprochen passend als Einleitung zu einem Augenauskratzfestival. Oder was sollte das sonst werden?

Jetzt bemerkte ich erst, daß sie einen Blumenstrauß bei sich hatte. Einen sehr kleinen, sehr feinen, herzallerliebsten hellblauen Blumenstrauß.

»Hatten Sie sich gerade hingelegt?«

»Äm, nein...«, sagte ich und zupfte an meinem T-Shirt.

Sollte sie mich gar nicht verprügeln wollen? Die Blumen irritierten mich kolossal.

Sie überreichte sie mir, lächelte lieb und sagte: »Darf ich auf einen Moment hereinkommen?«

»Äm, ja.«

Sie trat in meinen muffeligen Flur, legte elegant das Pope-linecape ab und verbreitete eine dezente Duftnote, Marke »für die junggebliebene Eva« oder so.

»Geht es hier lang?« Sie ging den roten Rosen ihres Gatten entgegen.

»Äm, ja.« Ich trat von einem nackten Fuß auf den anderen.

»Wollen Sie sich nicht etwas anziehen? Ihnen muß doch kalt werden. Kommen Sie, ich versorge inzwischen die Blumen. Ist die Küche da vorne?«

»Äm, ja.« Ich trollte mich ins Schlafzimmer – in dem es angenehm nach Georg roch –, um mich anzuziehen.

»Wo sind Ihre Blumenvasen?« rief Frau Lalinde aus der Küche.

»Gurkengläser stehen auf dem Schrank!« rief ich zurück.

Das war der erste zusammenhängende Satz außer »äm ja«, den ich dieser Frau gegenüber hervorbrachte.

Ich ließ mir Zeit mit dem Anziehen, kämmte mich sogar (Kind, mach dich mal hübsch, das putzt) und trat dann halbwegs gefaßt wieder ins Wohnzimmer. Frau Lalinde saß rauchend auf dem alten Sofa von Tante Lilli und drapierte mit spitzen Fingern ihre blauen Blümchen neben Georgs roten Rosen. Direkt daneben.

»Sie sind sehr überrascht, daß ich komme, nicht wahr?«

Um nicht wieder »äm ja« zu sagen, versuchte ich es mal mit einem verlegenen Lachen. »Kommt drauf an.«

»Worauf? Dachten Sie, ich sei Ihnen böse?«

Sie lächelte wieder sehr lieb und warm.

»Böse? Nein, ich glaube nicht, das heißt, Sie hätten natürlich eventuell Grund dazu...« stammelte ich. Kind, wo ist das böse Händchen? Patsch. Au, heul, schrei, brüll.

»Nein, ich bin Ihnen nicht böse. Ich komme mit den besten Absichten, glauben Sie mir.«

Um dies besser verdauen zu können, stand ich auf und bot ihr vorsichtshalber einen Sherry an. Das war das einzig Standesgemäße, was ich außer altem, nach Teer schmeckendem Tee und Mengen von Quark mit Süßstoff anzubieten hatte. Da sie auf meinem Heizungsplatz saß, nahm ich ihr gegenüber auf dem angeknabberten Sessel Platz und schlug die Beine übereinander.

Sie hatte ihre ja auch übereinandergeschlagen, in ihrem feinen beigefarbenen Hosenanzug.

Sie hatte übrigens schlankere Beine als ich. Und zartere Fesseln.

Ich hatte überhaupt keine nennenswerten Fesseln in meinen Filzpantoffeln. Und konnte plötzlich überhaupt nicht mehr begreifen, was Georg an mir fand und weshalb er auch nur ein Fünkchen Sympathie für mich hatte.

»Ach, wollen wir nicht du sagen?« fragte Frau Lalinde und prostete mir mit dem Sherry zu.

»Ja, äm, wie Sie meinen«, sagte ich, und meine Verwirrung steigerte sich in Richtung blödes Starren.

»Sicherlich schulde ich dir eine Erklärung, weshalb ich dich hier so unangemeldet überfalle«, sagte sie.

»Könnte ich eine Zigarette haben?« unterbrach ich ihre liebenswürdige Einleitung. Sie rauchte was Mildes mit Überlänge, optisch zu ihren frisch lackierten, mild schimmernden Fingernägeln passend.

Sie bot mir ihr Schächtelchen dar und gab mir Feuer.

»Rauchst du? Als Sängerin?«

»Hat mir Ihr Mann, ich meine dein Mann, also äm, Georg, ich will sagen, durch ihn habe ich es mir angewöhnt.«

Sie lächelte wissend und ansatzweise ironisch, aber ausgesprochen liebenswert. Eine sympathische Erscheinung, von Strähnchen bis Pumps.

»Also«, begann sie erneut und wechselte nun Standbein und darüberhängendes Bein, »ich bin hier, weil ich einmal in Ruhe und ohne, daß Georg es weiß, mit dir sprechen möchte.«

»Ja?«

»Georg hüllt sich zu Hause in Schweigen. Ich weiß aber, daß es ihm gutgeht, und ich weiß, daß du damit zu tun hast.«

Ich leugnete es nicht. Warum auch. Sie schien mich nicht mit den Absätzen ihrer Pumps vermöbeln zu wollen.

»Ja. Wir sind ganz gern zusammen, unternehmen öfter mal was, Konzerte und Opern, gehen spazieren, hören Musik miteinander, reden viel über Musik...«

»Aber ihr schlaft doch wohl miteinander!« kam es hoffnungsvoll aus der Heizungsecke.

»Ja, das auch. Ich war ja noch gar nicht fertig.« Ich grinste. Sie grinste auch.

Der Bann war gebrochen. Wir schenkten Sherry nach.

»So«, sagte sie und ließ mich eine Sekunde im unklaren, wie denn die Befriedigung in diesem Wörtchen »so« zu deuten sei. »Also, ihr seid glücklich.« Feststellung oder Frage?

Ich sagte: »Also, wir langweilen uns selten miteinander.«

»Fein«, sagte sie und drückte ihre Zigarette mit gepflegten Händen aus.

»Wieso fein?« wagte ich zu fragen. Sollte diese nette sympathische Frau dermaßen masochistisch veranlagt sein?

»Paß auf, es ist nämlich folgendes«, sagte Freia, ohne dabei allerdings ein Wagnerianisches »Hoijotoho« auszustoßen. »Ich habe nun seit einiger Zeit einen Freund, jemanden, den ich schon sehr lange kenne und liebe, mit dem ich gerne zusammenleben möchte. Verstehst du das?«

Ich nickte, weil ich sie zumindest akustisch verstanden hatte. Mir war nur noch nicht klar, worauf es hinaussollte mit ihren Andeutungen.

»Ich würde Georg aber nicht verlassen, wenn ich nicht wüßte, daß es ihm ohne mich gutginge.«

Ach, du trapsende Nachtigall! Ich ahnte Fürchterliches. Wollte sie mir ihren Gatten überlassen, um ungestört der Liebe frönen zu können? Vielleicht wäre es klug von mir, mich vorsichtshalber nach der Höhe der Mitgift zu erkundigen? Ich sank in den Sperrmüllanwärter zurück und wartete ab.

»Hübsch hast du es hier«, sagte die Walküre und schaute in meiner hellblauen Bollerofenbude umher. »Richtig heimelig.«

»Na ja«, wagte ich einschränkend zu bemerken. Ihre Ironie war phantastisch verpackt. Oder sollte sie das ernst meinen?

»Aber denkst du nicht daran, irgendwann einmal umzuziehen? In ein Haus beispielsweise, mit Garten vielleicht, irgendwo in einer helleren, hübscheren Gegend…«

Das also war die Mitgift. Ich konnt's nicht fassen, nicht glauben.

»Woran denkst du?« fragte ich.

»Kennst du unser Haus in Bad Godesberg?«

»Nein, woher denn?«

»Ja, wart ihr denn noch nie dort?«

»Nöö.« So eine Abgebrühte. Was dachte die von uns!

»Dann wird es aber mal Zeit. Wann kommst du zu uns zum Abendessen?«

Mir fiel die Kinnlade herunter. Ich sollte in das Lalindesche Familienleben eintreten? Ganz offiziell? Mit oder ohne Georg am Tisch? Womöglich sollte der Freund von ihr auch noch an dem Date teilnehmen?

»In welcher Besetzung?« fragte ich vorsichtshalber.

»Na, du. Allein. Oder hast du etwa einen Freund?« Panik glomm in ihren Augen.

»Nein.«

»Na also. Du mußt mal zu uns kommen, damit Nina dich kennenlernt!«

Das verwöhnte Klavierstundenkind mit dem Taxi.

»Was hast du vor, Freia?« sagte ich und wurde augenblicklich rot, weil ich sie mit ihrem Vornamen angesprochen hatte.

»Ich würde es sehr begrüßen, wenn du und Georg... also wenn du dich entschließen könntest, mit Georg zu leben, in seinem Haus in Godesberg, verstehst du, ich würde euch das Kind abnehmen, so oft ich könnte. Du weißt vielleicht, daß ich viel unterwegs bin, bei Auktionen und Kunstausstellungen, und Lothar, mein Freund, ist Maler, weißt du.«

Ich wußte das alles nicht. Georg sprach nie über Freia, was ich an ihm schätzte, und über Wotan, Verzeihung, Lothar, sprach er erst recht nicht. Was ging uns dieser Lothar an. Wahrscheinlich war er so ein überkandidelter, magerer, langhaariger Bursche, der insgeheim schwul war und sich mit so einem adretten Frauchen wie Freia schmückte.

»Lothar und ich, wir kennen uns schon vom Kunststudium her«, sagte Freia.

Na und, dachte ich. Alter schützt vor Torheit nicht.

»Wir haben uns damals aus den Augen verloren und erst nach siebzehn Jahren wiedergetroffen, auf einer Vernissage in Stockholm.«

»Wie interessant«, sagte ich.

»Es war vor zwei Jahren«, sagte Freia und lehnte sich zurück. Anscheinend gedachte sie nun, in selige Erinnerungen zu versinken.

»Georg und ich hatten uns damals bereits auseinandergelebt...«

Ach so, die Platte, dachte ich.

»Trotzdem wollte ich bei ihm und dem Kind bleiben.«

»Das ist nett von dir«, sagte ich herzlich.

»Aber nur so lange, wie Georg auf mich angewiesen ist«, begehrte Freia auf.

Ich verstand sie nur zu gut. Zum Hemdenbügeln tat es auch eine Frau Bär.

»Er braucht mich nun nicht mehr«, sagte Freia. »Er hat ja dich!«

»Und das Kind?« fragte ich zurück.

»Ja, das ist der Punkt, über den wir sprechen müßten.«

Ach, du Schreck. Ohne mein böswilliges Zutun saß ich jetzt in einer Verhandlung über die Versorgung eines verwöhnten klavierspielenden Kindes, das mittwochs zum Ballettunterricht und donnerstags zum Reiten gefahren werden mußte. Und dabei vermutlich mit einem Dolby-C-Walkman Nena hörte und nicht gestört werden wollte.

Ich sah mich schon als Hausfrau in einer getäfelten Einbauküche am Mikrowellenherd stehen und zarte Steaks für Nina bereiten. »Möchtest du etwas Spinat dazu, oder wäre dir Broccoli lieber, mein Kind?«

»Ich will gar nichts, ich muß abnehmen, sonst sagt Marco wieder fette Schnepfe zu mir.«

»Aber, liebes Kind, du bist doch kein bißchen fett, und das zarte Kalbsteak auch nicht, schau nur, ganz mager. Und Spinat hat überhaupt keine Kalorien...«

»Geh mir weg mit deinem scheußlichen Spinat!«

»Aber Ninalein, du kannst doch auch Broccoli haben!«

»Will ich nicht, ich hab überhaupt keinen Hunger.«

»Bitte, Liebes, du mußt doch ein Häppchen essen, sonst schimpft dein Papi heute abend mit mir!«

»Das ist dein Problem, wenn mein Papi mit dir schimpft.«

»Ja, Kind, kann ich dich denn gar nicht locken? Vielleicht

mit einem Nudelauflauf mit viel Maggi? Den mochte ich früher immer so gern!«

»So siehst du auch aus!«

»Ja aber...«

»Ach, mach dir keine Mühe. Ich war schon mit Klaus Dieter und Eric und Ole-Sven bei MacDonalds und habe drei Fischburger mit Pommes gegessen.«

So oder ähnlich stellte ich mir das Zusammenleben mit diesem Kind vor und gedachte nicht, mein Wärmflaschen- und Quarkdasein dafür aufzugeben.

»Freia, ich glaube nicht, daß wir darüber viel sprechen könnten. Von einem Umzug in euer Haus kann überhaupt keine Rede sein.«

»Ja, aber warum denn nicht? Liebst du Georg etwa nicht?« Für sie brach anscheinend ein mühsam aufgebautes Kartenhaus zusammen.

»Das tut eigentlich nichts zur Sache«, sagte ich. »Tatsache ist, daß ich ein ziemlich bindungsunfreundliches Monster bin und unheimlich gern alleine lebe.«

»Ach, deswegen hattest du gerade keinen Partner, als du Georg kennenlerntest. Ich wunderte mich schon, daß eine Frau wie du, in deinem Alter...«

»Och, das war reiner Zufall«, gab ich bescheiden zu. Eine Frau in meinem Alter hatte eigentlich ständig irgendwelche Jürgens und Horstens und Heinzens auf der Pelle gehabt. Nur der richtige Horst, Jürgen oder Heinz war einfach nicht darunter gewesen.

Und Georg hatte das gewisse Etwas.

Das sagte ich auch Freia.

»Aber für eine feste Bindung reicht das nicht aus?« fragte sie enttäuscht.

»Bei dir ja anscheinend auch nicht«, sagte ich vorlaut.

»Immerhin sind wir jetzt siebzehn Jahre verheiratet.«

»Ja, und dann wollt ihr aufgeben?«

»Ja. Ich liebe einen anderen, und er liebt auch eine andere.«

»So, so. Mir scheint, ich kenne sie flüchtig«, sagte ich. Womit ich gar nicht so unrecht hatte. Ich kannte mich zu der Zeit wirklich nur flüchtig. Für weiteres In-mich-Gehen hatte ich überhaupt keine Zeit.

Freia erhob sich. »Tja, das war's dann wohl.«

»Es tut mir leid, daß ich dir den Gefallen nicht tun kann«, sagte ich und stand auch auf.

»Aber einen Gefallen kannst du mir tun.« Freia nahm ihren Mantel vom wackligen Garderobenständer.

»Ja?« Hoffentlich wollte sie jetzt nicht, daß ich auf ihrer Hochzeit mit Lothar »Ave Maria« von Schubert sang.

»Du kannst mir versprechen, daß du Georg nichts von unserem Gespräch sagst.«

Ich schluckte. Das war entschieden mehr verlangt als Ave Maria. Aber weil ich ein zur Höflichkeit und entgegenkommender Bereitwilligkeit erzogenes Mädchen war (Kind, das steht einem jungen Mädchen gut), nickte ich lieb und sagte: »Klar, geht in Ordnung.«

»Kann ich mich darauf verlassen?«

»Ja natürlich.« Wenn du es wüßtest…

»Dann gehe ich jetzt und bedanke mich für den Sherry.«

Sie umarmte mich kurz, wie eine Freundin nach einem gemeinsamen Einkaufsbummel, und verschwand die Treppe hinunter. Ich entblödete mich nicht, noch halblaut hinter ihr her zu rufen: »Beste Grüße an Georg!«

Aber das hatte sie wohl nicht mehr gehört.

18

Am Wochenende saß ich im Zug nach Ulm.

Weihnachtsoratorium von Bach auf schwäbisch.

Draußen zog grauverschleiert die öde, kahle Landschaft vorbei und sah aus wie auf einer verstaubten Schwarzweißphotographie. Ich hatte die Schuhe ausgezogen und die Füße hochgelegt. Der Zug war angenehm leer, ich war allein im Abteil und konnte nachdenken.

Zuerst wollte ich mit dem Walkman die Strauss-Lieder von Georg hören. Aber ich hatte Verlangen nach Ruhe. Nur das gleichmäßige Rattern des Zuges war erlaubt.

Das war mal wieder eine Woche gewesen. Montag Georg und Klaus. Dieser verunglückte Opernabend. Dienstag

Freia. Der Komödie zweiter Akt. Mittwoch nachmittag Kaffee mit Klaus bei mir, abends Theater in Bonn mit Georg. Ich biß mir den ganzen Abend auf die Zunge und ließ kein Sterbenswörtchen über Freia verlauten. Um ein Uhr nachts fuhr er mich noch nach Hause zurück, nicht ohne mich ausgiebig »ins Bett zu bringen«. Das dauerte bis etwa sechs Uhr früh, dann mußte er nach Hause rasen, um mit seiner Tochter »aufzuwachen«. Das Übliche. Donnerstag morgen um neun wieder der eine Anruf, um zehn nach neun der zweite. Nachmittags kurzer Besuch von Georg, trotzdem sehr inhaltsreich (in der Kürze liegt die Würze), abends Einladung von Klaus ins Urania-Theater, ein politisches Stück. Ich traf durch Zufall Uschi, meine Sopran-Kollegin, die sich eines lautstarken Kommentars zu meinem neuen »Herrn Bekannten« nicht enthalten konnte. Nach dem Theater Dias ansehen bei Klaus. Die Ägypten-Rundreise vor vier Jahren. Mit Irene. Ich sah Irene im Flugzeug, im Hotel, im Swimmingpool, auf dem Kamel und neben dem Kamel, im Bus und neben dem Bus, mit dem Reiseleiter und allein, mit Kopftuch und mit Jogging-Anzug, mit hochgesteckten Haaren und mit nassen Haaren, ich sah sie lächelnd und ernst dreinschauend. Meistens schaute sie ernst drein. Obwohl sie so hübsch war und schätzungsweise Kleidergröße 34 hatte. Ihre knapp bemessenen Formen saßen an der richtigen Stelle, ihre blonden langen Haare waren auffallend schön. Um den Mund hatte sie allerdings einen verkniffenen Zug, und ihre Augen erschienen mir kalt und berechnend. Sie trug meistens eine runde goldgerahmte Brille, mit der sie etwas streberhaft wirkte und mich unheimlich an eine Klassenkameradin erinnerte, die ich nie leiden konnte, weil sie in allen Fächern eins stand und dazu noch hübsch war, bis auf die Brille.

Klaus hatte sich während der nicht enden wollenden Diashow neben mich gesetzt und kraulte mir den Nacken, wenn er nicht gerade wieder mein Sektglas füllte. Ich konnte das Nackenkraulen nicht ertragen, wenn ich gleichzeitig dabei seine Frau ansehen mußte. Auch der viele Sekt bekam mir ganz und gar nicht nach dieser politischen Satire im Urania-Theater und nach der unfreiwilligen Begegnung mit der vorlauten Uschi.

Mir war ziemlich schlecht. Ich wollte nach Hause.

Aber Irene stand gerade vor der Pyramide und guckte verkniffen in die aufgehende Sonne, die sie blendete. Die Pyramide war in märchenhaft goldenes Licht getaucht.

»Möchtest du nicht auch mal nach Ägypten fahren?«

»Nein. Ich habe von den Dias schon einen Eindruck.«

»Aber es ist ein wunderbares Land, mit den größten kulturellen Schätzen der frühen menschlichen Geschichte!«

Ich stellte mir vor, in einer Reisegruppe von zwanzig bebrillten Strebern und mit Klaus, der mit Kameras behängt war, durch dieses staubige, heiße Land zu fahren und immer nur halb verkommene Pyramiden, Trümmer und Reste von infantilen Kritzeleien in feuchten Höhlen anschauen und dabei noch die stundenlangen Vorträge eines dreimalklugen Reiseleiters anhören zu müssen. Am allerschlimmsten finde ich aber noch das ständige Kopfnicken der blöde gaffenden und schwitzenden Mitreisenden, die immer alles schon wissen, weil sie es schon gelesen haben, und den Reiseleiter mit lästigen Fragen in die Enge treiben. Was den Reiseleiter dazu bringt, noch weiter auszuholen und noch mehr langweilige Sachen zu erzählen, weshalb die Umstehenden noch blöder gaffen und noch mehr schwitzen.

Irgendwann stellt sich dann ein bohrender Schmerz im Steiß ein, weil man nicht mehr stehen kann, oder ein plötzlicher Pipidrang, aber nirgendwo gibt es ein Klo, nur Staub und Kamele und Wüste und Reisebusse und Postkarten verkaufende Händler, die sich heimlich über einen kaputtlachen.

»Nein, Klaus, wirklich nicht. Solche Fernreisen liegen mir nicht.«

»Ja, aber möchtest du denn gar nichts von der Welt sehen? Willst du deinen Horizont weiterhin so beengt lassen?«

»Ich habe von Berufs wegen schon so manche Weltreise gemacht«, empörte ich mich und schüttelte seine Kraulhand aus meinem Nacken. »Allein mit dem Hochschulchor war ich schon in Südamerika und Israel und der Sowjetunion und...«

»Was hast du denn gesehen außer dem Flughafen, dem Hotel und dem Konzertsaal?«

»Die Hotelbar«, motzte ich auf, »und manchmal hat uns auch ein Mensch vom Goethe-Institut in einem staubigen Bus durch die Gegend karren lassen und uns die wesentlichen Attraktionen gezeigt.«

»Was denn zum Beispiel?« fragte Klaus und reichte mir das Sektglas, vermutlich um mich milder zu stimmen. Irene guckte die ganze Zeit verknittert von der Leinwand, weil die ägyptische Morgensonne sie blendete. Ich hätte mich gern ohne ihren Adlerblick mit Klaus unterhalten.

»Die Copacabana zum Beispiel«, triumphierte ich. »Da waren wir genau zwanzig Minuten.«

»Und dann?«

»Dann mußten wir zur Probe ins Theater«, gab ich zu. »Aber so eine Reise, nur zum Vergnügen, das wäre einfach nichts für mich. Organisierter Tourismus, um Land und Leute aus einem Busfenster anzustarren und ab und zu mal auszusteigen, um dann ohne Busfenster zu starren, das ist entwürdigend für beide Seiten. Finde ich.«

»Ich würde aber gern mal mit dir eine größere Reise machen«, sagte Klaus.

»Wandern im Odenwald«, schlug ich vor. »Oder eine Radtour entlang der Mosel!«

»Das kannst du doch machen, wenn du pensioniert bist.«

»Wetten, daß ich dann Krampfadern habe und nicht mehr Radfahren und wandern kann?«

Wir stritten noch eine Weile über verschiedene Formen des Urlaubs und über Vorlieben und Reiseziele. Irene schaute verknittert zu uns herab.

Irgendwann war ich ziemlich wütend und wollte nach Hause. Klaus bestand darauf, mich zu bringen, obwohl wir zusammen zwei Flaschen Sekt geleert hatten. Ich taumelte gereizt neben ihm die marmornen Treppen seines Mietshauses hinunter und sank dann in die ledernen Nußschalen, in denen es mir ziemlich übel wurde. Jede Art von Zärtlichkeit von seiten des über Weltreisen philosophierenden Fahrers verbat ich mir.

»Warum bist du denn auf einmal so kratzbürstig?«

Ich wußte es nicht. Ich wollte nur allein sein in meiner Wohnung und mich gegebenenfalls in Ruhe übergeben.

»Mir ist schlecht von dem Sekt und von dem Anblick deiner Frau.«

»Bist du etwa eifersüchtig?« frohlockte Klaus.

»Nicht die Bohne.«

An den Rest der Fahrt kann ich mich nicht mehr so genau erinnern. Irgendwie landete ich in meinem Bett; ich schaffte es sogar noch, mir eine Wärmflasche auf den rebellierenden Bauch zu legen und eine Schüssel neben das Bett zu stellen. In meinem Kopf drehte sich alles, ich versuchte, mit System tief durchzuatmen, und schlief irgendwann ein. Am nächsten Morgen war die Schüssel zwar leer, aber mein Kopf auch. Ich konnte nicht aufstehen, weil mir so schwindelig war. Klarer Fall von verdienter Strafe nach einer ausschweifenden Nacht, in der ich mich noch nicht einmal besonders amüsiert hatte. Kind, das geschieht dir recht. Ich habe nicht das geringste Mitleid mit dir.

Mittags klingelte das Telefon. Georg.

»Wo warst du heute morgen, ich habe mehrmals versucht, dich zu erreichen, liebste Löwenfrau.«

»Mir war nicht gut. Ich hatte Bauchschmerzen und bin im Bett geblieben.«

»Kann ich was für dich tun, ich könnte in zwei Stunden bei dir sein.«

Alles, nur das nicht. Mir war immer noch viel zu schlecht, um Leidenschaft, in welcher Form auch immer, zu ertragen.

»Nein, vielen Dank. Ich glaube, ich habe eine kleine Grippe. Was ich brauche, ist Ruhe, zumal ich morgen früh nach Ulm fahren muß.«

»In Ulm wohnt ein Vetter von mir. Ich wollte ihn immer schon mal besuchen.«

Ich überlegte, soweit das mit meinem angeschlagenen Hirn möglich war, ob mir ein Wochenende mit Georg in Ulm lieb sein würde. Vermutlich ja, vielleicht nein. Nein, eher nein. Mir war so übel. Nein wirklich, nein.

»Bleib doch am Wochenende bei deinem Kind«, sagte ich.

»Mein Kind bleibt nicht bei mir«, antwortete Georg. »Es wird mit Freia einen Ausflug auf eine Vernissage unternehmen. Ich hätte also Zeit, mit dir zu fahren.«

Ich schwieg. Er schwieg. In solchen Fällen denke ich immer an die überflüssig hohe Telefonrechnung.

Dann dachte ich an den alten, klapprigen Türkenopel. An

sechs Stunden Autobahnfahrt im grauen Schneematsch. An unzählige Zigaretten auf der Fahrt. An eine schlaflose, wenn auch nicht langweilige Hotelnacht im »Wilden Mann« oder »Gasthof zur Post«. Nein. Nein, lieber nicht. Irgendwann mußte ich ja auch noch eingermaßen gut singen.

»Georg, ich habe schon die Fahrkarte. Ich nehme den Zug.«

»Fahrkarten kann man zurückgeben.«

»Ich weiß. Ich möchte aber lieber mit dem Zug fahren. Es ist entspannender.«

Ich hielt die Hand über die Sprechmuschel, weil ich ein Sektbäuerchen rauslassen mußte. (Wenn du es wüßtest...)

»Ich bin lange nicht mehr Zug gefahren. Es müßte wunderbar sein, mit dir im Zug nach Ulm zu fahren.«

Ich unterdrückte einen weiteren Sektbauern und sagte unwirsch: »Nein, Georg. Ich möchte allein fahren. Mir ist wirklich nicht so gut. Laß uns auflegen. Ich wünsche dir einen schönen Tag.«

Aufzulegen getraute ich mich nicht. Es ist für mich das widerlichste, was man einem Mitmenschen antun kann. Also schwiegen wir wieder in den Hörer hinein.

»Kann ich dich denn heute zum Abschied noch besuchen?« kam es dann aus dem Hörer.

Stolz gibt es an der Abendkasse, dachte ich.

»Mir ist gar nicht gut. Ich habe Bauchschmerzen, verstehst du. Ich bin im Bett!«

»Ich mache dir einen Tee und eine Wärmflasche.«

Ich dachte daran, wie scheußlich ich aussehen mußte, verquollen und bleich und übelriechend. NEIN!

Georg ließ sich nicht abweisen. Er müsse mir etwas Wichtiges sagen. Das ginge nicht am Telefon. Ich dachte an Freia. Hatte sie gequatscht?

»Also gut, aber erst heute abend. Bis dahin wird es mir besser gehen.«

»Ich werde dich auch gar nicht weiter beanspruchen. Du sollst mir nur zuhören«, sagte er vieldeutig. In seiner Stimme schwang der Triumph mit, den ein Kind empfindet, wenn es die Eltern nach endlosen nervenden Diskussionen doch dazu überreden konnte, daß der Spätkrimi im Zweiten geguckt werden durfte. Ich war unzufrieden und fühlte mich übers Ohr gehauen.

»Freiheit ist eigentlich was anderes«, brummelte ich böse und trollte mich nach einem kurzen Abstecher zum Klo wieder ins Bett. Es drehte sich wenigstens nichts mehr.

Später kam Georg. Ich fühlte mich wieder einigermaßen ansehnlich und hatte sogar schon wieder etwas Appetit. Ich hatte gerade ein gutes Quarkbreichen verdrückt und saß befriedigt in der Küche, als Georg kingelte.

»Geliebte Löwenfrau, geht es dir wieder besser? Ich habe dir etwas mitgebracht.« Georg hängte seinen Mantel über den wackeligen Garderobenständer und kramte in der Manteltasche.

Es war nicht selten, daß Georg mir etwas mitbrachte. Entweder Blumen oder einen guten Wein oder eine Kassette mit Liedern für mich, Opernszenen, an denen wir uns gemeinsam ergötzten, oder seine jüngsten Kritiken, die wir dann Kopf an Kopf studierten. Jetzt war es eher so ein silberner Ring. Das mußte ja kommen. Ich betrachtete ihn argwöhnisch.

»Du mußt ihn nicht tragen, wenn du nicht willst.«

»Soll ich ihn an die Wand nageln oder was«, gab ich verärgert zurück. Ein silberner Ring. Mit einer Inschrift drin.

»Cäcilie«, stand innen drin. Der Juwelier wird sich gedacht haben, die biedere Ehefrau dieses biederen Ehemannes heißt Cäcilie, und er schenkt ihr den Ring zur Silberhochzeit. Daß »Cäcilie« unser Strauss-Lied war, das anfing mit »Wenn du es wüßtest« und endete mit »du lebtest mit mir!«, das konnte dieser Juwelier natürlich nicht wissen.

Ich drehte den Ring hin und her und las den Namen »Cäcilie« immer wieder, als wäre es altägyptische Keilschrift.

»Wenn er dir nicht gefällt, kann ich ihn umtauschen.«

»Er gefällt mir ja!«

»Dann probier ihn doch mal an! Trag ihn am kleinen Finger, wenn er dir zu eng ist.« Das war wieder mal eine von Georgs berühmten Zweideutigkeiten.

Er paßte am Ringfinger.

Ich wollte Georg nicht »am kleinen Finger« tragen. Also trug ich den Ring am Ringfinger.

Georg freute sich wie ein kleiner Junge, und ich freute mich auch.

»Was machen wir jetzt, zur Feier des Tages?«

»Sollen wir mal richtig toll ausgehen?« Diese Idee kam mir trotz der gerade überstandenen Übelkeit. Ich fühlte mich schon wieder viel zu großartig. Keine Frage, daß Georg wie immer mit meinem Vorschlag einverstanden war. Georg war nur dann nicht mit meinen Vorschlägen einverstanden, wenn sie sich auf getrennte Unternehmungen bezogen. Hauptsache, er war bei mir. Langsam gewöhnte ich mich an seine Bedürfnisse.

Wir fuhren dann in meinem alten verrosteten VW ins Studentenviertel. Ich hatte einfach Lust dazu. Lange war ich nicht mehr hiergewesen, wo sich eine Kneipe an die andere reiht, wo Kinos sind und Biergärten und wo die jungen Leute scharenweise über die Straße ziehen. Wir hockten uns ins »Vanille«, aßen einen Salat (erwähnte ich schon, daß Georg immer das gleiche aß wie ich?) und fühlten uns wohl und warm beieinander. Ich vergaß, daß Georg nicht in diese Kneipe paßte, ich bemerkte nicht, daß wir vermutlich von befremdeten Studenten beobachtet wurden, bis einer zu mir sagte: »Ist der Platz neben deinem Vater noch frei?«

Ich sagte: »Papi, gib dem Kleinen mal das Stühlchen!«, aber keiner lachte. Auch nicht Papi.

Später wechselten wir die Kneipe, gingen noch ins »Coconut« und auf ein Bier ins »Podium«. Hier lümmelte nur ein einziger Typ am Tresen, und es war ausgerechnet Fluppi, ein ehemaliger Kommilitone von mir, den ich auch mal aus Versehen geküßt hatte, auf einer Karnevalsfete. Er begrüßte mich freudig, da er sich einsam fühlte, und witterte seine erneute Chance, besonders, als Georg Zigaretten holte.

»Wer ist denn der?« lallte Fluppi bierdunstaromatisch in mein Ohr. Jetzt ging es wieder los. Mein Freund? Mein Herr Bekannter? Der berühmte Kritiker Lalinde, kennst du ihn nicht? Mein Onkel Walter? Mein Anwalt?

Noch bevor ich etwas antworten konnte, kam Georg zurück, erkannte blitzschnell die Situation und bot Fluppi eine Zigarette an.

Ich sagte: »Das ist Fluppi und das ist Georg Lalinde.«

Fluppis Nachnamen hatte ich vergessen beziehungsweise nie gewußt, und wie der nun meinen Georg ansprach, war ihm überlassen. Georg gab Fluppi artig die Hand, Fluppi schaute schräg einmal zu ihm rauf und runter. Nach der Zigarette gingen wir sofort. Ich fühlte mich unwohl, wollte aber noch nicht aufgeben.

»Im ›Subway‹ ist heute abend Jazz life«, sagte ich.

Georg war sofort einverstanden. Er liebte Jazz. Was mir ganz neu war. Wir schoben uns kellergeschoßwärts in ein dichtes dunkles Menschenknäuel hinein, das nur von Rauchschwaden und ohrenbetäubendem Krach zu leben schien. Da standen wir herum wie Falschgeld, konnten uns nicht unterhalten und kaum sehen, wurden geschubst und angerempelt, und ich drehte den neuen Ring an meinem Finger hin und her. So war das also mit Georg. In meinen üblichen Kreisen fühlte ich mich auf einmal fremd. Kind, warum tust du auch so was! Wir rauchten wieder eine Zigarette, soweit wir nicht durch Knüffe und Püffe daran gehindert wurden. Dann gingen wir. Was sollten wir noch länger da.

Im Auto fragte Georg, ob ich unzufrieden sei.

»Ach, Georg. Ich glaube, ich werde alt. Mir gefällt das alles nicht mehr so.«

»Nein? Bin ich daran schuld?«

»Das weiß ich nicht. Ich glaube aber nein. Ich weiß auch nicht, warum ich heute abend unbedingt ins Studentenviertel gehen wollte.«

»Um dir zu beweisen, daß ich dir nicht zu alt bin«, sagte Georg. Er sah rührend aus, wie er da in meinem schmuddeligen VW hockte, in seinem feinen Popelinemantel.

»Ach, ich bin mir ja selber zu alt«, lamentierte ich.

»Vielleicht sind dir die da nur zu jung«, sagte Georg.

»Aber irgendwann fand ich die doch alle mal toll«, gab ich zurück. »Die Studenten, die lockeren Freaks mit den lockeren Sprüchen, die Latzhosenmänner mit den Bärten und die knackigen Mädels in Jeans. Ist das denn jetzt vorbei?«

»Und wenn es vorbei wäre?« fragte Georg.

»Dann wäre es schrecklich schnell gegangen.« Ich war sehr nachdenklich geworden.

»Vor wenigen Wochen noch bin ich mit meiner Freundin

Moni oder Wilma oder Ruthchenmaus durch diese Kneipen gezogen, regelmäßig haben wir das gemacht und sind nicht eine Sekunde auf die Idee gekommen, wir könnten zu alt sein dafür.«

»Mache ich dich denn alt?« fragte Georg traurig.

»Nein, mein Schatz«, sagte ich und legte die Hand auf seinen Popelinemantel, »du machst mich reich. Und zeitweise sehr glücklich.«

Und das machte er dann auch, als wir wieder zu Hause waren. Ich vergaß die komischen Latzhosenklischees, ich war nur noch bei ihm in der gelben kleinen Privatwelt, und zwischendurch rauchten wir eine, sprachen über dies und das, lachten, liebten uns, ich holte eine Flasche Sekt aus dem Kühlschrank (die hatte Klaus Konrad letztens mitgebracht; ich fand das noch nicht mal geschmacklos), und wir hatten es die ganze Nacht lang urgemütlich. Gegen zwanzig nach fünf muß ich eingeschlafen sein, und als ich um zehn nach acht aufwachte, war Georg weg. Aber auf seinem Kopfkissen lag ein Zettel: »Meine geliebte Löwenfrau, wenn du wüßtest, wie wunderbar du ohne Latzhose bist, du würdest nie wieder einer nachtrauern. In Liebe, Georg.«

Und nun saß ich im Zug nach Ulm. Allein.

Beim Nachdenken fiel mir ein, daß Georg mir eigentlich etwas hatte *sagen* wollen. Er hatte es doch am Telefon so spannend gemacht. »Ich muß dir etwas sagen, du sollst mir nur zuhören.« Er hatte nichts Wesentliches gesagt. Er hatte mir nur etwas gegeben. Den Ring. Ob er dazu noch etwas sagen wollte? Was sagt Mann, wenn er einen Ring überreicht? »Gnädige Frau, darf ich um Ihre Hand anhalten?« Doch wohl nicht. Oder war »Cäcilie« der Aussage genug? Wenn du es wüßtest, was träumen heißt, was bangen heißt, was lieben heißt, du lebtest mit mir! Was bedeutete der Ring? Ich drehte ihn hin und her. Um die Schrift darin noch einmal zu betrachten, wollte ich ihn abnehmen. Ich ruckelte und drehte, ich zog und zerrte. Der Ring ging nicht mehr ab.

Ich hätte ihn doch am kleinen Finger tragen sollen.

Schon bei meiner Ankunft in Ulm fand ich die Schwaben unsympathisch. Beim Aussteigen hinderte mich ein sich vordrängelnder Opa im Gegenverkehr, der uniformierte Klugscheißer am Schalter wollte mir nicht sagen, wann es nachts eine Direktverbindung nach Köln zurück gibt, und der Taxifahrer nörgelte Unverständliches in seinen Bart hinein, als ich ihm den Namen der Kirche sagte, zu der er mich bringen sollte. Ich konnte ja nicht ahnen, daß die Kirche unmittelbar an der Rückseite des Bahnhofs stand, ich also nur den hinteren Ausgang hätte benutzen müssen. Die Probe mit dem unfähigen Orgelspieler, der sich immer auf Schwäbisch verzählte, war ebenso unerfreulich wie die hölzerne Akustik dieser Sankt Bahnhofskirche. Ich bekam rote Flecken vor Ärger, als der Großmeister im schwäbischen Verzählen mir auch noch anbot, mich »privat« unterzubringen, bei seiner »Schweschter in einem Ulmer Vorort«. Der Vorort hieß Greifdingen oder Unmöglingen oder Sperlingen, ich weiß nicht mehr genau. Die Schweschter war eine biedere Mutti um die 62 bis 69 im grauen Wollmantel und Kopftuch. Sie schwätschte ununterbrochen auf mich ein, und als ich ihr nach gestrigem Gemüse riechendes Wellblechhaus betrat (nachdem ich mir gründlichst die Schuhe abgetreten hatte), begann sie mit den Entschuldigungen, es sei halt grad nit aufgräumt und der Vaddr hat halt nit glüft, der hats an dr Gall un letschte Nacht is ihm übel worde...

Mir wurde auch immer übler. Was sollte ich nun ein ganzes trostloses, kalten Schneeregenwochenende bei einem alten schwäbischen Ehepaar, das nicht lüftete und dem nachts übel wurde? In »dr Kammer vom Reserl« hatte man mir eine Bettstatt gerichtet. Reserl, die inzwischen ausgeflogene Tochter, hatte mein vollstes Verständnis dafür, daß sie »in d Großstadt gange« war und auch »selde noch telefoniere dät«. Das besorgte dann die Schweschter selber. Sie telefonierte stundenlang in einer mir völlig unverständlichen Sprache, wenn man davon ausging, daß sie mit mir immerhin stark schwäbisch redete. Dr Vaddr saß die ganze Zeit in einem Lehnstuhl am Fenschtr und blickte ins Lääre. Er rädete überhaupt nichts, was ich ihm nicht verübelte. Seine Augen waren irgendwie gläsern, sein Gesicht läblos. Ich fragte mich, ob ich in diesem wellblechernen Reihenhaus vielleicht etwas üben könnte. Da die Frau telefonierte, fragte ich den Mann.

»Wos wollese?« fragte er weinerlich und blickte ins Lääre.

»Üben. Sie verstehen, mich einsingen, ein paar Tonleitern singen, meine Stücke lernen für das Konzert am Sonntag.«

»Wos füra Konzert?«

»Na das Konzert, wo Ihr Schwager Orgel spielt!«

»I ho koi Schwager.« Gläserner Blick gegen die weißtapezierte Wand. Die gegenüberliegende Wand war großblumig tapeziert, weshalb er vermutlich lieber auf die weiße Wand starrte.

Ich gab das Gespräch mit dem Alten auf und ging mit meinem Köfferle ins Kämmerle von dr Resi. Das Kämmerle war kalt und leer. Resi hatte gründliche Arbeit geleistet, als sie ausgezoge war. Selbst das Bücherregal hatte sie abgeschraubt, weshalb in der blaßgelb-verblichenen und fleckigen Tapäte häßliche Bohrlöcher klafften. Die Bücher, die sie nicht in die neue Welt der Freiheit hatte retten wollen, lagen auf einer staubigen Kommode. »Der kleine Stowasser« lag obenauf. Er war besonders verstaubt. Recht geschah ihm. Das Bett war so eines von der Sorte, wie Tante Lilli es in meiner frühesten Kindheit hatte. Groß, behäbig, viel zu weich, quietschend und unappetitlich. Das Bettzeug stammte eindeutig aus der frühen Nachkriegszeit; es bestand aus aufknöpfbaren zentnerschweren Alptraumlieferanten. Da ich Knöpfe ohnehin hasse, empfinde ich sie im Bett als absolute Zumutung. Wie konnte ich nur diesem Wellblechhaus entschwinden, ohne die Schweschter und damit ihren Bruder, den schlechten Orgelspieler, zu verletzen? Jedenfalls würde ich es keine zwei Tage und Nächte hier aushalten, das war mir klar. Das Kämmerle war indiskutabel, ich stellte mir jede Gefängniszelle gemütlicher vor. Die Leute unten im ungemütlichen Eßzimmer waren ebensowenig zum Aushalten, und dieser Vorort, der nur aus einer graumatschigen Hauptstraße und jeder Menge Wellblechhäuser bestand, bot auch keine Abwechslung.

Wieviel bekam ich für dieses Konzert? Davon ging die Fahrt mit dem Intercity ab. Ich würde ins Hotel gehen, und wenn ich draufzahlen müßte. Entschlossen machte ich mein Köfferle wieder zu und schritt die Treppe hinab. Sobald die

Frau aufhörte zu telefonieren, würde ich ein Taxi rufen und mich ins Bahnhofshotel bringen lassen. Und ein Zimmer mit Badewanne und Fernseher nehmen. Und abends ganz allein in irgendeine schnuckelige schwäbische Kneipe gehen, um Spätzle zu essen und Moscht zu trinken. Jawohl.

Die Frau hörte soeben auf zu telefonieren.

»Jetzt gibts gloi Veschper«, sagte sie aufmunternd zu mir.

»Vielen Dank, ich habe keinen Hunger, ich wollte Sie bitten, ob ich einmal telefonieren könnte…«, hob ich an, aber sie machte alle meine Ausbruchsversuche zunichte.

»Mei Bruder kommt aaa auf ei Schwätzerle vorbei zum Veschpere«, sagte sie, »und bringt sei Frau mit und sei Tochter.«

Das waren ja wundervolle Aussichten. Ich beschloß, das Essen höflichkeitshalber noch über mich ergehen zu lassen und dann mit dem Bruder in die Stadt zu fahren und mir dort ein Zimmer zu nehmen.

»Kann ich Ihnen in der Küche helfen?« fragte ich. Kind, einem jungen Mädchen steht es nur zu gut, wenn es der Hausfrau in der Küche hilft.

Begeistert schob mich die Hausfrau in ihre Vorkriegsküche, die auf ungemütliche Weise aufgeräumt, aber doch schmuddelig war. Über einem grauangelaufenen Spülstein begann sie mit Luscht, Möhren und andere knollenartige Gemüse zu schrappen, die einen penetranten Geruch von sich gaben und meine Luscht auf Veschpern im Keim erstickten.

»Erzählese ebbes von sich«, forderte die emsige Möhrenschrapperin mich auf und reichte mir mit nassen Händen eine angeschmuddelte Schürze, die ich mit spitzen Fingern über einen Küchenstuhl legte.

»Sind Sie noch net unter der Haub?« fragte sie direkt, aber indiskret. Wahrscheinlich hatte sie meine Finger betrachtet und außer Georgs Fangeisen nichts Eheringähnliches entdeckt.

»Nein. Ich laufe noch frei rum.« Um meine Hände zu beschäftigen, begann ich, einen grauwelken, schlappen Salatkopf zu zerzupfen.

»Mai, der Ssalat ischt für morge middaag«, sagte die Schweschter und nahm ihn mir fort. Ich dachte erleichtert, daß morge middag jemand anders die welken Salatblätter essen könnte.

»Habbese auch kein Freund net?« informierte sich die wackere Hausfrau. »Sie sind doch en nettes schmuckes Mädele!«

Das fand ich auch. Besonders mit dieser großblumig karierten Kittelschürze und den nach Knollengewächsen stinkenden Händen. Ich hatte plötzlich ganz schreckliche Sehnsucht nach Georg. Mit dem hätte ich jetzt einen zauberhaften romantischen Abend im Hotel verbracht. Wir hätten mit Sekt im Bett gelegen, über Musik und andere hochgeistige Dinge geredet, uns geliebt und zwischendurch eine geraucht...

»Darf ich hier rauchen?« entfuhr es mir in einer Aufwallung nicht zu bremsender Lust auf eine Zigarette.

»Mai, da müssese auf de Balkon gschwind gähe«, sagte die Frau mißbilligend. Jetzt war ich doch nicht mehr so ein schmuckes Mädle. Ein anständiges Schwabenmädle raucht nicht, das schrappt Möhren.

Ich floh geschwind auf den zugigen eiskalten Wellblech-Balkon und mußte an dem starrenden Vaddr vorbei.

»Wollense net Tonleidere singe?« fragte er weinerlich.

Nein. Ich wollte eine rauchen und dabei tief durchatmen und die Minuten zählen, bis ich von hier weg konnte. Ich starrte in die graueblige Schneeöde. Wie allein man sich doch fühlen kann! Wie schrecklich mutterlos und gottverlassen! Georg saß jetzt bestimmt mit dem Kind im warmen Wohnzimmer am Kamin oder zumindest im gemütlichen Sessel und schaute mit ihm Pferdebilder. Oder er hockte zusammengesunken vor dem Plattenspieler und hörte Wagner. Vielleicht hörte er auch Strauss. Unser Lied. »Wenn du es wüßtest...« Und Klaus Konrad? Der war jetzt auf irgendeinem Pharmareferenten-Essen im Hotel Imperial mit Aussicht auf K.s Nachtleben, vor sich einen gemischten Vorspeisenteller mit Schnecken in Knoblauchbutter und Meerrettichhäubchen... Ich sehnte mich auch ganz schrecklich nach Klaus. Selbst Schnecken mit Meerrettichhäubchen würde ich jetzt lieber essen als Frau Schwabes angematschte Schmuddelmöhren. Die Zigarette machte mich schwindelig und taumelig. Wenn jetzt der Vaddr nicht wäre, ich würde schnell Georg oder Klaus anrufen, meinetwegen auch Tante Lilli.

»Wollese net neikomme? Isch wärmer hier!« ließ der weinerliche Vaddr sich vernehmen.

Er hatte recht. Ich warf die Zigarette in den Schnee, wo sie zischend verglühte, und ging schlotternd wieder hinein. Der Vaddr hatte sich tatsächlich erhoben und ging wortlos hinaus. Wie ein Dieb schlich ich mich zum Telefon, das mit einem brokatenen Überzug wie ein zu klein geratenes Sofakissen aussah.

Ich wählte Georgs Nummer. Wie ein Dieb. Mit zitternden Händen. Ich hatte noch nie Georgs Nummer gewählt, wußte sie aber auswendig. Für alle Fälle. Nach mehrmaligem Klingeln hob das Kind ab. »Papi ist nicht da, wer ist denn da?«

Sollte ich sagen: »Die Freundin von deinem Papi, Kleine«?

»Wo ist dein Papi denn?« gurrte ich in den Brokatbezug.

»Weggefahren, weiß nicht wohin. Wer bist du denn?«

»Sag ihm schöne Grüße von Cäcilie«, sagte ich matt und legte auf. Keine Sekunde zu früh, denn der Vaddr betrat schlurfenden Schrittes das Wohnzimmer. Mit mageren weißen Fingern hielt er mir etwas demonstrativ entgegen: Es war mein Zigarettenstummel.

»Den könnese doch net in dr Vorgadde von dr Frau Schäuberle neischmeiße«, jammerte er und trug ihn schlurfend wieder hinaus. Wahrscheinlich fuhr er damit jetzt zur städtischen Mülldeponie. Ich sank auf das abgewetzte grüne Sofa. Weg hier! Ich halte es nicht mehr aus! Die unbarmherzige Uhr zeigte noch nicht mal halb sieben. Wie sollte ich nur diesen schrecklichen Abend herumkriegen?

Klaus. Vielleicht war er doch zu Hause, allen Schicksalsschlägen zum Trotz. Seine Nummer wußte ich nicht auswendig. Ich schlich also über die übelriechende Diele zu meiner Handtasche und kramte nach meinem Adreßbüchlein. Daß mich bloß nicht der Vaddr erwischte! Doch ich hörte ihn in der Küche jammern, über das Fräulein und den Stummel im Vorgadde von dr Frau Schäuberle. Seine Frau keifte auf Oberschwäbisch dazwischen. Es war müßig, der Unterhaltung folgen zu wollen. Ich huschte zurück in das muffelige

Wohnzimmer, das nach der Wolldecke des Vaddrs roch und nach dem Wirsing von geschtern.

Alle Engel des Himmels hielten zu mir, Klaus meldete sich gleich nach dem zweiten Klingeln. Seine Stimme klang erregt und unwirsch, so als würde ihn mein Anruf entsetzlich nerven.

»Ach, du bist es, na, das ist endlich mal eine positive Überraschung«, sagte er, als ich mich gemeldet hatte. »Warum flüsterst du? Hast du etwas angestellt?«

»Nein, ich bin hier bei schwäbischen Biedermeiers und sterbe fast vor Sehnsucht nach...«

»Du hast Sehnsucht nach mir? Das ist ja noch eine tollere Überraschung!«

Ich hatte nach allem Sehnsucht, was außerhalb dieses Hauses und dieses Wellblechvorortes war.

»Wo bist du genau?« fragte Klaus munter. Anscheinend freute er sich wirklich über meinen Anruf.

»In einem Vorort mit ingen am Ende«, sagte ich.

»Möchtest du, daß ich komme?« fragte Klaus.

»Ja«, stammelte ich in den Brokathörer. Wie unmöglich von mir! Der war imstande, wirklich zu kommen, womöglich noch mitten in der Nacht!

»O.K., ich komme morgen«, sagte Klaus. »Ich habe heute abend eine wichtige Verabredung, die ich jetzt nicht mehr rückgängig machen kann. Wo kann ich dich morgen treffen?«

»Bist du verrückt?« lamentierte ich schwach. Schließlich wollte ich den Mann nicht ausnutzen. Dachte ich jedenfalls anstandshalber. Tante Lilli hätte mich nach Strich und Faden verhauen.

»Wieso, du hast doch gerade gesagt, ich soll kommen«, kam es aus dem Brokathörer. Es klang so wunderbar nahe, als wäre er im Nebenzimmer, der knuffige, liebe, schmusige Klaus. Ach, wie hatte ich ihn doch gern!

»Aber nur, wenn du auch wirklich möchtest«, heuchelte ich noch ein bißchen, um den Schein zu wahren. Ein plumper Versuch, fürwahr.

»Was ich möchte? In deiner Nähe sein!« sagte die Stimme aus dem Brokathörer, und in dem Moment betrat der Vaddr schlurfenden Schrittes das Zimmer. In der Hand trug er leicht zitternd eine schmuddelige Serviette im Ring. Aha. Der Oberindianer gab das Zeichen zum Mahle.

»Ich kann jetzt nicht mehr sprechen«, sagte ich hastig. »Wir sehen uns ja morgen in der Probe. Ich bringe die Noten dann mit. Sollen wir sagen um 13 Uhr?«

»Ist da einer gekommen?« schloß Klaus messerscharf. »Wie heißt denn die Kirche?«

»St. Luzifer«, sagte ich und merkte im gleichen Moment, daß das nicht stimmen konnte. War das jetzt St. Luther oder St. Ludger oder St. Ulmer Münster? »Wir treffen uns um 13 Uhr am Ulmer Münster, Haupteingang, O. K.?« sagte ich und legte auf. Meine Beine zitterten. Jetzt hatte ich mir was eingebrockt. Klaus würde mir nachreisen. Lockere 550 Kilometer. Nur mal eben so. Weil ich mich hier einsam fühlte. Tante Lilli, hau mich, hau mich feste.

Das Abendessen verlief, wie eine gerechte Strafe zu verlaufen hat. Der Orgelspieler kam mitsamt Frau und häßlicher pubertärer Tochter und seiberndem Hund, der blöden Blickes mit schäumendem Maul den ganzen Abend unter dem Tisch stand. Frau Schwabe schwätschte unaufhörlich in einer mir unverständlichen Fremdsprache, während ihr dabei die Suppennudeln einzeln aus dem schläscht gepflägte Gebiß fielen. Ich rührte angewidert in dem lauwarmen Sud, der nach dem vorhin geschrappten Knollengemüse und nach ungespültem Geschirr roch. Der Löffel war vermutlich aus Silber, aber er war riesig, vergilbt und angelaufen. Ich mochte ihn nicht in den Mund stecken. Dr Vaddr führte mit zittrigen Bewegungen die Suppe zum Mund, um sie dann daneben zu schütten. Während das schwäbische Mundwerk seiner Ehefrau nicht eine Sekunde stillstand, steckte sie ihm mit einem Ruck energisch die Serviette in den Hemdkragen und schob ihm den Teller bruschtwärts.

»Tu net schlabbere«, sagte sie wahrscheinlich, denn der weinerliche Mann wehrte sich und begehrte auf: »D Supp isch net leggr«, worin ich ihm unbedingt recht geben mußte.

Die Pubertätstochter und ich räumten den köstlichen Vorspeisengang ab und trugen die Teller in die Küche, die nun aussah wie ein Ekelschlachtfeld. Der seibernde schwanzlose

Köter tappte angelegentlich hinter uns her. Von mir aus konnte er die Reste gerne haben.

»Dr Schlabbi kriegt nix«, sagte die Pubertätstochter, die den bezaubernden Namen Juliane trug. »Der isch zu fett!« Was für sie selbst anscheinend keine Gültigkeit hatte, denn sie labte sich nun im Hauptgang an fettem, sehnigem, lauwarmem Schweinefleisch, serviert mit einer Schüssel matschiger Möhren und anderer grünwelker Gemüse. Dazu wurden graue zerbröselnde Kartoffeln gereicht, die zwar fürchterlich dampften, aber ebenfalls nur lauwarm waren.

Ich sehnte mich mit allen Fasern meines hungernden, aber jede Nahrung verweigernden Magens nach einem Riesentopf Quark mit Süßstoff. Und nach Georg. Und nach Klaus. Ja, letzteres war wohl angebrachter. Schließlich kam er morgen. Oh, was würde ich Ulm lieben und den Matschschnee und die Schwaben und die grauen Wellblechhäuser, wenn er nur erst da wäre!

Der Hund und ich, wir verbrachten die Mahlzeit schweigend und fastend. Er stand unter dem Tisch, und ich saß auf der Eckbank neben der dicken Juliane, die begeistert ein zweites und drittes Mal ihren Teller füllte.

»Hoscht kein Hunger?« fragte sie mich.

»Des kommt vom Rauche«, belehrte sie der Vaddr.

»Was, Sie rauchen, als Sängerin?« empörte sich die Frau des Orgelspielers, und das war das einzige, was sie den ganzen Abend über zu mir sagte.

»Nur gelegentlich«, sagte ich.

»Un dr Stummel tuts in dr Vorgadde von dr Frau Schäuberle schmeiße«, petzte der Alte. Ich haßte die ganze Familie.

Zum Nachtisch gab es Kompott und Kaffee aus weißen Tassen mit Sprung drin. Der Sprung an meiner Tasse sah aus wie ein dickes schwarzes Haar, und das gab mir den Mut, den Orgelspieler zu fragen, ob er mich später mit dem Auto mit in die Stadt nehmen könnte.

»Wos wollese in dr Stadt?«

»Noch ein wenig spazierengehen!«

»'s Audo isch voll«, sagte die Frau. »Moi Mann, die Juliane und dr Schlabbi.«

»Moi, warum wollese bei diesem Weddr spazieregähe?« mischte sich nun auch meine Gaschtgäberin ein.

Ich gab mich geschlagen. Diese eine Nacht. Morgen würde Klaus da sein. Mit Klaus würde ich in ein wunderbares Hotel gehen. Heute nacht würde ich irgendwie überläbe. Ich nahm es mir ganz fescht vor.

Die Gäschte gingen, ich drängelte mich fast gewalttätig in die Küche, um den Abwasch zu machen und ein einziges Mal diesem Schlachtfeld einen gewissen Glanz zu verleihen. Ich hatte auf aggressive Weise Luscht, mich körperlich zu betätigen und müde zu machen, damit die Zeit herumginge und die Nacht auch. Ich schrubbte und putzte, spülte und trocknete ab, mit faserigen, löcherigen Geschirrtüchern von anno dazumal, ich wühlte alle Schränke durch nach sauberen Lappen und einer Spülbürste, die noch mehr als vier aufrechtstehende Borsten aufzuweisen hatte. Das schwäbische Ehepaar war hinaufgegangen in das Elternschlafzimmer, das ich zwar nicht von innen gesehen hatte, aber mir läbhaft vorstellen konnte: zwei große hölzerne Betten, mit schweren ekelhaften Knopfbetten versehen, ein Kleiderschrank, braun und klobig, ein Wäschepuff. Dr Vaddr trug bestimmt einen labbrigen großkarierten Pyjama, bis zum Hals zugeknöpft, und die Frau ein Flanellnachthemd in Rosa mit einem selbstgestrickten, nicht weichgespülten Bettjäckchen. Auf den Nachttischen rechts und links der Bettstatt Tabletten und Tropfen und ein paar Haarnadeln bei der Frau und ein Glas für das Gebiß bei dem Vaddr. Aber es war schlimmer: Das Gebiß vom Vaddr schwamm in einem Wasserglas, das im Badezimmer vor dem Spiegel stand und mir unmittelbar ins Auge sprang.

Selbst beim Zähneputzen wurde mir noch übel. Ich konnte unmöglich ins kalte Kämmerle gehen und mich in das schwere, klamme Bett legen, um an die rissige Wand zu starren, beim fahlen Licht einer Vorortlaterne.

Ausziehen mochte ich mich auch nicht. Erstens war mir entsetzlich kalt, und zweitens gab es hier bestimmt schwäbische Ratten oder wenigstens Mäuse oder zumindest Spinnen. Ich schlich wieder hinunter in die – inzwischen einigermaßen saubere – Küche und stöberte im Vorratskämmerle herum. Ich hatte Luscht auf sehr viel Alkohol. Was ich in der feuchtklammen Kammer fand, waren jede Menge Kartoffelreste – von der grauen, nun nicht mehr dampfenden Sorte –, eine Kiste schrumpeliger Äpfel, die sogar ganz lieblich rochen, jede Menge Vorratsdosen wie Rotkohl, Sauerkraut, Marmelade, Gläser mit Eingemachtem und tatsächlich einige Flaschen Wein. Ich beging einen waschechten Mundraub, indem ich mir eine »Krötenbronner Nacktarsch Spätlese« griff, sie in der Küche entkorkte und – aus der Flasche trinkend – vor dem Fernseher seliges Vergessen suchte. Es kam ein alter, kitschiger Western, aber die Synchronsprecher schwäbelten nicht, und es wurde im ganzen Film nichts Unappetitliches gegessen.

Lange nach Mitternacht torkelte ich die knarrenden Stiegen hinauf zu einem zweiten Anlauf ins Bett. Das Badezimmer mied ich, ausziehen mochte ich mich immer noch nicht. Mit spitzen Fingern zog die die Decke beseite und erschrak. In Erwartung irgendeiner ekelhaften Überraschung im Bett zuckte ich angeekelt zurück: Da lag etwas Rotes, Fettes, Pralles, ich fürchtete, es sei eine blutige Ratte, aber es war eine Wärmflasche, die Frau Schwabe mir in einem Anflug mütterlicher Gefühle bereitet haben mußte. Sie war noch sehr heiß. Obwohl sie muffig roch und ich mich zwingen mußte, mir nicht vorzustellen, wo sie normalerweise übernachtete (zum Beispiel an den mageren Füßen des Vaddrs), nahm ich sie liebevoll in die Arme und bekam fast heimatliche Gefühle. Ich schwor mir, nie mehr ohne meine eigene Wärmflasche zu reisen. Der Wein kreiste in meinem Kopf. Ich hatte die ganze Flasche geschafft. Sie schenkte mir traumlosen Schlaf, unterbrochen von zweimaligem barfüßigem Tapsen auf die Toilette mit Blick auf das Gebiß des Hausherrn.

19

Am nächsten Morgen – ich erwachte um kurz vor acht durch ungewohnte Geräusche – rechnete ich als erstes die Stunden aus, bis Klaus bei mir sein würde. Noch fünf Stunden ohne Klaus. Und dann nie mehr ohne Klaus. Sich vorzustellen, er käme in seinem roten, schnittigen, sauberen BMW am Ulmer Münster vorgefahren! Sich vorzustellen, er nähme mich in die Arme, wäre groß und stark und warm und wohlriechend! Sich vorzustellen, wir zögen Arm in Arm in ein feines, gemütliches, warmes Restaurant, würden eine heiße Suppe essen und anschließend einen frischen, grünen, knackigen Salat! Sich vorzustellen, wir gingen später in unser warmes, blitzsauberes und mit braunen Teppichen ausgelegtes Hotelzimmer mit Minibar, einem Farbfernseher, einem geräumigen modernen Bad mit großen Spiegeln und einem duftenden, frischen französischen Bett...

Soweit stellte ich mir alles wunderbar vor. Als ich bei dem Bett angekommen war, überlegte ich, daß dieses Möbelstück eine gewisse Verpflichtung mit sich bringen würde. Klaus würde vermutlich die leidenschaftliche Nummer inszenieren wollen, mich mit Wucht in seine starken Arme reißen und mit seinem Vollbart Kratzspuren auf meinem Gesicht hinterlassen. Er würde vermutlich das französische Bett arg zum Wanken bringen, vielleicht sogar zum Krachen...? Ich würde, um meine Stimme zu schonen, nicht um Hilfe rufen, sondern versuchen, meine empfindlichen Körperteile zu schützen vor Knüffen, Püffen, krachenden Umarmungen. Ich würde meine Frisur als Entschuldigung benutzen oder meine Nervosität vor dem Konzert. Dann würde er es nach dem Konzert wieder versuchen. Er würde sich nicht davon abbringen lassen.

Ich verwarf den Gedanken an erfolgreiche Selbstverteidigung erst einmal und stand auf. Im Badezimmer war kein Gebiß mehr zu sehen, nur Haare im Waschbecken und Zahnpasta am Spiegel. Nur noch fünf Stunden. Nein, vier Stunden und fünfzig Minuten. Das Duschen schenkte ich mir. In der Dusche hing nämlich die beigefarbene Unterwäsche der Hausfrau, bestehend aus einem übergroßen Mieder, einem hautfarbenen BH, geziert von einer rose Schleife in der Mitte der beiden Brusthalterschalen, und einer noch stark tropfenden Strumpfhose, von der ein langer Faden herunterhing.

Ich wusch mir schnell nur das Gesicht und suchte das Weite. Im Kämmerle zog ich mich anders an und schminkte mich etwas heftiger als sonst. Irgendwie wollte ich den Vaddr noch schocken.

Der hockte wieder in seinem Lehnstuhl mit Blick auf die Wand. Die Mutter kam hereingestürmt, mit Lockenwicklern im Haar (was augenscheinlich ein völlig nutzloses Unterfangen war, da es strähnig und platt gegen die Lockenwickler trotzte), und versuchte, mich zu umarmen. Ihre Begeisterung galt der sauberen Küche, die sie wohl nach dem Krieg nicht mehr in diesem Zustand erläbt hatte.

Der Vaddr sagte nichts. Bei dem hatte ich ein für allemal verschissen. Vermutlich hatte er die leere Weinflasche gefunden, die ich neben seinem Sessel hatte stehen lassen. Ja, hätte ich sie denn wieder in den Vorgarten der Frau Schäuberle schmeißen sollen?

Ich frühstückte mit der schwätzenden Frau. Sie war auf dem Müsli-Trip und matschte sich eingeweichte Körner in einem Hundenapf zusammen. Dann mischte sie geraschpelte Möhren und Nüsse darunter und bot mir das Ganze an. Ich konnte mich gerade noch wehren, indem ich von einer Diät faselte. Tatsächlich mußten diese Leute glauben, ich mache eine Nulldiät. Die Flasche Wein paßte nicht ganz in dieses Konzept. Der Vaddr strafte mich mit Verachtung.

»Isch Zeit für die Kirche«, sagte er, rappelte sich hoch und schlurfte zum Schuheanziehen hinaus. Ich wähnte, das Haus für die nächsten zwei Stunden für mich zu haben und mich unauffällig aus dem Staube machen zu können.

»'s Middaagesse mache mer gschwind später zusamme, gell, Fräulein?« sagte die Frau und nahm die Lockenwickler aus dem Haar. »Sie könne gschwind in der Zeit e paar Tonleidere singe! Wir sind um zwölf zurück und bringe de Tante Berdda mit.«

Daß ich Tante Berdda nie sehen würde, tat mir nicht leid. Kaum waren die Leute weg, raffte ich meine Sachen zusammen, rief mir ein Taxi und schrieb auf einen Zettel, daß ich in der Stadt sei und dort meinen Patenonkel träfe. Und daß ich mich für die Gastfreundschaft bedankte.

Direkt am Ulmer Münster fand ich ein Hotel, in dem es warm und gediegen war und ungeheuer gut nach Sonntagessen roch. Ich mietete ein Doppelzimmer und fragte, ob ich dort eine Stunde singen dürfte. Ich durfte. Das Zimmer war hell und groß, und das Bettzeug hatte keine Knöpfe. Ein sicheres Zeichen für die Qualität des Hotels. Eine handbemalte Truhe zierte das Fußende, und wenn sie auch abgeschlossen war und sicherlich keine Minibar enthielt, so liebte ich sie doch.

Mit Genuß sprang ich unter die warme Dusche, genoß es, mich säuberlich zu schminken und frisch anzuziehen. Ich sang ein paar Töne, schaute dann lange aus dem Fenster. Die graue gotische Fassade des Münsters, leider die Seitenfront, so daß ich Klaus Konrad nicht von hier aus sehen würde, wenn er käme. Es war halb eins.

Eine Probe sollte nicht mehr stattfinden, nur um zwanzig Uhr das Konzert. Ein langer Nachmittag mit Klaus stand bevor. Aber ich wollte es ja nicht anders.

Um ein Uhr zog ich mir den Mantel an und verließ das Hotel. Im Restaurant war inzwischen Hochbetrieb. Die vollbusige Dame vom Tresen bediente die Essensgäste. Ich hätte sie küssen mögen oder ihr beim Servieren helfen wollen, so wohl fühlte ich mich in diesem gastlichen Hause. Eigentlich vermißte ich nun niemanden mehr. Eigentlich wäre ich nun unheimlich gern allein durch die Stadt spaziert. Vielleicht wäre ich ins Kino gegangen oder in ein Café. Vielleicht ins Museum. Ich hätte die Zeit schon herumgekriegt. Wozu hatte ich bloß Klaus bestellt? Ein solcher Sonntagnachmittag ist der absolute Härtetest für eine Beziehung. Ich mußte Klaus etwas bieten. Schließlich war er seit fünf oder sechs Stunden im Auto. Der erwartete was. Kind, du bist selber schuld. Warum machst du auch so was.

Wir bekamen den Sonntagnachmittag herum. Es war ganz einfach. Klaus hatte einen Bärenhunger, eine Bärenlaune und war dermaßen beglückt, mich zu sehen, daß ich mich vor seinen knochenbrecherischen Umarmungen kaum retten konnte. Soviel Freude auf seiner Seite war ansteckend. Er tat fast so, als hätten wir uns monatelang nicht gesehen und wären füreinander doch der einzige Sinn des Lebens.

»Laß uns ganz toll irgendwo essen gehen«, sagte er, hakte mich unter und schob mich in die falsche Richtung davon.

»Wo möchten Ihro Gnaden denn essen? Ich weiß da einen bezaubernden kleinen Vorort mit Wellblechhäusern und reizenden Einwohnern, da gibt es heute welken Salat und fetten Schweinebauch auf einer Tischdecke mit Essensresten vom letzten Sonntag!«

Klaus lachte. »Du Arme! Ich möchte mal wissen, wer von uns beiden mehr zu leiden gehabt hat.«

»Wieso? Mußtest du auch lauwarme Möhrenmatsche essen?«

»Nein. Ich mußte meine lauwarme Frau sehen. Ach, was sag ich, lauwarm, eiskalt ist die, eiskalt!«

»Besser 'ne eiskalte Frau als lauwarme Möhren!«

»Nein, bestimmt nicht. Du hast keine Ahnung, wie eiskalt meine Frau sein kann.«

»Was wolltest du denn von ihr? Mehr Taschengeld?« fragte ich und wollte ulkig sein.

»So ähnlich«, sagte er brummig. »Laß uns jetzt nicht darüber reden. Ich bin im Moment so gut gelaunt, und jetzt will ich mit dir essen gehen, oder geht das in diesem Kaff nicht?«

Es ging. Es ging sogar wunderbar. Ich schleppte Klaus in das gediegene, warme, gemütliche Hotel mit dem schönen Namen »Ulmer Spatz«. Im Restaurant war immer noch Hochbetrieb. Anscheinend hatte das Müttergenesungswerk Gensingen im Kreis Schwenningen bei Reutlingen in Verbindung mit dem Sozialwerk Memmingen einen Ausflug für gestreßte schwäbische Hausfrauen organisiert, und nachdem man festgestellt hatte, wie häßlich das Ulmer Münster von innen war, hatte man sich zu Maultaschen in der Brühe und Spätzle mit Kraut in der warmen Gaststube versammelt.

Klaus und ich fanden noch einen kleinen Tisch etwas abseits vom schwäbischen Hennenverband, dem – bei näherem Hinsehen – auch zwei Hähne angehörten. Einer davon war ein Ordenshahn, Verzeihung, -bruder, und so zählte er nicht. Der andere war also der sprichwörtliche Hahn im Korb.

Wir kümmerten uns um die Bestellung. Klaus wählte alle Spezialitäten, die diese Karte aufzuweisen hatte, und bestellte dazu ein großes Bier.

Ich erzählte in schonungsloser Weise von meinen Vororterlebnissen bei der gaschtfreundlichen Familie und ließ auch die Story mit dem Zigarettenstummel nicht weg. Das unappetitliche Essen schilderte ich in allen Farben, was Klaus nicht im mindesten den Appetit verdarb. Als ich bei der Schilderung des Bettes angekommen war, konnte ich selber nicht weiteressen. Ich stellte mir plötzlich vor, daß Klaus einen schwarzweiß-karierten Pyjama mit großen schwarzen Knöpfen hätte und mich in dieser schrecklichen Verkleidung womöglich auch noch würde umarmen wollen und dabei nach Zahnpasta riechen würde. Ein schier unerträglicher Gedanke. Ich verzog das Gesicht.

»Jetzt wird dir selber übel, wie?« freute sich Klaus.

»Nur, wenn du einen großkarierten Pyjama mit schwarzen Knöpfen anziehst heute nacht.«

»Ich denke nicht daran, überhaupt irgend etwas anzuziehen«, sagte Klaus sachlich und nahm einen großen Schluck Bier.

Ich war sehr erleichtert. Lieber einen splitternackten Mann im Bett als einen mit Knöpfen.

»Aber wo du gerade davon sprichst«, sagte Klaus zwischen zwei Spätzleladungen auf seiner Gabel, »ich hätte eigentlich Lust auf einen Mittagsschlaf. Wie ist das mit dir?«

Draußen schneite es in großen nassen Flocken. Der Himmel war grau und trübe und das Ulmer Münster war abgeschlossen. Was sollte man überhaupt anderes machen als einen Mittagsschlaf?

»In Ordnung«, sagte ich und dachte eine Sekunde lang an Georg. Mit dem hatte ich vor kurzem auch einen Mittagsschlaf im Hotel gemacht, als draußen das Wetter zu nichts anderem animierte.

Wir gingen hinauf in das warme, gemütliche Zimmer mit der handbemalten Truhe. Klaus nahm mich in die Arme, drückte mich sehr fest und knallte mir einen beherzten Kuß aufs Ohr. Dann verschwand er im Badezimmer.

Ich stand am Fenster und sah auf die graue Seitenfassade

des Münsters. Nun war er also da, der Klaus. Und alles war so selbstverständlich. Herr und Frau Klaus Klett, die gehen jetzt ins Bett. Es war kein bißchen erotisch. Nicht im mindesten zu vergleichen mit Georg.

Wir gingen ins Bett, jeder unter seine Decke.

»Wann ist denn dein Konzert?«

»Um acht.«

»Wann mußt du hier weg?«

»Um sieben.«

»Willst du vorher noch was essen?«

»Nein, lieber nachher.«

»Kann ich noch was für dich tun?«

»Nein. Es ist schön, daß du da bist.«

»Das find ich auch. Ich meine, es ist schön, daß ich bei dir bin.«

Das klang schon recht schläfrig und war von leisem Bierdunst begleitet. Keine zehn Sekunden später hörte ich sein gleichmäßiges, sattes und zufriedenes Schnarchen. Er schlief. So war das also mit Klaus Klett im Bett. Er schlief, und ich dachte nach. Jemandem nach. Natürlich. Die eine Situation bringt die Gedanken an die andere Situation mit sich. So ist das immer im Leben. Kind, du wolltest es ja nicht anders. Wenn du jetzt alleine im Bett liegen würdest, könntest du einen Kitschroman lesen oder einen Brief schreiben oder telefonieren oder an den Zehennägeln knibbeln. Jetzt geht das alles nicht. Du mußt still liegen und auf das leichte Schnarchpust-Geräusch nebenan hören.

Die Bärenpranke meines träumenden Nebenmannes legte sich fest und schwer über meine Brust. Mein Herz überlegte einen Moment, ob es klopfen sollte, aber es hatte keinen Grund dazu. Alles war völlig unerotisch. Keinerlei Gefahr. Warum auch. Klaus Klett war ja schließlich nicht zum Vergnügen hier.

Das Konzert in dieser Holzkirche auf der Bahnhofsrückseite brachte dann eine aufregende Wendung in diesen nassen Schneeflockentag.

Ich entdeckte schon beim Eingangstor das Gesicht, an das ich immer dachte. Und merkwürdig: es erschien mir so selbstverständlich, daß Georg Lalinde da war – in einer der hinteren Reihen, die Hand am Mund –, daß ich mich noch nicht einmal wunderte. Ich starrte ihn an, und sein Gesicht verschwamm vor meinen Augen, und er rührte sich nicht. Keine Ahnung, ob er mich ansah, sein Programm oder die Bügelfalte seiner Hose. Keine Ahnung, ob er Bach hörte oder an das Pferd seines Kindes dachte. Ich war höchst verwirrt bei dem Gedanken an das »Nachher«. Mit Klaus Klett ins Hotel gehen und Bärenhöhle im Winterschlaf spielen? Mit Georg Lalinde durch den grauen Schneematsch spazieren und vor Erotik kaum atmen können? Mit dem Kirchenchor und dem Dirigenten im »Wilden Mann« einen Gerschtensaft trinken gehen? Durch den Hinterausgang der Kirche zum Bahnhof laufen und heimlich in einen Zug springen? Oder sogar vor einen Zug springen? Letzteres verwarf ich sofort. Das Leben war viel zu spannend.

Ich sang meine Arie, versuchte, gut zu sein. Vorne in der ersten Reihe Klaus Klett mit Walkman professional, Mikrophon, Photoapparat und Blumen. Hinten... der versteinerte Kritiker. Eineinhalb Stunden lag hatte ich Zeit, ihn anzustarren. Und nachzudenken. Und dem Ende des Konzertes entgegenzufiebern. Georg. Ich wollte bei ihm sein und mit ihm verschwinden. Durch irgendeinen Hinterausgang. Und Klaus? Unmöglich. Den konnte ich doch nicht versetzen. Der war doch extra meinetwegen... aber Georg war auch extra meinetwegen... Unmöglich. Keine Lösung. Mit dem Kirchenchor feiern gehen. Harmlos tun. Zufall vorheucheln. Rote Flecken kriegen. Wie lange sollte dieses gottverdammte Spiel eigentlich noch weitergehen?

Es sollte noch eine Weile so weitergehen. Noch eine ziemlich lange Weile. Aber der Reihe nach. Dieser Abend verlief wie so viele andere. Klaus Klett umarmte mich, drückte mir heftige Küsse aufs Ohr, legte den Arm um mich, trug mir den Koffer. Georg Lalinde stand angelegentlich vor irgendeiner Plakatwand, tat so, als ob das Ulmer Kulturleben ihn interessierte, und begrüßte mich dann mit zurückhaltendem Erstaunen. Es blieb mir nichts übrig, als die Männer erneut miteinander bekanntzumachen und mit beiden Richtung »Wilder

Mann« zu ziehen, wo der Kirchenchor feuchtfröhlich beisammensaß. Wir drei betraten das Lokal unter wildem Beifall aus schwäbisch-feuchten Kehlen und setzten uns an ein Extratischchen. Klaus bestellte Leberkäs und Maultaschen, dazu ein großes Bier. Georg bestellte sich dasselbe wie ich, nämlich Weinschorle. Wir saßen allda und hüteten sein. (Zitat: Johannespassion.) Georg bot mir schweigend eine Zigarette an. Ich nahm sie hastig. Mit zitternden Fingern.

Ich weiß nicht mehr, was wir sprachen. Ich meine, welche Worte wir sprachen. Es war Small talk. Mit den Augen sprach ich sehr intensiv, und mit dem rechten Knie unter dem Tisch auch. Georg verstand alles, was ich sagte.

»Warum bist du hergekommen, du ausgewachsener Idiot?« fragte mein rechtes Knie.

»Weil ich dich so liebe«, sagten seine Augen.

Klaus bekam gerade seine Maultaschen serviert und schob mir sofort eine Gabel davon ins Gesicht.

»Ich rauche gerade«, sagte ich und drehte den Kopf weg.

»Warum gibst du dich mit dem Trottel ab?« fragten die Augen.

»Wenn ich das wüßte«, antwortete mein Knie.

Klaus legte den Arm um mich, und mit dem anderen Arm führte er sich Maultaschen zu, fröhlich, hungrig, in Feierstimmung. Er schien überhaupt nichts zu ahnen, nicht das geringste. Dieser ältere Herr da, dieser Kritiker, der schien eben öfter mal aufzutauchen und schweigsam herumzusitzen. Anscheinend war sein Arbeitsgebiet recht weiträumig, denn er war sogar in Ulm anwesend.

Wie üblich klopfte jemand ans Glas, wurde die übliche Chorvorstands-Dankes- und Lobeshymne auf den Dirigenten, die Notenpultträger, die Teekocherinnen im Gemeindehaus und »lascht not leascht« die Solischten gehalten. Ich stand auf, dienerte mit rotfleckigem Gesicht in die beifallklopfende, kauende und trinkende Menge und setzte mich wieder. Tastete mit meinem Knie nach rechts... Da. Eine feste Hand auf meinem linken Bein. Drückte, quetschte, klopfte anerkennend. »Ich bin stolz auf dich!« Klaus, kauend, grinsend.

Ich merkte, wie mir schlecht wurde. Ich konnte nicht

mehr. Das war schon lange kein Spiel mehr. Wie jetzt aus der Affäre kommen?

»Klaus, trink nicht soviel. Du mußt doch noch fahren«, leitete ich das heikle Thema ein.

»Wieso ich? Du fährst doch, oder?«

Wirklich. Er tat so, als wären wir seit Jahren verheiratet. Mein rechtes Knie bat Georgs linkes Knie um Entschuldigung.

»Ich biete Ihnen an, Sie heute abend noch nach Köln zu fahren«, sagte Georg Lalinde mit einer angedeuteten Verbeugung.

Meine roten Flecken pulsierten wie nach einem Tausendmeterlauf.

»Nein, wir haben extra für heute nacht ein feines Hotelzimmer genommen, nicht wahr?« konterte Klaus fröhlich und kraulte mich Beifall heischend im Nacken.

Diesen Blick von Georg werde ich nie vergessen. Das Knie zog sich sofort zurück. Er musterte angestrengt sein halbvolles Weinschorleglas und dann mich. Zum erstenmal schaute er nicht knapp an mir vorbei, als habe er eine Ameise auf meinem Ohrläppchen entdeckt, sondern mir gerade in die Augen. Unsicher wie mein ganzes verachtenswerte Leben, wie meine ganze rabenschwarze Seele. Ich schämte mich in Grund und Boden.

»Klaus ist heute extra aus K. gekommen«, sagte ich.

Ich auch, sagten die Augen, die mich immer noch nicht wieder losließen. Verdammt, wenn er einem aufs Ohrläppchen guckte, ging alles leichter.

Jemand trat hinter uns und versicherte auf schwäbisch, daß er nicht stören wolle, aber wegen der »Späseabreschnung...« Ich stand auf und folgte ihm. Auf wackeligen Beinen. Sollten die beiden Männer sich doch einigen. Ich konnte nicht mehr. Wollte nicht mehr. Wollte schlafen, irgendwo in einem Bett ohne Knöpfe, ohne Männer und ohne Schuldgefühle. Und möglichst in meiner eigenen kleinen Wohnung wieder aufwachen.

Ich mußte so ein Formular unterschreiben und versichern, daß ich mein Konzert beim Finanzamt angeben würde, und meine Zugfahrkarte vorlegen und die Adresse des Hotels angeben.

»'s Doppelzimmer könne mer aber net ersetze«, belehrte mich der Zahlmeister.

»Nein, nein, rechnen Sie bitte nur das Einzelzimmer ab.«

Als ich zu unserem Tisch zurückkam, war Georg Lalinde weg. Klaus unterhielt sich angeregt mit einer älteren Chorsängerin über den Unterschied zwischen Bach und Händel. Er habe in der Schule mal Tenorhorn gespielt, aber bis Bach oder Händel sei er nie gekommen…

»Wo ist Herr Lalinde?« fragte ich dazwischen.

»Ist der weg?« Klaus drehte sich überrascht um. »Er hat sich nicht verabschiedet. Wahrscheinlich ist er nur mal wohin.«

Georg war nirgendwo hin.

Er war weg. Einfach weg. Ohne auf Wiedersehen zu sagen. Meine Stimmung war im tiefsten Keller.

Ich wollte sofort nach Hause. Nach K.

»Klaus, laß uns bitte fahren…«

Klaus stand sofort auf, verabschiedete sich artig von der Chormutti – mit Verbeugung und Jackettzuknöpfen – und zahlte vorne am Tresen. Selbst das tat er selbstverständlich für mich mit. Wir schlenderten durch die kalte, öde Betonlandschaft. Richtung Hotel. Richtung Auto.

»Du, Klaus?«

»Ja?« Festeres An-sich-Ziehen als vorher schon. Ungelokkerter Bärenkrallgriff.

»Es ist erst elf. Wir können noch nach K. fahren.«

Erstauntes, ruckartiges Stehenbleiben. »Warum willst du das?«

»Ich habe morgen früh eigentlich eine Probe…«

»Das wußtest du doch schon vorher!« Ärgerlich, irritiert.

»Ich habe irgendwie keine Ruhe, hierzubleiben…«

»Sei ehrlich, du hast keine Lust, hierzubleiben.« Sein Griff lockerte sich so plötzlich, daß ich das Gleichgewicht verlor und zwei Schritte nach hinten taumelte.

»Nein, das hat mit Lust nichts zu tun… ich bin nur noch so wach, und da könnte man die Energie gut nutzen… Du sagtest doch, daß ich fahren soll. Du könntest dich gemütlich in deinem Liegesitz… Bitte, Klaus. Es richtet sich nicht gegen dich. Ich möchte nur nach Hause.«

»Du hast keine Lust, mit mir im Hotel zu übernachten«, stellte Klaus mit überraschender Sachlichkeit fest.

»Aber Klaus…«, sagte ich in einem Tonfall, mit dem Mütter ihre Kinder rügen, die auf dem Spielplatz Sand essen.

Ich war so unglaubwürdig wie noch nie in meinem Leben. Klaus drehte sich abrupt um, ging zum Hotel und sagte zu der müden Kellnerin: »Wir reisen ab. Die Rechnung bitte.«

Erstaunter Blick. »Ware Se net zufriede mit m Zimmerle?«

»Doch doch. Wir haben es uns nur anders überlegt.«

Schweigend packten wir oben unsere Sachen zusammen. Die Oase des Friedens, ohne schwäbische Besserwisser, mit der unschuldig-blaubemalten Truhe und der sauberen Dusche. Jetzt verschmähte ich sie.

Trotz meines schlechten Gewissens fühlte ich mich wunderbar, als wir durch die schwarze Nacht auf die Autobahn fuhren. Nach Hause. Und wenn es Morgendämmerung würde. Ich würde in meiner Wohnung sein, allein, mit meiner Wärmflasche. Vor lauter Freude begann ich zu singen. Klaus hatte schweigend am Steuer gesessen und sich auf das Fahren auf matschigen Straßen konzentriert. Jetzt nahm er eine Hand vom Steuer und legte sie mir in den Nacken. »Du bist schon eine«, sagte er. Und fuhr schweigend weiter.

20

Ich saß vor dem Telefon, als wartete ich auf etwas. Klar. Beide hatten heute noch nicht angerufen. Noch nicht mal der Doc. Beide beleidigt?

Ich kaute etwas am Mittelfingernagel. Um Georg tat es mir schrecklich leid. Was der nun wohl von mir dachte…

Es wäre der absolute Verrat an unserem zärtlichen Beisammensein gewesen, hätte ich mit dem Doc im Hotel übernachtet. Georg mußte es schrecklich gehen. Mir wurde klar, daß dieser Mensch mich liebte, aus welch unerfindlichen Gründen auch immer. Widerstrebend griff ich zum Hörer, wählte die Nummer seiner Dienststelle bei der Zeitung. Eine Vorzimmerdame meldete sich. »Kann ich Herrn Lalinde…?«

»Er ist in einer Besprechung. Soll ich was ausrichten?«

»Richten Sie ihm bitte aus, daß der rote BMW mit dem Kennzeichen von K. heute nacht um kurz vor vier wieder in K. war«, sagte ich und hängte ein. Meine Finger zitterten leicht. Ich blöde alberne Gans. Was sollte die Vorzimmerdame denken? Ein anonymer Hinweis auf einen roten BMW... das hörte sich eher nach Kriminalstory als nach Kulturbericht an. Egal. Georg würde die Nachricht verstehen. Es würde ihm besser gehen. Vermutlich würde sich sogar ein angedeutetes Lächeln auf seine schmalen Lippen schleichen.

Ich füllte meine Wärmflasche und begab mich zu einem ausgedehnten Mittagsschlaf ins Bett. Das Telefon stellte ich ab. Einmal in Ruhe pennen!

Vier Stunden später hörte ich seinen Türkenopel unten vor dem Fenster rangieren. Es konnte nur Georg sein, der da so umständlich und mit unwillig aufheulendem Motor eine Parklücke zu vergrößern versuchte. Splitternackt, mit der inzwischen lauwarmen Wärmflasche vor dem Busen, ging ich zur Tür und drückte auf den Summer. Und da stand er, leicht keuchend, mit roten Rosen und im beigefarbenen Popelinemantel. »Meine Liebste.«

Sonst nichts. Keine blöden Erklärungen, keine Vorwürfe, kein peinliches Grinsen. Er gab mir die Rosen und nahm mir die lauwarme Wärmflasche ab, und ich dachte, so wenig aprilfrisch war ich schon lange nicht mehr, und drückte die Rosen an meinen Busen, und, weil sie stachen, ihm wieder in die Hand. »Ich hole eine Vase.«

Es gab keine freie Vase mehr. Auch kein freies Gurkenglas. Ratlos prüfte ich die Beschaffenheit einer ausrangierten Thermoskanne. Sie schien nicht standfest genug zu sein. Vielleicht die Puddingschüssel? Ich drehte mich suchend um. Georg stand in der Küchentür, in der einen Hand die Wärmflasche, in der anderen die Rosen. Der Rosenkavalier mit Mantel und Schal und Handschuhen. Und ich suchte splitternackt nach der Puddingschüssel. Ich ging zu ihm, legte Wärmflasche und Blumen auf den Küchentisch, zog ihm seine Handschuhe aus, nahm ihm den Schal ab und half ihm aus dem Mantel. Und aus dem Pullover.

Wir gingen gelbe Tapeten gucken.

Nachher lagen wir zufrieden in unserer zerwühlten warmen Räuberhöhle und rauchten.

»Warum bist du gestern ohne Abschied weg?« fragte ich den Kopf auf meiner Schulter.

»Oh, ich habe mich verabschiedet«, antwortete die Rauchwolke unterhalb meines Doppelkinns. »Vom Dirigenten, von der Sopranistin und von der Dame, die Bach von Händel unterscheiden konnte.«

»Vom Doc nicht?«

»Jedenfalls hat er es nicht gemerkt.«

»Und warum nicht von mir?«

Pause, Rauchwolke. Suchendes Grabbeln nach dem Aschenbecher. Ich schob ihn ihm unter die Zigarette.

»Von dir will ich mich nie mehr im Leben verabschieden.«

Ich schluckte.

»Auch nicht, wenn du morgens zur Arbeit fährst?« fragte ich. Im Mittelalter wäre ich dafür als Hexe verbrannt worden. Ich Satansweib. Warum provozierte ich ihn denn auch noch?

Der Kopf an meiner Schulter rührte sich nicht. Irgendwo in der Nähe meines Bauchnabels stieg einsam sein Zigarettenrauch gen Schlafzimmerdecke.

»Ich liebe dich«, war seine Antwort.

Ich hatte ihn nicht verdient. Nicht ihn und nicht seine Liebe und nicht seinen Ring. Ich schämte mich bis in den letzten Zipfel meines zerwühlten Kopfkissens.

Später gingen wir auf den Weihnachtsmarkt. Wir schoben uns Arm in Arm durch dichtes Gedränge und ließen uns von den verschiedensten Gerüchen nach gebrannten Mandeln und Bratfisch und Pizza und frischen Waffeln mit heißen Kirschen berauschen. Zu dem Stimmengewirr der einkaufswütigen Bürger mischte sich Weihnachtsliedergedudel aus verschiedenen Lautsprechern. Hier mein Freund Heino mit »Süßer die Glocken nie klingen« und dort ein Kinderchor mit »O Tannenbaum«. In den heimelig beleuchteten Buden gab es Kerzen und Holzgeschnitztes und fettige Bratwürste und schokoladene Adventskalender und praktische Haushaltswaren und grobgestrickte Socken aus Gesundheitswolle und Vollkornhirseplätzchen und Glühwein. Vor der Glühweinbude blieben wir stehen. Das heißt, ich blieb stehen, und Georg zückte sofort sein Portemonnaie und bestellte zwei Pappbecher mit dem dampfenden süßen Sud.

Wie wir da so standen, an der Bude, und mit dampfendem Atem den dampfenden Glühwein schlürften, dazu gemeinsam an einer Zigarette sogen, halb aneinandergelehnt, warm und wollbemützt, da hoffte ich fast, ein paar Bekannte zu treffen, die mich so glücklich wie jetzt erleben würden.

Ich wendete mich wieder dem vertraut-geliebten Gesicht zu, das rotnasig und mit leicht feuchten Nasenlöchern über dem Glühweinbecher leuchtete.

»Geht's dir gut?« strahlte ich ihn an.

»Wunderbar, geliebte Löwenfrau.«

»Wünschst du dir jetzt was?« Kind, du provozierst ja schon wieder!

»Wunschlos glücklich.«

Also, was wolltest du hören, blöde Pute? Heiratsantrag?

Er schob seinen rauhen, aber gepflegten Zeigefinger unter mein Kinn und hob mein Gesicht leicht an. Ich zog die Nase hoch, weil der Glühwein deren Inhalt so flüssig machte.

»Und du? Wünschst du dir etwas?«

»Einen Brummkreisel«, sagte ich spontan. Als Kind hatte ich mal einen zu Weihnachten bekommen, und außer daß er groß und rund und bunt war, konnte man ihn auch noch ganz ordentlich malträtieren, bevor er begann, sich wie im Schwindelrausch auf der Stelle zu drehen und dabei inbrünstige Orgelchoräle von sich zu geben. Ich bin sicher, daß ich meinen blaugrün-bauchigen Brummkreisel unheimlich liebte und ihn sicherlich mit ins Bett genommen hätte, wenn Tante Lilli das nicht so »unhygienisch« gefunden hätte. Irgendwann ist dann der Brummkreisel auf der Strecke meiner vergehenden Kindheit geblieben. Vielleicht habe ich ihn auch in einem Anfall von Großzügigkeit an den Nachbarsjungen verschenkt oder, was wahrscheinlicher ist, gegen irgendwas Eßbares eingetauscht.

Jedenfalls war Georg entzückt über meine Äußerung, stellte die beiden halbleeren Pappbecher auf ein Sims und zog mich in Richtung Brummkreiselbude am anderen Ende des Platzes. Es gab sie wirklich noch, diese faszinierenden Instrumente, und ich suchte mir einen aus, der dem aus meiner Erinnerung am meisten ähnelte. Blaugrünbunt und bauchig.

Die dicke Verkäuferin in der orangefarbenen Strickjacke führte ihn uns vor, sie geriet dabei ins Schwitzen. Der Brummkreisel äußerte einen C-Dur-Akkord und machte dann eine einfache Kadenz; F-Dur, G-Dur, Dominantseptakkord, wieder C-Dur. Das war alles. Das hatte mich als Kind so fasziniert. Er kostete sechzehn Mark neunzig und wurde in eine Plastiktüte gesteckt. Mir wurde klar, wie verwöhnt ich war und wie sehr ich geneigt war, die Männer im allgemeinen und Georg im besonderen nach meiner Pfeife, sprich, meinem Brummkreisel tanzen zu lassen. Und in dem Moment, wo mir das klarwurde, wollte ich nach Hause. Allein. Das Übliche. Quarkbreichen und Wärmflasche.

»Georg, ich bin wahnsinnig müde.«

»Dann fahren wir nach Hause!«

»Du, Georg...?«

»Du möchtest allein sein, stimmt's?«

Ich grinste. Selbst das funktionierte bereits. »Stimmt.«

»Also fahre ich dich nach Hause und verspreche dir, daß ich nicht mehr mit raufkommen werde.«

In seinem Türkenopel lehnte ich mich entspannt zurück. Eigentlich war Georg nicht anstrengend. Er kam, wenn man mit dem Finger schnippte, und er ging, wenn man mit dem Finger schnippte. Er war weder beleidigt noch nörgelig, weder begehrte er auf noch seines Nächsten Weib. Pflegeleicht, einfach pflegeleicht. Second-hand-Männer sind meistens pflegeleicht, überlegte ich. Soll mir Tante Lilli noch einmal was gegen geschiedene Männer sagen. Obwohl er ja noch gar nicht geschieden war. Apropos... ich beschloß, noch ein wenig Nervenkitzel in den Abend zu bringen und ihn auf Freia anzusprechen.

»Du, Georg?«

»Ja, mein Liebstes?«

»Hat Freia eigentlich irgend etwas erwähnt?«

»Wesbezüglich?« Nervöses Kramen nach der zerdrückten Zigarettenschachtel.

»Frauengesprächsbezüglich.« Kind, heb dir die Pointe immer bis zum Schluß auf!

»Du meinst...« Umständliches Friemeln am Zigarettenanzünder.

»Ja, mein ich.« Ich sah ihn genüßlich von der Seite an. Er konzentrierte sich bemüht auf die Linkseinfädelspur zur Nordsüdautobahn.

»Also, sie sagte mir, daß sie mit dir gesprochen hat, vor einiger Zeit.«

»So.«

»Hat sie nicht?«

»Doch. Sie hat mich besucht.«

Der Opel machte einen verwirrten Schlenker. »Besucht? Wo?«

»Na, bei mir. Zu Hause. Hast du nicht die blauen Blümchen gesehen, neben deinen Rosen?«

»Ach, ich dachte, die wären von deinem Seelendoktor.« Er schien erfreut.

»Nein, vom Seelendoktor ist der riesige Strauß, der in der Küche in einem Eimer unter dem Spülstein steht.«

Er lächelte. Eine winzige Spur Süffisanz war drinnen, in dem ansonsten hilflosen, verwirrten Lächeln.

»Also Freia war mit Blumen bei dir«, nahm er den Faden wieder auf.

»Ja. Gerade als ich beim Mittagsschlaf war. Ich taumelte halb nackt zur Tür und war dann ziemlich durcheinander...«

»O wie beneide ich Freia!«

Dieser unglaubliche Charme! Dabei quälte ich ihn doch gerade!

»Also, ich sah gegen deine Frau nicht gerade schönheitskonkurrenzverdächtig aus.«

»Und wie erklärte sie ihr plötzliches Auftauchen?«

»Erst dachte ich, sie will mir den Hintern versohlen, weil ihr Mann mit so was wie mir rumpoussiert, aber dann gelangte ich zu der Einsicht, daß sie... nun ja, daß sie eigentlich nichts dagegen hat, will sagen... sie schien sogar erfreut zu sein über unser Techtelmechtel...«

Mit einem plötzlichen Ruck fuhr Georg zu einer geschlossenen Tankstelle und schaltete den Motor aus. Er sah mich durchdringend an, rauchte allerdings dabei und sagte dann, indem er den Türknopf der Beifahrertür eingehend betrachtete: »Freia hat mich freigegeben.«

Ich verkniff mir die vorlaute Bemerkung: »Daher der Name Freia« und hüllte mich in abwartendes Schweigen.

»Sie möchte, daß wir uns so schnell wie möglich scheiden lassen, damit ich mich wieder anderweitig binden kann.«

Sein Blick wechselte vom Türknopf auf die Fußmatte. Ich schaute auch auf die Fußmatte. Schließlich kam jetzt das, worauf ich seit Tagen wartete, nämlich der Heiratsantrag. Ich fummelte an dem zu eng sitzenden Ring mit der Eingravierung »Cäcilie«. Wenn du es wüßtest... Außerdem hatte ich Herzklopfen.

»Ich möchte, daß du jetzt nicht sofort antwortest«, sagte Georg und verlegte seinen Blick auf mein Knie. »Bitte überlege dir ein paar Stunden oder Tage, ob du mir mit Ja antworten kannst. Eines sollst du nur wissen: Ich habe alles mit Freia besprochen, und sie wünscht es sich für mich, daß du ja sagst, denn wir wollen als gute Freunde auseinandergehen...«

Ich versuchte, ihm in die Augen zu sehen, die sich gerade von dem Quarkfleck auf meinem Knie lösten und einen neuen Haltepunkt suchten. Sie wählten den Plastiksack mit dem Brummkreisel.

»Also, wie gesagt, du sollst und mußt jetzt auf keinen Fall antworten, aber ich möchte dich fragen, jetzt und hier, ob du... ob du mich... ich weiß, ich bin viel älter als du, du bist jung und frisch und kannst an jedem Finger...« Seine Augen wanderten von der Brummkreiseltüte weiter zu meinem Gesicht. Vermutlich sah er mir sogar in meine Augen. »Antworte nicht«, sagte er klar und bestimmt. »Ich möchte dich heiraten.«

Ich tat, wie er geheißen. Ich antwortete nicht. Obwohl ich diesen gottverdammten Heiratsantrag erwartet, ja, rausgekitzelt hatte in meiner Eitelkeit und Sensationslust, raste mein Herz, meine Augenlider zuckten, und meine Zunge schmeckte nach Schuhsohle. Aber ich sagte nichts. Ausnahmsweise war ich mit meiner Schlagfertigkeit am Ende.

Ich starrte auf das Handschuhfach und hätte furchtbar gern ein bißchen geweint, aber nicht einmal das gelang mir. Überhaupt keine auch nur halbwegs bühnenreife Reaktion brachte ich zustande. Nicht mal tränenvollen Blickes in seine Augen schauen konnte ich, geschweige denn »Ja, mein Geliebter« jubeln und mich vom Beifahrersitz in Richtung Fahrersitz werfen. Nur das blöde Handschuhfach konnte ich anstarren. Und schlecht war mir. Wahnsinnig schlecht.

»Jetzt bist du ganz blaß, meine Liebste«, sagte Georg und drückte seinen Lederhandschuh, der stark nach kaltem Rauch roch, an meine Wange. Ich nahm den Handschuh und vergrub mein Gesicht in einer undefinierbaren Gefühlsaufwallung darin und dachte, daß ich jetzt wohl wenigstens keine hysterischen Flecken im Gesicht hätte, wenn ich blaß war.

Georg ließ mit der freien Hand den Motor an und fuhr wieder los. Es hatte zu nieseln begonnen, und sein Intervallscheibenwischer gab klagende Laute von sich, als er die Schmiere auf der Scheibe gleichmäßig verteilte. Ich hielt die ganze Zeit den rauchigen Handschuh, inklusive Hand, weil wir die Gänge gemeinsam einlegten. Völlig schweigsam fuhren wir nach Hause. Es war ja nicht mehr weit. Vor der roten Ampel sah ich, daß der Nieselregen in wäßrige Schneeflocken übergegangen war. Auf den Straßenbahnschienen blieben sie sogar einige Zeit liegen. Im Licht der Gyrosbude sah man den Schnee allerdings schon wieder schmelzen.

Ein großer zotteliger Hund tappte durch das matschige Naß.

Und Georg wollte mich also heiraten. So so.

Vor meinem Haus stellte er den Motor noch mal aus.

»Georg, ich …«

»Ich weiß, Liebste. Ich lasse dich nun allein. Du mußt jetzt nachdenken. Ich rufe dich morgen an, wenn ich darf.«

Ich ließ seinen Handschuh los, beugte mich zu ihm herüber und küßte ihm beide Augen. Dann stob ich davon, als wäre der tappende Zottelhund hinter mir her. Innerhalb weniger Sekunden stand ich keuchend in meinem kleinen Muffelflur und sagte zu meinem zerzausten Spiegelbild: »Er will mich heiraten. Er will mich wirklich heiraten. Eigentlich hat er's nicht besser verdient. Selber schuld. Eigentlich müßte man ihn zur Strafe heiraten.« Ich grinste, wandte mich aber gleich ab, weil ich mein Spiegelbild überhaupt nicht leiden konnte.

»Selber schuld, der blöde Heini«, brummelte ich beleidigt vor mich hin. Unten hörte ich einen Opelmotor anspringen. Ich beugte mich aus dem Küchenfenster. Da fuhr er, der Türkenopel, und mit ihm dieser unverbesserliche Schwärmer, der allen Ernstes so was wie mich... heiraten... »Der weiß ja gar nicht, was er sagt«, sagte ich und traf dabei exakt Tante Lillis Tonfall. »Außerdem gehören zum Heiraten immer zwei«, begehrte ich auf und schloß das Fenster wieder. Unten auf der Straße schneiten gerade die Reifenspuren zu.

21

Am nächsten Morgen war ich schon beim Aufwachen ausgesprochen übellaunig. Wütend schlurfte ich in meinen Fellpantoffeln ins Bad, schimpfte halblaut mit Zahnpastaschaum im Mund vor mich hin und malträtierte meine Haut nach dem Duschen mit einer drahtigen Massagebürste. Der Quark wurde ärgerlich geschaufelt und der Kaffee laut und unanständig geschlürft. Heiraten. Mich. So ein ausgewachsener Blödsinn. Ich starrte auf das Telefon. Wage es nur nicht, dich zu rühren. Wenn du klingelst, beschmeiße ich dich mit Quark. Von wegen: geliebte Löwenfrau, wie lautet deine Antwort. Ach wie gut daß niemand weiß, daß ich Rumpelstilzchen heiß.

Das Telefon klingelte. Ich schmiß nicht mit Quark. Ich beschloß, Georg zu heiraten, und ging ran.

»Haben Sie heute abend schon etwas vor?«

Eine völlig fremde Männerstimme.

»Worum geht es, bitte?« Tante Lilli hätte nicht ungnädiger klingen können. Manchmal redete sie so mit den Zeugen Jehovas. Obwohl sie genau wußte, worum es, bitte, ging.

»Entschuldigen Sie die morgendliche Störung. Sie wurden mir empfohlen. Es geht um einen Einsprung...« Engagier mich ruhig. Dann muß ich nämlich heute niemanden heiraten.

»Kennen Sie von Telemann die Weihnachtskantate...« Er nannte mir die genaue Bezeichnung und summte ziemlich falsch einen Arienanfang. Ich erkannte die Melodie nicht und sagte, daß ich das Stück schon oft gesungen hätte und daß es kein Problem sei.

»Aber da wäre noch das Problem mit dem Honorar...«

Ich dachte, Bürschchen, wenn ich einspringe, kannst du auch blechen. Jetzt hier nicht ankommen und sagen, die andere Altistin hätte es umsonst gemacht, aber sie gehört ja zur Gemeinde: Genauso etwas sagte er. Daß es seine Schwägerin sei und daß sie es umsonst gemacht habe, sie singe sonst auch immer in seinem Kirchenchor...

Ich fand den Kerl schlichtweg unverschämt, aber ich sagte, daß man über das Honorar ja reden könne.

Er bot mir ziemlich wenig an. Ich holte tief Luft.

Heute den ganzen Tag ein neues Stück lernen, gegen Nachmittag nach Hagen-Knispel fahren – wo war das nun wieder? Fahren, proben, noch mal proben, dann Konzert singen und abends wieder heimreisen, und das für ein paar lumpige Kröten. Und das, nur weil die Schwägerin einen Schnupfen hatte. Oder plötzlich Angst gekriegt hatte.

»Was hat Ihre Schwägerin denn?« fragte ich indiskret.

»Wenn ich mit Ihnen ganz ehrlich sein darf...« tropfte es aus dem Hörer.

Ich legte mein Ohr vertraulich eng an denselben und erwartete nun irgend etwas hinter vorgehaltener Hand, worüber man nicht spricht, höchstens frau, aber natürlich nur von Frau zu Frau, zum Beispiel: Sie hat ihre Tage diesmal so schlimm, oder: Sie hat Wechseljahresbeschwerden in Form von Hitzewellen.

»Also bitte, verstehen Sie es nicht falsch«, sagte die Stimme aus Hagen-Knispel. »Sie hat ein wesentlich besseres Angebot bekommen, von einem Dirigenten, dem sie neulich mal vorgesungen hat. Für ein Konzert in einem größeren Saal. Sie bekommt ein sehr gutes Honorar...«

Ich nannte eine Summe.

»Nein, nein, es dürfte schon darüber liegen, aber vielleicht sollte ich Ihnen das gar nicht erzählen...«

»Genausoviel für den Telemann«, sagte ich.

Schweigen in Hagen-Knispel.

Dann: »Ich hätte es Ihnen nicht erzählen sollen...«

»O doch«, sagte ich honigsüß. »Ich freu mich für Ihre Schwägerin. Aber...« Mir fehlten einfach die Worte. Sollte ich sagen, deswegen lasse ich mich doch nicht von einem wildfremden Taktstockschwinger ausnutzen? Zehn Tage vor Weihnachten? Sein Sie froh, Mann, daß Sie überhaupt noch eine finden, die Noten lesen kann und heute abend noch nichts vorhat. Wer sind Sie überhaupt, Sie Knispeler Dreikäsehoch?

Ich zog es vor, drei Gedankenstriche durch die Leitung zu schicken und höflich die Klappe zu halten.

Er sagte dann etwas. Er schien sich um die Telefonrechnung zu sorgen. Er sagte, daß ich das Geld bekäme, allerdings erwarte er mich gegen Mittag zu einer Verständigungsprobe, gegen Nachmittag solle ich mich bereithalten für eine Akustikprobe in der Kirche, später komme dann der Chor hinzu – die Telemann-Arie sei mit Choreinwürfen gespickt –, gegen 18 Uhr plane er dann einen »Durchlauf« und um 20 Uhr sei das Konzert.

Ich teilte ihm mit, daß ich bis 14 Uhr im Funkhaus zu tun hätte (daß ich da ein Chorgirl sei, teilte ich ihm nicht mit), daß ich aber danach ins Auto stiege und gegen 15 Uhr bei ihm sein könnte.

Er erklärte mir in breiter Ausführlichkeit den Weg über Autobahn und Knispeler Innenstadt und legte dann auf.

Arschloch, sagte ich laut und ging zum Kleiderschrank, um meine übliche Plastiktüte zu packen. Noten, Schuhe, Kleid, Krimi, Lutschpastillen, Stadtplan. Müsli-Riegel. Dann stellte ich den Anrufbeantworter an, sang fünf Tonleitern im Schnellverfahren und rannte zur Straßenbahn.

In der Pause der Chorprobe kaufte ich mir hastig diesen Telemann und blätterte ihn durch. Aha, Mezzosopran, stand da. »Maria, frohwehmütig über der Krippe.« Was für eine Regieanweisung! Das Stück war acht Seiten lang, von da capos abgesehen, und bestand anscheinend nur aus ellenlangen Koloraturen, die ständig auf dem hohen »f« rumturnten. Ich wurde ziemlich frohwehmütig. Wie sollte ich denn das bis nachmittags um drei schaffen? Schwermütig, das konnten sie haben, oder auch gutmütig. Todesmutig, das war ich. Und wie frech ich zu dem Kerl gewesen war. Wenn ich heute versagte – und das schien nicht unwahrscheinlich –, gab es aber eine Katastrophe. Vielleicht verlangte der sein Geld zurück, oder er ging gleich zu einem Rechtsanwalt… Mir brach der Schweiß aus, obwohl ich von den Wechseljahren noch weit entfernt war, und ich bereute meine morgendliche Kaltschnäuzigkeit.

Zum Glück hatten wir rechtzeitig frei, und ich hackte mir zu Hause auf meinem verstimmten Engelbert die frohwehmütigen Töne vor. Abgesehen von der hohen Lage, war das Stück nicht undurchschaubar, rein harmonisch gesehen. Ich gewann wieder die Oberhand. »Für Knispel reicht es allemal«, versuchte ich meinen kleinlauten Schweinehund wieder aus der Ecke zu locken. Der Schweinehund schmollte noch. Als ich ins Auto steigen wollte, bemerkte ich die geschlossene Schneedecke auf der Straße. Mein VW war unter seinem Schneehäubchen zwar reizend anzusehen, erinnerte mich aber daran, völlig jungfräulich zu sein, was Winterreifen anbelangte. Also mit der Deutschen Bundesbahn, verdammte Kiste. Ich bestellte in Hektik ein Taxi, ließ mich zum Bahnhof bringen, bestieg mit hängender Zunge den Zug nach Doatmund üba Hagn. Im Abteil übte ich die frohwehmütige Maria.

Ein junger Mann kam herein. Ich mußte grinsen. So hatte alles mit dem Seelendoc angefangen.

»Sind das Noten?«

»Nein, das ist der Fahrplan auf Südnepalesisch.«

Diesmal konnte ich mir nicht leisten, auch nur eine Minute Small talk zu machen. Zum Glück fragte der junge Mensch mich auch nicht. Er zog ein zerfleddertes Taschenbuch heraus, Titel: »Ein Tropfen Zeit – Überlegungen zum Weltuntergang« oder so ähnlich.

Um zehn nach drei kam ich mit dem Taxi bei dem Knispeler Taktstockschwenker an. Die Straßen waren hier dick zugeschneit. Ich fühlte mich elend, weil ich schlecht eingesungen und noch schlechter vorbereitet war. Hätte ich doch nur nicht so dick aufgetragen am Telefon! Und alles nur, um heute was anderes vorzuhaben, als über Georg und seinen Heiratsantrag nachzudenken! Reine Flucht nach vorn war das. Vorwärts ins Verderben. Oder wie hieß noch gleich das zerfledderte Taschenbuch?

Um es kurz zu machen, es wurde entsetzlich peinlich. Der Dirigent war ein dürrer, glatzköpfiger, humorloser Müsliesser, seine Frau wieselte dienstbeflissen um ihn herum, brachte ihm Noten und Stimmgabel und Pantoffeln und Zigaretten. Er hackte gnadenlos in die Tasten seines Steinway-Flügels, der ein tristes, schmuckloses, ungeheiztes Arbeitszimmer schmückte. Meine Stimme klang hauchig, verrotzt und zittrig. Maria, verrotzt-zittrig über der Krippe. Ich bekam weder einen Kaffee angeboten, noch durfte ich ein paar Töne einsingen.

»Ich denke, Sie sind inzwischen eingesungen, nachdem Sie den ganzen Morgen Rundfunkaufnahmen hatten«, sagte der Dirigent gnadenlos. »Im übrigen war von 15 Uhr die Rede, und Sie kamen ohnehin zu spät. Ganz davon abgesehen, scheinen Sie das Stück nicht gerade zu beherrschen. Sie sagten mir doch heute morgen, daß Sie es kennen!«

»So wie Sie das vorgesungen haben, meinte ich allerdings, es zu kennen«, wandte ich kleinlaut ein.

»Also das ist mir noch nie passiert, daß jemand so ein Honorar fordert und dann sein Stück nicht kann«, wetterte kopfschüttelnd der Dürre und sog ärgerlich an seiner Zigarette.

Seine Frau kam devot in das kalte Zimmer und meldete, daß die Kirche inzwischen aufgeschlossen sei.

»Das nützt uns gar nichts«, schnauzte ihr liebevoller Angetrauter. »Was sie hier nicht kann, kann sie in der Kirche auch nicht.«

Um nicht loszuheulen, sagte ich mit letzter Kraft: »Ich hatte vier Stunden Rundfunkaufnahme, habe keine Zeit zum Mittagessen gehabt, bin mit der Eisenbahn angereist und konnte das Stück nicht mehr üben. Wenn Sie mir jetzt eine halbe Stunde Zeit geben, bin ich nachher in der Probe wieder O. K.«

Die Frau sah ihn flehend an. »Herbert!«

Er zerdrückte den Zigarettenstummel in einem überquellenden Aschenbecher auf dem Flügel. »Bleibt mir ja wohl gar nichts anderes übrig, als die großspurige Dame hier mal allein zu lassen«, grollte er und schwenkte mit seiner Frau ab. Diese sandte mir einen strafenden Blick. Jetzt hatte ich ihren Herbert verärgert!

Ich sank auf den Klavierhocker. Was habe ich mir da einge-brockt. Großes Maul, nichts dahinter, und nun bin ich allein, entsetzlich allein, diesem dürren Rechthaber hilflos ausgelie-fert. Noch ganze sieben Stunden muß ich den Kerl ertragen und auch noch kleinlaut sein, weil er im Recht ist. Und unter solchen Umständen soll ich auch noch singen, schwere, lange, hohe Koloraturen. Mit da capo. Mach ich nicht. Kann ich nicht. Will ich nicht. Georg, wir fahren. Klaus, hol mich hier raus. Georg, nimm mich in den Arm und streichele mein Haar und sage mir, daß ich eine wunderbare Löwenfrau bin. Klaus, lade mich feudal zum Essen ein, fünf Gänge und Champagner, und sage diesem Kerl von Knispeler Kirchen-chordespoten, daß er mit seiner Knete sonstwas machen kann.

Doch mag mich niemand hören? So also muß sich Papa-geno in der Zauberflöte gefühlt haben. Übel, sehr übel, das feeling, wie hat der schöpferisch reagiert? Ach ja, der wollte sich aufhängen, doch er brauchte für die begleitende Arie so lange, daß die drei Knaben genug Zeit hatten, in einem Wä-schekorb vom Bühnenhimmel zu schweben und ihm das Seil rechtzeitig durchzuschneiden. Obwohl ich dem Dirigenten den Anblick meiner Leiche von Herzen gegönnt hätte – es gab weder ein Seil noch einen Wäschekorb mit drei Knaben. Nur einen schwarzen Flügel, der entsetzlich nach Zigarettenkip-pen stank, einen eiskalten, kargen Raum und meine frohweh-mütigen Noten.

Ich begab mich tapfer an eine Tonleiter in D-Dur. Sie hallte trostlos und schwerfällig in dem leeren Raum wider. Ich fand sie ganz scheußlich, die D-Dur-Tonleiter. In Es-Dur klang es nicht besser. Und E-Dur wurde gar schrill. Unzumutbar. Selbst für Knispel. Und völlig indiskutabel für soviel Geld. Ich sank auf den Klavierhocker zurück. Meine Stimme wollte lieber weinen als singen. Mein Schweinehund lag zusammen-gerollt in seiner Schweinehundehütte und versagte jeglichen Dienst. Ich versuchte, ihn mit aufmunternden Worten zu locken. Los komm, laß dich nicht hängen. Zeig's der Welt und Knispel, wie gut du singen kannst. Los. Auf, frisch ge-sungen! Mein Schweinehund hockte grämlichen Blickes auf der Erde. Ich versuchte es mit Strenge. Du unverschämter

Köter, auf, deine Christenpflicht tun, singen! Der Köter zog den Schwanz ein und versagte mir eine Reaktion. Ich versuchte es mit Weichheit. Armer schwarzer Köter! Ich streichelte sein ruppiges Borstenfell. Einsamer kleiner armer Schweineköter! Keiner liebt dich, in dieser kalten Winterszeit, kein Adventskranz weit und breit, immer singen, immer lachen, niemals einen Fehler machen, keiner wartet dein zu Haus, komm, jetzt laß die Tränen raus!

Und dann kamen sie, die Sturzbäche des Selbstmitleides. Mein Schweinehund krümmte sich zusammen und jaulte los. Soweit mein Innenleben. Äußerlich tropfte es aus meinen Augen, die Wangen hinunter, tastenwärts. (Gefrorne Tropfen fallen vohon meinen Wangen ab… Winterreise. Schubert.)

Mein Kinn zitterte, meine Augenbrauen schwollen, mein Kehlkopf schmerzte ganz fürchterlich, und es verschwamm das kalte, öde Zimmer. Ich sehnte mich so entsetzlich nach Georg, daß ich ihn auf der Stelle geheiratet hätte, hier und gleich. In der Knispeler Kirche. Er hätte mir beigestanden in diesem Kampf gegen die ungerechte Welt im allgemeinen und gegen den dürren Dirigenten im besonderen. Er hätte mich an seiner Hand hinausgeführt aus diesem schrecklichen, kalten, leeren Musikzimmer und wäre mit mir durch die Knispeler Straßen gewandert und hätte mir gesagt, wie wunderbar ich bin. Oder Klaus. Der hätte einen Siebenhundertmarkschein gezückt und dem Dürren auf den Flügel geknallt und wäre mit mir in seinem roten BMW abgebraust. In das nächste japanische Feinschmeckerlokal.

Nichts dergleichen. Nackte Wahrheit: frohwehmütige Maria. Ich schluckte ein paarmal gegen den geschwollenen Kehlkopf und schnaubte mir die Nase. Mih mih mih, sagte ich mit schwankender Stimme in das zerfledderte Tempotuch. Mein Schweinehund stand mit wackeligen Beinen auf, schüttelte sich und verbreitete eine schwülfeuchte Wolke aus Tränen, Selbstmitleid und Staub. Dann stakste er vorsichtig aus seiner Hütte.

22

Die Kirche wurde kaum halbvoll. Der Kirchenchor – Omas: weiße Blusen über sangeslustig geschwollenem Busen, Männer, soweit vorhanden: schwarze Anzüge mit Silberkrawatte – machte schon gut ein Drittel der anwesenden Menschen aus. Dann war da noch ein Flötenkreis, von einer beherzt rudernden Dame späteren Mittelalters geleitet, ein Kinderchor (eingeschüchterte Mienen über unbequem engen Hemdkragen, rauhe Sauerländer Hallelujahs) und eine junge hübsche Sopran-Dame, die sehr begabt und vielversprechend »Süßer Trost, mein Jesu kömmt« sang. Sie gehörte, wie ich mir sagen ließ, ebenfalls zur Gemeinde und sang nicht für ein Honorar, sondern zur Ehre Gottes. Ich bewunderte sie sehr. So was Liebreizendes, Zartes, Schlankes, Zerbrechliches. Ihr Kleid war von schlichter Eleganz, ihre Noten waren säuberlich eingebunden, und ihre Stimme war gut geölt. Sie hatte weder zuviel Vibrato noch schepperte sie, noch kreischte sie in den Höhen. Sie sang einfach schön, und ich sollte nun dagegen anstinken. Zu allem Überfluß war sie auch noch freundlich und verbindlich. Ich fühlte mich alt, elend und häßlich.

Das Konzert begann mit einer überflüssigen Rede des Pfarrers, auch über das selbstlose Einspringen der Altistin aus K. Wohlwollende Blicke aus den hölzernen Bänken. Ich betrachtete die Knitterfalten auf meinem Schoß. Dann intonierte die robuste Flötenleiterin etwas zum Mitsingen auf der Orgel, und das Knispeler Publikum raschelte mit den Textblättern und sang, falsch aber beherzt, »Maria durch ein Dornwald ging« und »Was trug Maria unterm Herzen? Ein kleines Kindlein ohne Schmerzen«. Ich fand, daß dies ein gelungener Einstieg für einen heiteren Abend war. Der Flötenkreis demonstrierte dann, wie viele Möglichkeiten es gibt, einen einzigen Ton knapp zu verfehlen, indem die Instrumente gemeinsam gestimmt wurden. Die beherzte Spätvierzigerin hatte Zeit genug, an jeder einzelnen Flöte zu drehen, auf das Ergebnis ihrer Bemühungen zu lauschen und hier und da selbst einen schwingungsreichen Ton aus dem spuckedurchtränkten Flötengerät zu zaubern. Das Publikum sah interessiert zu. Sie hatten ja Zeit. Es eilte ja nicht. Draußen schneite es ununterbrochen, und im Fernsehen kam auch nichts Vernünftiges.

Ich dachte an meinen Spätzug (23 Uhr 23) und an die frohwehmütige Maria über der Krippe mit den vielen hohen »fs«. Am meisten dachte ich aber an Georg und Klaus. Klaus überhaupt. Der hatte sich seit der Rückfahrt aus Ulm nicht mehr gemeldet. Drei ganze Quarkfrühstücke ohne seinen Anruf. Ob der etwa beleidigt war? Und wieso tauchte er auch hier nicht auf? Für ihn wäre es doch ein leichtes gewesen, beim Kulturamt anzurufen und zu fragen, wo ich heute abend singe? Er hätte halt ein bißchen rumtelefonieren müssen, um herauszufinden, daß es gerade Knispel war, wo ich heute debütierte. Oder aber einen Privatdetektiv losschicken, in sämtliche Weihnachtskonzerte Nordrheinwestfalens. Ich war mir völlig sicher, daß er noch auftauchen würde. Die Tür würde aufgehen, und eine große kräftige Gestalt im Nappaledermantel würde sich hineinschieben, bewaffnet mit Fotoapparat, Videokamera, Blumenstrauß. Ich war mir ganz sicher. Seit ich ihn kannte, war kein Konzert ohne ihn verlaufen. Er würde kommen. Und wenn es erst beim Schlußakkord wäre. Und Georg? Hockte er nicht längst in der letzten Reihe, konzentriert vorgebeugt, die Hand am Mund? Vielleicht saß er diesmal auf der Orgelempore, um mich nicht zu erschrecken. Bestimmt saß er da. Ich reckte unauffällig den Hals. Außer dem Pomadekopf des dürren Dirigenten sah ich keinen Kopf auf der Empore. Aber Georg war hier irgendwo. Ich spürte es körperlich. Ohne Georg war doch seit Wochen kein Konzert verlaufen. Ich war mir ganz sicher.

Als mein frohwehmütiges Stück herannahte und ich weder Georg noch Klaus im Knispeler Publikum ausgemacht hatte, befiel mich plötzlich eine schreckliche Nervosität. Mein Herz fing an zu rasen, meine Stimme verzog sich hinter ungesteuerten Schluckreflexen, und mein Hals war ausgedörrt. Im Magen war mir schrecklich übel, und außerdem meldete sich ein unaufschiebbares Bedürfnis heftig und kompromißlos. Nicht später, nicht nach dem Konzert. Jetzt sofort mußte ich, und zwar ganz heftig. Sofort. Dringend. Wo waren hier noch die Klos? Ach ja, zur Seitentür raus und über den zugeschneiten Kirchhof und dann an der unbeleuchteten Baracke die Treppe hinunter. Die zweite Eisentür links. Ich studierte das Programm. Noch zwei Flötenstücke und ein Gemeindelied. Etwa sieben Minuten. Ich mußte es wagen. Ich mußte. Notdurft, liebe Gemeinde. Wir bitten um Verständnis, aber die selbstlos und spontan eingesprungene Altistin muß eine Notdurft im Gemeindehaus abladen. Und zwar jetzt. Sonst wird nichts aus der frohwehmütigen Maria. Sonst sing ich im Sitzen. Wissen Sie, ja Sie da vorne in der zweiten Reihe, wie das ist, wenn man muß und 200 Leute einen anstarren und man darf nicht losrennen? Wenn man im Abendkleid mit zitternden Knien vor aller Augen einen würdigen Abgang macht? Nein. Sie haben keine Ahnung. Sie gehen immer morgens nach dem Frühstück mit der Morgenzeitung aufs Klo. Für Sie ist das ein Akt der liebgewordenen Gewohnheit. Aber ich, ich leide. Körperlich und seelisch gleichermaßen. Ich büße meine Sünden der letzten Tage oder vielleicht sogar Wochen ab. Ist Ihnen das klar, Mann? Nein. Sie blättern gelangweilt in den Pfarrnachrichten. Singt Ihre Frau da in dem Kirchenchor? Oder piepst Ihr Enkel im Flötenkreis die wäßrige Mundstück-Etüde in Schiß-Moll? Apropos. Ich muß. Ich muß ganz fürchterlich und sofort.

Noch sechs Minuten bis zur frohwehmütigen Maria. Ich rutschte gequält auf meinem Stuhl – im doppelten Sinne – hin und her. Nein. Es geht nicht. Ausgeschlossen. Die frohwehmütige Maria kriegt einen Kreislaufkollaps. Das Blut steigt ihr zu Kopfe, um im nächsten Moment schon wieder völlig aus ihrem Gesicht zu weichen.

Ob der Geiger schräg hinter mir mich auffängt, wenn ich in Ohnmacht falle? Klaus!! Wann kommst du endlich mit deinem verdammten Tonbandgerät! Hier ist Erste Hilfe zu leisten, hier fällt eine frohwehmütige Maria in Ohnmacht!

Das Schlimme war – ich fiel nicht. Ich erlebte alles bei vollem Bewußtsein. Müssen müssen, nicht dürfen, sich gräßlich fühlen und gleich schwere Koloraturen singen müssen. Noch fünfeinhalb Minuten. Plötzlich stand ich auf. Mir wurde schwindelig, ich taumelte leicht. Der Flötenkreis weichte gerade wieder seine Mundstücke ein. Irritierter Blick der andächtig vor sich hin sinnierenden Sopranistin.

»Mir ist schlecht.«

»Ach du Schreck.«

»Weißt du, wie ich zum Klo komme?«

Raunen im Kirchenchor. »Der Altistin ist schlecht!«

»Hat jemand den Kloschlüssel?« Keiner hatte den Kloschlüssel. Im Publikum hörte man auf, sich zu langweilen. Die Mundstück-Etüde plätscherte ungehört durch die Detonationslandschaft.

»Wo ist der Küster?«

»Wieso, hat der denn den Kloschlüssel?«

Grinsen im Orchester. Ich taumelte raus. Einfach raus. Vorbei an der Knispeler Kulturelite. Raus. Frische Luft. Klo. Egal welches. Draußen tappte ich mit hochgerafften Röcken durch den Tiefschnee und lief über die Straße. Da vorne war eine Wohnsiedlung. Vor einer Laterne tanzten die Schneeflocken. Die parkenden Autos waren alle schon zugeschneit. Kein roter BMW, kein Türkenopel. Das Drängen an meinem Hinterausgang wurde unerträglich. Wie kann man im Abendkleid durch den Schnee laufen und gleichzeitig den Hintern zusammenkneifen? Mein keuchender Atem begleitete mich in Form von kleinen weißen Dampfwolken.

Fritz-Hauser-Weg 5. In diesem Haus brannte Licht. Außerdem war die Flimmerkiste an. Der fahle Schimmer eines Schwarzweißfernsehers zuckte durchs Zimmer. Ich klingelte, mindestens dreimal hintereinander. Schlurfende Schritte. Eine ängstliche Frauenstimme: »Wer ist denn da?!«

»Darf ich bitte mal Ihre Toilette benutzen!« keuchte ich zu der Haustür.

»Was, jetzt? Um diese Uhrzeit?« rief die Frauenstimme zurück.

»Entschuldigen Sie bitte, es ist dringend«, japste ich. Fast wäre ich auf den Treppenabsatz gesunken. Sitzen erleichtert ja die Situation. Noch vier Minuten. Oder drei. Frohwehmütige Maria. B-Dur.

»Nein, nein, da könnte ja jeder kommen. Gehen Sie doch auf eine öffentliche Toilette. Nein, nein, mein Mann ist nicht da, und auf solche Tricks falle ich nicht rein. Was da so alles passiert. Da kam jetzt wieder was im Fernsehen, nein, nein, Fräulein, da könnte ja jeder kommen.« Ihre Stimme entfernte sich bereits wieder. Im Fernseher wurde gerade geschossen und ein Pferd gewendet.

Ich rannte zum nächsten Reihenhaus. Kein Licht. Zum Übernächsten. Nummer 9. Auf mein Klingeln öffnete ein älterer Mann.

»Entschuldigen Sie, darf ich bitte mal Ihre Toilette benutzen?«

»Aber immer, schöne Frau.«

Er schlurfte vor mir her durch den Flur und öffnete mir die Tür zum Bad. »Na, das scheint ja dringend zu sein. Zuviel gefeiert, was? Wo ist denn hier heute abend was los?«

»In der Kirche«, rief ich, knallte dem freundlichen Klobesitzer die Tür vor der Nase zu und verschaffte mir innerhalb von 34 Sekunden alle Erleichterung dieser Welt. Ich stürzte wieder raus, brüllte »danke« in Richtung Wohnzimmer und stolperte noch über eine Hundekiste.

»Vorsicht, Frollein, draußen iss glatt«, rief mein Lebensretter hinter mir her. »Nich so eilig! Sie kommen noch früh genuch in de Kiache!«

Ich zwang mich, nicht zu rennen. Lieber zu spät kommen, aber mit ruhigem Atem. Keuchend kann man nicht singen. Da droht Erstickungsgefahr.

Ich schlenderte fast. Meine Füße froren. Es mußten minus zehn Grad sein. Mim mim mim, probierte ich vorsichtshalber. Von drinnen ertönte das Gemeindelied. Danach sollte ich dran sein. Aha. Noch 'ne Strophe. Ich öffnete die Kirchentür, schritt würdigen Blickes und erleichterten Darmes wieder orchesterwärts. Der Pomadedirigent guckte schmallippig in seine Noten. Zwei Geiger grinsten. Im Chor Erleichterungsraunen. »Aha. Da ist sie ja. Geht's besser?«

»Viel besser.«

»Jetzt hat sie schon wieder Farbe im Gesicht.«

Ende des Gemeindeliedes.

Scharren von Kirchenchorfüßen, Stimmen von frohwehmütigen Geigen. Der Dirigent würdigte mich keines Blickes. Vorspiel. Ich räusperte mich nervös und trat von einem Bein aufs andere. Höchst konzentriert zählte ich die Takte. Noch vier, noch drei, noch zwei. So. Luft holen. Stützen, Mensch! Alle Gesichter im Publikum, aber auch alle, waren auf mich gerichtet. Da war doch wenigstens mal was los! Da wurde doch wenigstens mal einer Solistin schlecht! Offensichtlich war sie schrecklich nervös, die Arme, haha!

Ich setzte ein. »Sühüßer Knahabe...« Endlose Phrase! Ich muß atmen! Luft! Ich platze! Bei »hoholdes Sehenen« überrumpelte mich ein Schluckreflex. Es klang wie »hoholdes Wurks... nen«. Mein Blick zuckte über die Noten. Die drei Takte Zwischenspiel verschwammen. O hochnotpeinliche Stunde des Grauens! Atmen, tief, los, weiter. »Deine Muhuter tiehief in Schmeherzen, freudig mit errehegtem Heherzen...« Selbst das Zungen-R, das wahre Sänger von Dilettanten unterscheidet, wollte mir nicht über die Unterlippe rollen. Ich war ein Versager. Auf der ganzen Linie. Böser Blick aus knochigem Dirigentengesicht. Da capo. Aber piano, wie ausgemacht! Ich konnte nicht leise singen. Trotzig stemmte ich die Töne raus. Lauter ist einfacher. Mein Atem hatte sich immer noch nicht wieder beruhigt. Je mehr ich versuchte, mein Zwerchfell unter Kontrolle zu halten, um so atemloser wurde ich. Eine völlig hektische Maria, keuchend, als käme sie gerade von einem Waldlauf. Und erst die hohen Töne! Ich markierte sie einfach. Wie in einer Probe. So als wollte ich sie im Moment nicht aussingen, um meine Stimme zu schonen. Dabei war mehr einfach nicht drin. Ich war absolut kaputt, fertig. Keine Reserven mehr. Stimme streikte. Nerven streikten. Lungen streikten.

Rezitativ. Innig, doch nicht schleppend. »O süßer Jesu, du...« Langsam konnte ich mich fangen. Maria, frohwehmütig über der Krippe. Los jetzt, ein bißchen Action. Es klappt doch alles. Keiner hat gelacht. Ich versuchte, ein bißchen süßlich zu lächeln und Mutterglück zu mimen. Noch konnte ich was retten. Ruhiger werden jetzt. Aufhören zu zittern. Es ging. Es wurde besser. Die letzten beiden Arien gelangen halbwegs akzeptabel. Ich fühlte mich unendlich leer, als ich mich wieder setzte. »Schön gemacht«, raunte die Sopranistin und tätschelte mir die eiskalte schweißnasse Hand. Ich klappte die Noten zu und legte sie auf die Kirchenbank. Gott sei Dank. Das hatte ich überstanden. Überlebt, möchte ich sagen. Wofür war das die Strafe? Das war doch eine Strafe! Für meine Leichtlebigkeit, meine seelische Grausamkeit, meine Eitelkeit, meinen Übermut. O ja, lieber Gott, das habe ich genauso verdient. Gott straft grausam, aber gerecht. Aug um Auge, Zahn um Zahn.

Das Konzert war zu Ende. Ich traute mich nicht, irgend jemanden anzugucken. Verschämt betrachtete ich den Kirchenfußboden. Die Sopranistin wurde umarmt, geherzt, geküßt. Von Mutter und Vater und Tante und Onkel. Der Dirigent schüttelte ihr die Hand und gab ihr auch ein Küßchen hinters Ohr. Und so ein junger Mann überreichte ihr Blumen. Mich beachtete niemand. Ich war einfach Luft. Häßlich, allein, schlecht gesungen. Ich stand auf und suchte meine Sachen zusammen. Angelegentlich machte ich mich an meiner Handtasche zu schaffen. Äugte in das immer leerer werdende Kirchenschiff. Wo blieb denn Klaus? Und Georg? Wenigstens einer von beiden hätte längst hier sein können!

Das Orchester packte seinen Kram zusammen.

Ich überlegte, an wen ich mich wegen des Honorars wenden könnte, um dann hastig einen Abgang zu machen. Zwanzig vor elf war es, und ich mußte unbedingt den letzten Zug kriegen. Ich fragte den Geiger, der nicht gewußt hatte, wo der Kloschlüssel war.

»Honorar? Weiß nicht.« Was *wußte* der denn überhaupt? Ich fragte eine Kirchenchormutti.

»Honorar? Ich dachte, hier haben alle umsonst musiziert?«

Ich machte, daß ich weiterkam. Der Dirigent verhandelte mit einem Oboisten. Todesmutig gesellte ich mich dazu. Er würdigte mich keines Blickes, redete lange und ausführlich mit dem anderen über die augenblickliche Knispeler Kulturszene.

»Äm«, sagte ich. Keine Reaktion. »Entschuldigung«, sagte ich etwas lauter.

»Da will jemand was von Ihnen«, sprang mir der Oboist bei.

»Ja bitte?« Eiskalter Blick aus kleinen Augen.

»Ich möchte mich verabschieden…«

»Tja.«

»Es tut mir leid, daß ich so schlecht gesungen habe…«

Ich schluckte und sah auf meinen Schnürsenkel. »Mir war heute nicht gut. Es tut mir wirklich leid.« Mehr brachte ich beim besten Willen nicht zustande. Der Kloß im Hals schwoll schon wieder gefährlich an.

»Mir tut es auch leid«, sagte der Dürre. »Aber gewisse Fehler macht man nur einmal.« Damit drehte er sich um und ließ mich stehen.

Der Oboist zuckte die Achseln. »Ist nicht gut auf Sie zu sprechen, wie?«

»Was er schlecht verbergen kann«, antwortete ich zittrig. Mein Schweinehund suhlte sich schon wieder in einer Pfütze von Selbstmitleid. »Können Sie mir sagen, an wen ich mich wegen des Honorars wenden kann?« Ich zwang mich, trotz aller Demut und Reue (in Demut und Reue bekenne ich meine Sünden, meine letzte heilige Beichte war vor 13 bis 15 Jahren...) auf mein Recht zu pochen. Diese Qual hatte ich hier nicht gratis durchlebt.

»Wenden Sie sich doch an den Dirigenten«, riet mir clever der Oboenheini. »Oder an seine Frau.«

Das mit der Frau schien mir nicht schlecht. Sie wieselte wieder dienstbeflissen um ihren Herbert herum und sammelte gerade die Kollekte von den Ausgängen ein. Vier verschiedene Klingelbeutel, voll mit Münzen und Scheinen.

»Darf ich mich an Sie wegen des Honorars wenden?« schlich ich mich von hinten an das treue Eheweib heran.

»Hono... Herbert?!«

Sie ließ mich stehen und wieselte zu ihrem Mann. Dieser herrschte sie an, zischte irgend etwas, und sie zog den Kopf ein und machte sich dann mit dem Einsammeln der Gemeindesingblätter nützlich. Herbert beachtete mich nicht. Ich überlegte, ob ich einen Rechtsanwalt kenne. Nein, natürlich nicht. Mein Schweinehund suhlte sich in der Pfütze. Kein bißchen Rückgrat hatte der Kerl mehr, nicht für fünf Pfennige.

Ich gehe hier nicht eher weg, bis ich mein Geld habe, sagte ich zu ihm. Er hob nur schlapp den Kopf und sah mich aus wäßrig-trüben Augen an.

Kind, du hast es nicht verdient. Schlechte Arbeit, schlechter Lohn. Schleich dich raus und schäm dich.

Nein, begehrte ich auf. Das kann passieren, daß man schlecht singt. Recht auf mein Honorar habe ich trotzdem.

Ich wäre so gern zwischen den Kirchenbänken versunken, hätte mich am liebsten auf dem marmornen Kirchenboden zum Sterben gelegt. Der Küster ließ mich aber nicht. Auf einmal war er da, der zuständige Küster mit dem dicken Schlüsselbund.

»Die Kirche wird geschlossen«, rief er heiser. Ob der im Chor mitgesungen hatte?

»An wen kann ich mich bitte wegen des Honorars wenden?« fragte ich ihn matt.

»An mich jedenfalls nicht.« Sachliche, knappe Antwort.

Er schob mich vor sich her, schloß hinter mir ab. Plötzlich stand ich ganz allein auf der zugeschneiten Straße. Die meisten Autos waren schon weg. Letzte Besucher verabschiedeten sich laut und herzlich voneinander. Autotüren klappten, Menschen schlidderten im Schein der Laterne davon.

Ich war allein. Ohne einen Pfennig Honorar. Und es war kurz vor elf. Telefonzelle. Taxi. Verdammter Mist. Keine Telefonzelle. Kein Taxi. Mein Magen rebellierte. Mein Schweinehund saß weinend in der Pfütze und kaute an seinem Ringelschwanz. Ich sah mich schon unter der Laterne erfrieren. Morgen früh würden mich die Herren von der Müllabfuhr finden, mich für ein schwarzes Bündel Abfall halten und in den Wagen stemmen.

»Erfrorene Konzertsängerin in Knispel tot aufgefunden«, würde die Schlagzeile in der »Westfalenpest« lauten.

Ich schleppte mich mitsamt meinem Konzertköfferchen und völlig ohne Blumen – verschmähet, verachtet und umgeben mit Qual (Messias) – zum Fritz-Hauser-Weg, Nummer 9. Zu dem freundlichen Klobesitzer. Er öffnete sofort und schien nicht überrascht, mich zu sehen.

»Na, iss die Paaty zu Ende?«

»Ja. Darf ich bitte mal bei Ihnen telefonieren?«

»Aber immer, schöne Frau. Wollen Sie auch noch ma int Bad?«

»Nein, diesmal nicht.« Ich lächelte schwach.

»Waa abba keine lustige Paaty, woll?« Der Mann in der grauen Hausjoppe schlurfte vor mir her. Ich stolperte wieder über die leere Hundekiste. »Aufpassen, Frolleinken. Der Stromer is nich da. Meine Frau auch nich. Kommen Sie rein, trinken Se en Gläsken mit mir! Telefonieren können Se später imma noch!«

Das fand ich auch. Der letzte Zug war eh weg. Bis bei dem Schnee ein Taxi gekommen wäre und mich zum Bahnhof gefahren hätte, wäre schon der Frühzug eingelaufen. Ich hatte plötzlich viel Zeit.

»Wohl'n Kümmerken?« fragte die graue Joppe und drückte mir ein Kognakglas in die Hand.

Ich nickte stumm, um nicht loszuheulen. Mein Schweinehund suhlte sich laut jaulend in einem ganzen Tümpel von Selbstmitleid. Mit dem war ja überhaupt nichts mehr anzufangen. Ich beschloß, ihn nie wieder irgendwohin mitzunehmen.

Der Graue schob mir ein Taschentuch über den Tisch. »Falls Sie 'n Schnupftuch brauchen, Mädchen. Na, denn mal auf Ihr Wohl. So schlimm kann es doch wohl gaanich sein, Kleinet.«

Ich hätte mich gern an die graue Joppe geworfen und mein Gesicht in die grobe Wolle gepreßt und ganz fürchterlich geweint. Aber Tante Lilli hätte das niemals zugelassen. *Sie* weinte auch nicht oder badete in Selbstmitleid. Kind, sei höflich zu dem Mann und faß dich kurz und ruf dir ein Taxi und mach dich rar und sage höflich danke schön für den Kognak.

Ich krabbelte diagonal über die Couch und griff zum Telefon. Plötzlich war da dieselbe Situation wie in Ulm. Ich wußte beide Nummern auswendig, als hätte ich nie eine andere gewählt. Die von Georg und die von Klaus.

Ich wählte die von Klaus. Aah, kein Anrufbeantworter. Mein Schweinehund kam aus der Pfütze gekrochen und blickte mich abwartend an, jederzeit bereit, weiterzusuhlen.

Klaus meldete sich. Er war es wirklich. Seine Stimme. Seine geliebte Stimme. »Klaus Klett.«

Ich sagte: »Klaus, ich brauche dich. Ich bin in der Klemme!«

»Wo bist du?«

Ich erklärte ihm kurz, wo er mich finden konnte. »Hast du Winterreifen drauf?«

»Natürlich. In einer Stunde bin ich da.«

Ich gab der Joppe den Hörer, damit er den Weg beschrieben bekäme. Dann ging ich selbst noch mal an den Apparat:

»Du Klaus? Dafür liebe ich dich. Ich werd's dir nie vergessen.«

Ich legte auf, sank in das Sofa zurück und leerte das Kognakglas in einem Zug. Die Joppe lächelte. »Schon besser getz, woll?«

»Ja, sagte ich. Schon besser. Wenn Sie mir jetzt noch ein Brot machen...«

23

Exakt 54 Minuten später machte es dingdong und Klaus erschien im Joppenwohnzimmer. Ich hatte drei Schnitten mit guter deutscher Bauernblutwurst verdrückt, dazu zwei Bier und einen weiteren Kognak. Gläsern schaute ich ihn an, den Retter der Enterbten. Mein Schweinehund taumelte ein paar staksige Schritte, um dann in den mageren Knien zusammenzusacken. Klaus fragte den Joppenmann, ob er Ausgaben ersetzen könne, bedankte sich dann wie ein Vati, der sein ungezogenes Kind beim Jugendamt abholt, griff mich mit dem einen Arm und meinen Koffer mit dem anderen und schob mich zum Auto. Ich winkte der Joppe dankbar zu, und sie, die Joppe, verabschiedete mich mit einem Äugskenkniepen.

Als ich den roten BMW sah, ganz ohne Schneehaube, sondern warm und trocken und einladend, da fing ich an zu weinen. Klaus stellte den Koffer auf den Rücksitz, umarmte mich fest und verfrachtete mich in die lederne Nußschale. Legte mir eine Decke über die Knie und setzte sich hinters Steuer. Ich weinte bis zur Autobahnauffahrt. Mein Schweinehund badete nicht mehr, er machte Tiefseetauchen im Tränenmeer.

Klaus fuhr vorsichtig und konzentriert, aber nicht langsamer als 140, und seine rechte Hand lag schwer und tröstlich auf der Wolldecke auf meinen Knien.

»Was hast du denn in Knispel gemacht? Und wer war der ältere Herr da? Und wieso hast du soviel getrunken, und weshalb weinst du jetzt?«

Ich erzählte ihm schluchzend die ganze Geschichte, von

dem morgendlichen Anruf des Dirigenten, meiner unverschämten Honorarforderung, der verzweifelten Proberei im Zug und hinterher im ungeheizten Arbeitszimmer. Von der Akustikprobe in der Kirche – ebenfalls ungeheizt –, von der anschließenden Chorprobe und dem Konzert. Wie schlecht mir dann wurde vor Angst und vor Aufregung... Hier unterbrach mich Klaus. Wann ich denn etwas gegessen hätte.

Gar nicht. Dazu war seit dem Frühstück keine Zeit.

Ob der Dirigent mir denn nichts angeboten hätte, ich sei doch in seinem Hause Gast gewesen.

Nein. Und Gast sei ich wohl auch nicht gewesen.

Ich berichtete den Alptraum noch bis zum Ende. Meine Odyssee zum Joppenmann, meine schreckliche Arie, meine Panik beim Singen. Meine Einsamkeit nachher. Ich heulte schon wieder.

Jetzt war es Klaus, der an den Rand, genauer, auf einen öden, dunklen, leeren Parkplatz kurz hinter Wermelskirchen fuhr, den Motor abstellte und sich zu mir rüberbeugte. War das erst gestern, als Georg... Ich konnte es kaum noch nachvollziehen. Wie warm und wunderbar es bei Klaus war! Wie zuverlässig er war, wie breit seine Brust und wie weich seine Hand! Und wie weich sein Mund. Und wie gut und warm er roch. Er küßte mich, lange und zart und immer wieder. Als das Auto auskühlte, stellte er den Motor wieder an. Obwohl ihm ganz offensichtlich sehr heiß war.

»Und da hast du mich vermißt?« fragte er begeistert.

»Ja«, schluchzte ich. »Ganz fürchterlich.«

»Das ist ja wunderbar.« Klaus atmete mehrmals tief durch. »Einfach wunderbar. Das hatte ich schon nicht mehr zu hoffen gewagt. Daß du mich vermißt.«

Er legte den ersten Gang ein und wir brausten nach K. Zwanzig Minuten später waren wir in meiner Wohnung. Ich hatte keine Lust auf Wärmflasche oder Quarkbreichen. Ich hatte Lust auf Klaus. Auf seine breite warme Bärenbrust, auf seine weichen Tatzen und auf andere bärenhafte Körperteile.

In dieser Nacht schlief ich mit Klaus. Und als er kurz danach dicht an meinem Ohr anfing, leise zu schnarchen, da liebte ich ihn immer noch. Und fühlte mich unendlich geborgen.

24

Unser erstes gemeinsames Frühstück fand um sechs Uhr fünfzehn statt. Wir aßen beide Quark, in Ermangelung anderer Lebensmittel, und tranken schwarzen Kaffee. Klaus wollte, bevor er in die Praxis fuhr, noch mal nach Hause, zum Umziehen und Rasieren. Ich versuchte, sein Bleiben so lange wie möglich zu verlängern.

»Willst du noch Quark?«

»Nein danke, Liebes, nicht böse sein. Ich bin nicht so ein Quarkfan wie du. Obwohl er bestimmt wahnsinnig gesund ist. Und gut für die Haut…« Er lächelte und streichelte meine ungeschminkten Backen.

»Aber Kaffee?«

»Ja, gern.« Er reichte mir den roten Riesenbecher mit der Aufschrift »Du«.

»Was wirst du gegen diesen Dirigenten von gestern unternehmen?« fragte Klaus zwischen zwei Schlucken aus der Du-Tasse.

»Was könnte ich unternehmen?« fragte ich zurück.

»Laß mal. Ich hab einen Freund, der ist Anwalt. Ich rufe dich heute mittag an und sage dir, was er mir geraten hat.«

»Danke, Klaus. Du bist… sehr lieb.«

»Du auch. Manchmal.«

»Wieso nur manchmal?« begehrte ich auf.

»Wenn dein Kritiker nicht in der Nähe ist.«

»Mein Kri…?« Ich mußte schlucken. »Was hat denn der Kritiker mit meinem Charakterzustand zu tun?«

»Wo war denn der eigentlich gestern? Ist Knispel nicht sein Gebiet? Oder konntest du ihn nicht erreichen?«

Ich beschloß, böse zu werden. »Was sind das für unverschämte Andeutungen, Klaus?! Was geht dich der Kritiker an? Und was sind das für Unterstellungen?« Ich fühlte mich schlecht in meiner konstruierten Entrüstung. Aber mein Schweinehund, dessen Borstenfell von gestern noch nicht wieder trocken war, stand mit gefletschten Zähnen vor seiner Hütte und knurrte mit tropfenden Lefzen böse vor sich hin.

»Ist ja schon gut, war ja nicht so gemeint. Reg dich nicht auf, wir haben einen so schönen Morgen.«

Ich registrierte: Klaus lenkt ein, Klaus ist friedfertig. Er gab mir einen kaffeefeuchten Kuß auf den Mund, stand auf und wandte sich zum Gehen.

»Ich bitte dich um eine Revanche wegen gestern.«

»Schon gebongt. Ich stehe ewig in deiner Schuld.«

»Geh heute abend mit mir essen. Und mach dich richtig fein.«

»Wie fein?«

»Na, so schnieke bis elegant. Zieh ein hübsches Kleid an.«

»Ich habe kein hübsches Kleid.«

»Schade.«

Er war schon aus der Wohnungstür. »Aber für mich bist du immer hübsch.«

Na, das war ja schon was. Ich winkte ihm nach und schloß die Tür. So, nun war es also passiert. Vorgestern mit Georg und gestern mit Klaus. Und heute wieder mit Klaus und morgen wieder mit Georg? Wie lange sollte denn das noch so weitergehen? Und wann würde Klaus nun mit dem Heiratsantrag kommen? Heute abend, wenn ich ein hübsches Kleid anhatte?

»Wie soll das denn nun weitergehen?« fragte ich meinen Schweinehund. Aber der antwortete nicht. Er stand aufrecht vor seiner Hütte und wedelte mit dem Schwanz.

Bevor ich die Quarkbecher wegräumte und mich daranmachte, das gelbe Lasterbett neu zu beziehen (KIND!), hörte ich den Anrufbeantworter ab. Dreimal geliebte Löwenfrau wo steckst du denn; einmal Tante Lilli, Kind ich komme am Wochenende in dein Konzert aber besorg mir bitte ein RUHIGES und PREISWERTES Hotelzimmer; und eine Anfrage für ein Konzert im März in der Mainhalle Frankfurt. WOW! Unter meinem überdimensionalen T-Shirt schwoll mir die Brust. Das war endlich mal etwas! So langsam schienen sich meine Qualitäten auch in höheren kulturellen Kreisen herumzusprechen, jawoll! Mein Schweinehund machte ein paar staksige Freudensprünge, und ich, ich ging noch mal für zwei Stündchen ins Bett. Um punkt neun Uhr dann das Telefon.

»Geliebte Löwenfrau, wo warst du denn gestern den ganzen Tag?«

»Ich hatte mein sensationelles Debüt in Knispel.«

»Warum hast du mir denn nichts davon gesagt? Ich wäre doch gekommen!«

»Ich mußte schon um drei Uhr da sein.«

»Ja, aber da wäre ich doch mitgekommen!«

»Mußt du gar nicht arbeiten, wie andere Leute das nachmittags um drei machen?«

»Nicht, wenn ich die Alternative habe, mit dir zusammen zu sein.«

»Ich habe aber scheußlich gesungen.«

»Das kann gar nicht sein. Du kannst gar nicht scheußlich singen.«

»Wohl«, begehrte ich auf. »Absolut beschissen. Hinterher habe ich noch nicht mal Geld gekriegt oder einen feuchten Händedruck. Kein Auf Wiedersehen und keine Tasse Tee.« Ich steigerte mich schon wieder in Wut.

»Wie kommt das denn, mein armes kleines Mädchen?«

Wärme und Mitleid und ein Schuß Väterlichkeit schwangen in seinen Worten mit. Ich kuschelte mich etwas enger an den Hörer. Schön! Weiter so!

»Ich war nicht in Form gestern.«

»Lag das an mir? Bin ich daran schuld?« Zweideutiges, tiefes, sanftes Gurren.

»Wahrscheinlich«, sagte ich.

Pause. Wer war denn jetzt dran?

Er war dran. »Wann sehe ich dich?«

Ich war dran. »Heute nicht, Georg. Ich bin wahnsinnig kaputt.«

Es folgte die übliche Diskussion und Feilscherei um ein kurzes und streßloses Treffen, nur ein halbes Stündchen, und nur auf einen Kaffee, und nur um mir kurz in die Augen zu sehen, was ja gar nicht seine Gewohnheit war. Und ich sagte: »Georg, laß mir bitte Zeit, ich fühle mich etwas bedrängt und möchte mich auch mal wieder um andere Leute kümmern«, und das hätte ich nicht sagen dürfen.

»Habe ich dich so sehr verschreckt mit meinem... Anliegen? Ich könnte mir die Zunge abbeißen!«

Er tat mir schrecklich leid. Ich durfte jetzt auf keinen Fall mit ihm spielen und ihn an langer Leine verhungern lassen.

Mein Schweinehund war schrecklich hin- und hergerissen. Einerseits fand er die Idee mit dem Zappelnlassen ganz toll und suhlte sich in Schadenfreude. Andererseits hatte mein Schweinehund auch Lust auf ihn, und das war das Allergemeinste von ihm. Los, ab in die Hütte, du verdammtes Borstenvieh! Als wenn ich nicht gestern schon einen ordentlichen Warnschuß zum Thema Fegefeuer hier und heute vom lieben Gott gekriegt hätte!

Ich war also ratlos. Und er wollte sich die Zunge abbeißen. Ich war dagegen.

»Du, Georg, es ist ganz in Ordnung, daß du es gesagt hast. Ich denke, du wolltest es schon länger sagen, und ich nehme das alles sehr ernst. Aber eine Antwort kann ich dir im Moment nicht geben.«

»Wie lange willst du mich denn im unklaren lassen?«

»Ach so, ja, das ist unfair, bestimmt. Also, wenn du sofort eine Antwort brauchst, dann...«, ich biß mir auf der Unterlippe herum..., er hatte doch gesagt, ich solle nicht sofort antworten, und überhaupt, wann hätte ich denn Zeit haben sollen, darüber nachzudenken, vielleicht an diesem Alptraumnachmittag gestern oder besser nachts, zusammen mit Klaus?

»Dann was?« kam es unendlich bange und doch so hoffnungsvoll aus der Leitung.

»Du, Georg, nicht am Telefon, bitte.«

»Da bin ich ja vollkommen deiner Meinung. Also heute nachmittag bei dir? Ich könnte um drei.«

»Nein. Ich kann nicht.« Mein Schweinehund fing an zu kläffen. »Ich kann nicht nur nicht, ich will auch nicht. Entweder du läßt mir Zeit, oder ich gebe dir eine vorschnelle Antwort.«

Pause. Ich sah ihn vor mir, wie er wahrscheinlich gerade irgendeine Fußleiste betrachtete. Oder an einem Bleistift herumknibbelte. Wo war er überhaupt? Im Büro? Zu Hause?

»Wo bist du überhaupt?«

»Wie bitte?«

»Ich meine, hockst du gerade im Wohnzimmer oder auf deinem Schreibtisch oder hinter deinem Schreibtisch in einem tiefen Sessel und legst die Beine auf den Tisch, wie JR Ewing immer, wenn er telefoniert?«

Mein Schweinehund kicherte hämisch. Sein Sinn für Humor machte doch aus jeder noch so ernsten Situation einen kleinen Sketch.

»Ich stehe in meinem Arbeitszimmer.«

»Und wo guckst du hin?«

»Auf dein Gesicht.«

»Hast du da etwa ein Foto von mir?«

»Nein. Ich sehe dein Gesicht vor mir.«

Ich schwieg betreten. Wahrscheinlich sah er mein Gesicht auch vor sich, wenn er eine Fußleiste musterte.

»Du, Georg, es ist zwanzig nach neun. Ich habe noch keinen Ton gesungen, und wir haben heute Aufnahme im Studio. Ich muß weg. Bitte sei nicht böse oder traurig oder nachdenklich. Weißt du was? Das nächste Mal rufe ich dich an. Ich verspreche es dir. Laß mich zuerst anrufen, O.K.?«

Ich hielt das für eine ungeheuer gute Idee. Hätte ich schon viel eher drauf kommen können, auf die Idee. Tante Lilli wäre da sofort drauf gekommen.

»Ja, Löwenfrau. Ich warte. Ab sofort warte ich auf deinen Anruf.«

»Nein, du Blödmann. Nicht ab sofort. Da geht die Zeit ja gar nicht rum, das ist ja schrecklich!«

»Ich weiß. Wem sagst du das. Versprich mir, daß du bald anrufst, ja?«

Bald ist ja nun ein dehnbarer Begriff. Ich versprach ihm, bald anzurufen.

»Und versprich mir, daß ich, wenn ich es nicht mehr aushalte, dich anrufen darf, ja?«

Das war ja ein Kind, das sich an den Mantelzipfel von Mutti klammerte, die für ein Wochenende zu ihrer Schulfreundin fuhr!

Ich wollte ihn drücken und umarmen und ihm über den Kopf streicheln und ihn küssen und ihn mit ins Bett nehmen. Er tat mir so wahnsinnig leid, und ich hatte ihn so wahnsinnig lieb! Mein Schweinehund saß betreten auf seinem Ringelschwanz und kaute auf den Vorderpfoten. Selbst der fühlte sich absolut elend.

»Ja, Georg. Wenn es dir schlecht geht, ruf mich an.«

Ich legte auf und wollte mich einsingen. Es ging nicht. In meinem Magen lag ein dicker, schwerer Stein.

Abends hockte ich mit Klaus beim Griechen. Ich hatte ihn herzlich darum gebeten, nicht in ein Superluxuslokal zu gehen, sondern in ein ganz normales. In Ermangelung eines hübschen Kleides – hübsch im Sinne von Klaus – trug ich einen hübschen Pullover mit Überlänge. Als Kleid. Es sah ziemlich revolutionär aus. Klaus gefiel es.

»Du hast ja tolle Beine!«

»Ich dachte, die hättest du schon gesehen?« grinste ich.

»Ja, aber nicht so wirkungsvoll verpackt!«

»Na gut, dann werde ich sie dir nächstens nicht mehr so ohne weiteres in natura zeigen.«

»Oooohh!«

Wir bestellten Mengen von Tsatsiki und Schafskäse und Bauernsalat, und Klaus orderte irgendein Tier von der Weide, das so streng schmeckt, wie es riecht, es war Lamm oder Ziege oder Geißbock oder so was.

Als erstes eröffnete er mir, daß er den Rechtsanwalt befragt habe – er sei wegen seiner Scheidung ohnehin heute mit ihm verabredet gewesen – und daß ich selbstverständlich mein Honorar in Kürze erhalten werde. Der Anwalt hatte bereits in Anwesenheit von Klaus ein freundliches, aber bestimmtes Schreiben nach Knispel gesandt.

Ich frohlockte und wollte wortwörtlich wissen, was drin stand. Klaus sagte in perfektem Amtsdeutsch etwas, das umgangssprachlich übersetzt zum Inhalt hatte: Junge, wenn du dem Mädchen nicht die Knete rüberschickst, für die es sich redlich abgemüht hat, dann wird es schwer Ärger geben, und das wird weit teurer als 700 Mark. Merk dir das. Mit freundlichen Grüßen. Titel, Stempel, krakelige Unterschrift.

Bravo. Braver, lieber Klaus.

Wir tranken einen Retsina darauf.

Als zweites kündigte Klaus an, daß er mitsamt Mutter am Samstag und Sonntag nach St. Augustin in das Weihnachtsoratorium kommen werde.

Ich setzte mein Retsina-Glas ab. »Muß das sein?«

»Wieso muß das sein? Seit wann darf ich nicht mehr in deine Konzerte kommen? Aber abholen darf ich dich dann?«

»Nein, Klaus. Dich sehe ich immer gern. Ich meine das mit deiner Mutter.«

»Meine Mutter wohnt aber nun mal in St. Augustin«, sagte Klaus stirnrunzelnd. »Und sie wäre sowieso in das Konzert gegangen, ob da nun du singst oder die Callas.«

»Tja, dann können wir sie wohl nicht dran hindern.«

Klaus machte eine Miene, die nicht gerade Heiterkeit ausdrückte. Gedankenverloren zerlegte er seinen Ziegenbock. Ich rührte derweil mit einem derben Brotkanten in dem köstlichen Knoblauchsud herum. Heute abend würde kein Mann der Welt Lust auf meine Nähe haben. Es sei denn, er hätte selbst Knoblauch gegessen.

»Könnte es sein, daß der Kritiker am Samstag kommt?«

»Na ja, es ist sein Einzugsgebiet. Es ist anzunehmen, daß er rein dienstlich da sein wird. Warum fragst du?«

Das Thema schmeckte mir gar nicht, zusammen mit Schafskäse und Bauernbrot. Mußte das denn jetzt sein?

Klaus holte Luft, steckte ein Stück Geißbock in den Mund und sagte dann, mir fest in die Augen sehend:

»Könnte es sein, daß du deine Beziehungen zu diesem Herrn Lalinde... mal überdenken solltest?«

Ich war geplättet. Erstens über diese Direktheit ohne Einleitung und zweitens über den autoritären Ton.

»Was für Beziehungen?« fragte ich giftig und betonte das Wort Beziehungen ziemlich affig.

»Welcher Art diese Beziehungen sind, wirst du am besten wissen.« Er nahm einen hastigen Schluck Wein, um, wie ich empfand, seine Unsicherheit zu überspielen. Klaus Konrad, hüte dich, mein Schweinehund fletscht schon die Zähne! Was gehen dich meine Beziehungen zu Georg Lalinde an? Ich sagte das. Genau das. »Was gehen dich meine Beziehungen zu Georg Lalinde an?«

Er guckte mir schon wieder so unverschämt direkt in die Pupillen. »Ich denke, daß sie mich seit gestern etwas angehen.«

»Du meinst, weil wir miteinander geschlafen haben, muß ich dir jetzt mein Privatleben auseinanderbreiten?«

»Nicht dein Privatleben. Aber gewisse Teilbereiche daraus. Ich will nicht dein Spielball sein.«

»Du bist nicht mein Spielball.« Ich grinste. »Einen Ball durfte ich noch nie mit ins Bett nehmen.«

»Kannst du bitte mal ernst bleiben!« Klaus' Blick verriet keine Spur von Humor.

»Sorry.«

»Ich meine, daß du dich entscheiden solltest.«

»Wofür oder wogegen bitte?« Eigentlich wußte ich genau, was Klaus meinte. Aber freche Gegenfragen nehmen einem selbst immer den Schwarzen Peter, auf etwas Unangenehmes antworten zu müssen.

»Du weißt, wovon ich spreche. Wir sind uns viel zu ähnlich, als daß du nicht wüßtest, wovon die Rede ist.«

Wir? Uns? Ähnlich? Das fand ich aber nicht.

Er, er war ein gutmütiger tolpatschiger Bär, der immer wieder unabsichtlich in irgendwelche Fallen tappte, und ich, ich war ein ausgemachtes gemeines kleines Luder. Jedenfalls ihm kein bißchen ähnlich. Das konnte ich aber nicht laut sagen. Wegen des Luders hätte er vermutlich nachgefragt. Er nahm meine Hand. Dabei schwappte sein Weinglas über, und das kühle Naß spritzte mir auf den Ärmel.

»Du hast doch schon gemerkt, daß du mir was bedeutest«, sagte Klaus. Ich wischte mit der freien Hand den Wein von meinem Ärmel. Ja. Hatte ich ehrlich gesagt bemerkt.

»Meine Ehe war ein Reinfall«, sagte er und ließ meine Hand kein bißchen los. »Sieben Jahre Reinfall. Ich habe mich umsonst bemüht, mit Irene so was wie eine halbwegs harmonische Ehe zu führen. Ihr ging es nur um Geld und Karriere. Sie wollte keine Kinder, und sie wollte nichts im Haushalt machen. Wir haben einfach aneinander vorbeigelebt. Sieben Jahre lang.«

»Und deshalb soll ich mich jetzt gefälligst anständig benehmen«, sagte ich.

Er ließ meine Hand los. »Ja. Verarscht worden bin ich lange genug.«

Plötzlich verstand ich ihn, und wie ich ihn verstand. Auf einmal war mir ganz klar, was er meinte, wieso er plötzlich »Klarheit« haben wollte, wieso ich mich entscheiden sollte.

Er hatte einfach keine Lust mehr, sich weiter hinhalten zu lassen.

Nur einen Haken hatte die Sache: Ich liebte ihn nicht. Nicht genug. Nicht ausschließlich genug. Da war Georg. Und wenn ich Klaus mit einer Hälfte meines unregelmäßig schlagenden Herzens liebte, dann Georg mindestens mit der anderen. Mindestens. Und mit dem Bauch noch dazu. Aber das konnte ich Klaus unmöglich sagen. Ausgeschlossen.

Dich habe ich wirklich sehr gern, aber bei dem anderen Mann zieht es mir zusätzlich den Unterbauch zusammen? Nein. Klappe halten.

Ich lächelte Klaus lieb an, sagte: »Ich habe dich verstanden« und hob mein Glas, Gott zum Gruße, Klaus zum Wohle, und dann gingen wir zur Tagesordnung über. Er schilderte mir in herrlichen glühenden Farben seine Orientreise, die er mit Schlafsack und Zelt als Abiturient gemacht hatte.

Während vor meinem inneren Auge alle seine Abenteuer und Erlebnisse vorbeizogen, stellte ich mir vor, wie Klaus gewesen sein mußte, als er noch jung war, ohne Geld, ohne BMW, Titel und Akademikerkreise. Als er noch aus Konservendosen vom Gaskocher aß, auf der Erde sitzend, als er noch im Schlafsack unter freiem arabischen Himmel nächtigte und nicht im Ramadan oder Hilton.

Ein sehr sympathischer Klaus. Langaufgeschossen, schlaksig, dünn, braungebrannt, in kurzen Hosen und T-Shirt, Sommersprossen und jeder Menge verrückter Ideen im Kopf. In seinem Brustbeutel kein Scheckbuch, keine Credit-Card, keine Membership-Card für Rent a Car. Ich wär gern dabeigewesen, damals als Klaus neunzehn war. Aber da war ich elf und drückte in der Quinta die Schulbank. Altklug und dick und mit Zahnspange. Das sagte ich Klaus. Er lachte. Amüsierte sich.

»Selbst als Kinder müssen wir uns ähnlich gewesen sein.«

»Du warst bestimmt viel schlauer«, stichelte ich.

»Dafür warst du süßer«, konterte er. Ich versicherte ihm, daß ich kein bißchen süß war, nur vorlaut und eingebildet und von falscher Moral geprägt auf einer gelblich-schwülen Wolke hockend, von der ich auf die anderen herabschaute.

»Außerdem«, triumphierte ich, »spielte ich Klavier und Tante Lilli sogar Orgel. Und Onkel Paul hat Theologie studiert, jawoll, damit hatte ich angegeben, bevor ich das Wort richtig aussprechen konnte!«

Wir lachten und verstanden uns wunderbar und blieben bis halb zwei bei dem Griechen hocken, bis wir einen Rausschmiß-Ouzo bekamen. Klaus zahlte. Eine längst selbstverständliche Geste. Dafür kam er mit zu mir rauf. Auch eine selbstverständliche Geste?

»Is'n los?«

»Du schnarchst!«

»Oh, Tschuldigung.«

Kurzes liebevolles Kraulen, zehn Sekunden Stille, dann Zweiter Satz der Schnarchophonie, diesmal im Mezzoforte, aber synkopisch. Synkopisches Schnarchen macht mich völlig verrückt. Einerseits wartet man ständig auf den nächsten Atemzug des anderen, andererseits fürchtet man, er könne ersticken. Mein Schweinehund zeterte laut und hysterisch.

Ich wohne hier! Ich brauche meinen Schlaf! Er nistet sich völlig selbstverständlich hier ein!

Ich rüttelte ihn. Fester diesmal.

»Du schnarchst schon wieder!«

Er setzte sich mühsam auf.

»Tut mir wahnsinnig leid, du!«

»Klaus, sei mir nicht böse, aber ich möchte dich bitten, daß jeder in seinem Bett schläft. Es ist jetzt zehn nach drei, in deine Wohnung mußt du ja eh noch, bevor du in die Praxis fährst, und zum Frühstück kann ich dir auch nichts anbieten. Sei lieb, bitte, fahr jetzt nach Hause.«

Er war so schnell in seinen Hosen, wie ich das noch bei keinem Mann gesehen habe. Allerdings habe ich es noch nicht besonders oft beobachtet. Nicht, daß da falsche Schlüsse gezogen werden.

Fünf Minuten später war er weg.

Ich torkelte zum Anrufbeantworter.

Darauf waren sage und schreibe fünfzehn Aufleger.

25

Vier Tage später saß ich allein im Zug nach Bremen. Es war das Großraumabteil zweiter Klasse eines überfüllten Intercity, und ich hockte neben meinem Köfferchen auf einem Einzelsitz, vermutlich für Mütter mit Kinderwagen oder krampfadergeschädigte Personen, die Platz brauchen, und hörte angestrengt in meinen Walkman hinein. Der sang mir meine schwere Mezzo-Arie vor. Das war nett von ihm, denn ich hatte eine Übungsstunde nach wie vor dringend nötig. Laut singen darf man in so einem Intercity-Großraumabteil ja nicht, aber musikalisch mit dem Kopf wackeln darf man; wenn man/frau daraufhin auch von einigen alleinreisenden Herren mit Aktentasche interessiert gemustert wird. Mich anzusprechen getraute sich allerdings niemand. Ich war ja auch unter dem Kopfhörer verschwunden. Nicht zu Hause, sozusagen.

Nachdem mir die begabte Dame mit dem frommen Tremolo in der Stimme die Arie ein paarmal vorgesungen hatte, glaubte ich, im Ernstfall alle meine Einsätze zu bekommen, und nahm die Kassette heraus. Es gibt ja noch andere Musik. Strauss zum Beispiel.

Ich weiß nicht genau, warum ich es tat. Unser Lied wieder auszugraben. Georgs und mein Lied.

»Wenn du es wüßtest, was träumen heißt, von brennenden Küssen, von Wandern und Ruhe...«

Mit einer Gänsehaut hatte ich gerechnet, nicht mit plötzlich aufsteigenden Tränen, die auch direkt schamlos über mein Gesicht rollten.

Platsch, tropfte eine Träne auf meine Hand, und plitsch, kullerte die nächste hinterher. Zwei fielen in meine geöffnete Notentasche, und bevor ich noch ein Taschentuch organisieren konnte, begann auch meine Nase heftig zu tropfen. Sehr peinlich! Ich suchte hektisch nach einem Taschentuch. Nein, es reichte mir kein edler Ritter sein Spitzentüchlein. Noch nicht mal eine Serviette oder das Butterbrotpapier meines vespernden Gegenüber wurde mir dargeboten. Es ist ja nicht alles wie im Roman. Mit meinem Selbstmitleid mußte ich ganz alleine fertig werden.

Jedenfalls riß ich mir die Cäcilie aus dem Ohr, nachdem ich endlich das Taschentuch gefunden hatte, das mit Kekskrümeln bedeckt war und außerdem stark nach Kaugummi roch – ich hatte mich irgendwann mal während einer Probe meines rosafarbenen Lieblings entledigt und ihn ins Papiertuch gedrückt –, schnaubte ich mich geräuschvoll. Der Zug fuhr unbeeindruckt durch die graue Winterlandschaft. Es wurde immer norddeutscher, immer öder und immer einsamer. Ab Münster wird Deutschland für mich beängstigend leer und backsteinig.

Fröstelnd kauerte ich mich in meinen Zweiter-Klasse-Sitz und gedachte der Menschen, die jetzt in der Nachmittagsdämmerung eines Dezembertages in so einem einsamen, backsteinfarbenen Haus stecken. Was machen die jetzt? Pflaumenkuchen backen? Tee mit Rum trinken? Oder Schweine füttern? Das Kind macht Schulaufgaben. Morgen muß es wieder mit dem Bus die 17 Kilometer in die nächste Ortschaft zur Schule fahren. Der Vater ist Bauer. Die Geschwister sind alle aus dem Haus. Die Oma sitzt unter der Küchenlampe und stopft Socken. Im Ofen bullert ein gemütliches Feuerchen. Der alte Knecht stopft sich die Pfeife...

Ach was, das sind doch alles Bilder aus dem letzten Jahrhundert. Die hocken jetzt alle vor dem Fernseher und sehen eine Quizsendung an. Und heute abend fahren sie nach Oldenburg ins Kino.

Meine Gedanken wanderten in die Wirklichkeit zurück. Was würde ich denn heute abend nach der Probe machen, in Bremen? Ganz allein? Im Schneematsch?

»Ich fahre natürlich mit!« hatte Klaus gesagt und sich schon einen Hotelführer über Bremen besorgt.

Wir hatten die ganze Woche miteinander verbracht.

Er war täglich dreimal bei mir aufgetaucht, »auf einen Sprung«, wie er immer sagte. Es wurden jedesmal Stunden daraus. Unterhaltsame, gemütliche Stunden. Wir sahen Video-Filme, erzählten uns Kindheitserlebnisse, gingen spazieren und ins Kino und einmal ins Theater, weil er dort Notfalldienst hatte. Zweimal schliefen wir auch miteinander. Danach bat ich ihn aber, nach Hause zu gehen. Mein Bedürfnis nach Alleinsein wuchs immer mehr. Ich wollte morgens unbedingt alleine aufwachen. Und um neun Uhr allein sein, falls das Telefon klingelte. Es blieb still. Die ganze Woche lang.

Ich fragte mich, was ich denn nun eigentlich wollte. Rief er an, fühlte ich mich nicht ernst genommen, und seine Anhimmelei ging mir auf den Wecker. Rief er nicht an, konnte ich die Stille im Raum nicht ertragen.

Nun also Bremen. Wie gut, einmal rauszukommen aus den vier engen Wänden, die ich jetzt fast ständig mit Klaus teilte. Und diese Fahrt wollte ich nun mal nicht mit ihm teilen. Ich wollte nicht im roten BMW mit 180 Sachen nach Bremen rasen, nicht mit Sekt aus der Minibar im Luxushotel übernachten, nicht am Frühstücksbuffet kalten Hummer essen, nicht während des Konzertes gefilmt und fotografiert werden und alles in allem keine Supermutter sein.

Ich wollte ich sein, eine mittelhübsche und mittelbegabte Sängerin mit ihrem Konzertköfferchen, mit Jeans unter dem Abendkleid und Eselsohren in den Noten.

Der Zug lief in Bremen ein.

Ich nahm mir ein Taxi und fuhr durch die dämmerige, vorweihnachtlich geschmückte Innenstadt zur Probe. Die Kirche steht mitten auf dem Marktplatz, der hell erleuchtet ist, und auf dem Weihnachtsmarkt riecht es nach gebrannten Mandeln und nach Zuckerwatte. Die Leute stehen herum und trinken Glühwein. Die Glocken beginnen zu läuten.

Oben auf der Empore war der Knabenchor versammelt, der gütig-väterliche Dirigent, dessen Hauptaufgabe es war, die Jungens mahnend und liebevoll zur Ordnung zu rufen: »Benedikt, steh bitte gerade!... Urs, du sollst doch die Noten richtig herum halten!... Und du, Daniel, klettere nicht auf der Orgelbank herum! Hast du denn kein Taschentuch, Christopher?«

Zwei von den drei anderen Solisten waren schon da. Der Tenor war ein dünnes, junges, nervöses Männchen, das sich gerade zur Stärkung einen Eiweißriegel reinzog, und der Baß war ein untersetzter bärtiger Finne, der mich fröhlich und frech angrinste, als er mich sah. Er nannte mich von Anfang an »Mäuslein« und warf Kater-Blicke auf die Rundungen, die unter meinem Pulli hervorragten. Er hieß Olli Hautireinen, wenn seine finnische Fischotterhaut auch gar nicht so rein war. Sein Stimmorgan war prächtig und groß und männlich, und Olli schien das zu wissen und litt nicht gerade an Schüchternheit. Die Sopranistin war noch nicht da.

Ich war diesmal sehr viel besser vorbereitet als in letzter Zeit, denn durch Georgs eisernes Schweigen und seine konsequente Abwesenheit hatte ich Zeit zum Üben gehabt. Selbst die hohe Mezzoarie konnte ich ganz gut. Kein Vergleich mit der frohwehmütigen Maria in Knispel. Der Dirigent lächelte denn auch väterlich und gütig in meine Richtung, nachdem ich die hohen Fisse und anderen Klippen ganz geschickt umschifft hatte, und Olli, der Fischotter, tätschelte sogar fröhlich mein Bein und raunte: »Fein gemacht, Mäuslein!«

Das Duett mit dem dünnen, nervösen, kleinen Tenor war dann wieder etwas anstrengender. Seine Verkrampfung war so stark, daß aus dem Duett fast ein Duell wurde. Sein Tempo, seine Dynamik wurden mir aufgezwungen, und der gütige Dirigent war verwirrt und richtete seinen Schlag nach unserem Mimosentenor.

»Mäuslein, das nächste Mal singen wir beide Duett«, grunzte Olli, nachdem es vorbei war. »Wir passen viel besser zusammen!«

Nach der Probe fragte er mich, in welchem Hotel ich sei. Ich nannte es ihm, vielleicht war das ein Fehler, denn der selbstbewußte Finne kam mit. Er hatte wohl noch keine Herberge gefunden. Ich liebe mein Hotel in Bremen, ich bin dort genauso zu Hause wie in Frankfurt, darf dort üben und bis abends kurz vor dem Konzert im Zimmer bleiben, habe dort im Bedarfsfall einen Garagenplatz und bekomme um elf Uhr noch Frühstück. Mein Einzelzimmerlein liegt zum Hof hinaus, und auf dem Kopfkissen finde ich abends eine kleine Tafel Schokolade vor. Eigentlich ein geeignetes Nest zum Alleinsein, um mich zu sammeln, in mich zu gehen, Briefe zu schreiben, zu schlafen und tugendhaft zu sein.

Olli sah das anders. Nachdem er sich ein Zimmer direkt gegenüber meinem genommen hatte, klopfte er schon nach wenigen Minuten an meine Tür. Ich hatte gerade Badewasser einlaufen lassen und die Fernsehzeitung auf dem Badewannenrand zurechtgelegt. Wer wagt es, Rittersmann oder Knapp?

Der Fischotter wagte es.

»Mäuslein, willst du baden?«

»Ja, wenn du mich läßt!«

»Aber klar lasse ich dich. Ist Platz für zwei!«

»Kann schon sein, aber eine finnisch-deutsche Huldvereinung wird in dieser Wanne nicht stattfinden!«

»Warum nicht, Mäuslein! Bei uns in Finnland baden immer alle zusammen und gehen in die Sauna und bewerfen sich mit Schnee.«

»Wie ungeheur reizvoll. Ich bewerfe dich gleich mit dem Inhalt meines Koffers!«

»Mäuslein, so aggressiv, wie du bist, hast du Lust auf mich.«

Der Fischotter im Baumfällerhemd grinste. Er stand breitbeinig in der Badezimmertür und war geradezu unverschämt fröhlich.

»Ich habe Lust auf meine Badewanne und darauf, die Tür von innen zuzumachen«, sagte ich verbindlich lächelnd und versuchte, ihn zur Seite zu schieben.

Er nahm meine Hände und drückte sie gegen sein Flanellhemd. Er war kein bißchen schön oder auch nur anziehend. Er roch weder nach Parfum noch nach Männlichkeit, unter seinem Bart waren Pickel zu ahnen, und sein Haar war strähnig. Außerdem war er einen halben Kopf kleiner als ich.

Das einzige, was an ihm erwähnenswert war, war sein Stimmorgan, riesig und dunkel und männlich, und sein daraus resultierendes Selbstbewußtsein.

»Mäuslein, ich habe aber Lust auf dich«, sagte der Fischotter und versuchte, mich ins Ohr zu beißen.

Ich drehte den Kopf weg, soweit das seine Baumfällertatzen zuließen, und beschloß, es mit der Hinhaltetaktik zu versuchen.

»Olli, ich bade jetzt, und zwar allein. Und dann habe ich Lust auf was zu essen. Vielleicht sehen wir uns unten in den Friesenstuben?« sagte ich zuckersüß. Warum es jetzt auf ein Gerangel anlegen oder meinen Kollegen sonstwie verärgern. Er ließ mich los.

»O. K., in einer Stunde unten«, gurrte er fröhlich, »ich habe auch Hunger auf verschiedene Sachen.«

Damit trollte er sich. Erleichtert schloß ich die Tür hinter ihm ab und ließ mich in der vollen, heißen Badewanne nieder. Das schien ja schon wieder stressig zu werden. Wenigstens würde ich mich nicht einsam fühlen. Dabei hatte ich doch unbedingt allein sein wollen. Ja, was denn nun. Gegen die Einsamkeit brauchte ich doch keinen geilen finnischen Waldbauern! Da gab es doch ganz andere Menschen, mit denen ich mich in letzter Zeit umgab! Ich plätscherte in der Wanne und betrachtete meine Knie, die aus der Schaumlandschaft herauslugten. Eigentlich ganz nett für mein Alter, kokettierte ich mit mir selbst. Wenigstens meine Knie waren ganz nett. Aber mußte ich mir das von einem Fischotter im Flanellhemd bestätigen lassen? Wenn ich mir den nicht vom Hals hielt, würde ich das ganze Wochenende im Nahkampf mit ihm verbringen müssen! Aber wie hält man sich einen zu allem bereiten Naturburschen vom Leibe, wenn Freundlichkeit nicht hilft? Ach, Kind, du kannst so was einfach nicht. Du bist eben keine Dame. Du hast so was Bestimmtes im Blick…, das lockt eben alle Fischotter des hohen Nordens in deine Badewanne.

Ach Quatsch, Tante Lilli. Ich habe nichts im Blick. Da gibt's doch ganz andere Mädels.

Trotzdem. Glaub mir, Kind. Ich früher, ich habe niemals solche Anträge bekommen, bin niemals belästigt worden, noch nicht mal im Krieg.

Klar, Tante Lilli. Die Zeiten waren anders. Die Mode auch. Du warst eben zugeknöpft, und wer sich von einem Soldaten küssen ließ, der mußte sich auch heiraten lassen, um nicht übel ins Gerede zu kommen. Das war eben damals so. Aber ich, Tante Lilli, ich gehöre zur völlig normalen Gruppe der jungen Frauen, die lebensfroh und selbstbewußt sind und nicht in den Kakao spucken, warum auch, es gibt doch die Pille…

Au, das war harter Tobak für Tante Lilli, und die Diskussion mit ihr mußte abgebrochen werden.

Kind, du bist keine Dame, sagte sie noch, bevor sie sich in Luft auflöste und ich mich aus der Wanne schwang. Das Wasser war lauwarm geworden und meine Stimmung auch. Was sollte ich denn nun anfangen mit dem finnischen Ausbund an natürlicher Lebensfreude!

Er hockte bereits unten in den Friesenstuben am Tisch, vor sich ein großes kühles Bier und neben sich den kleinen dünnen Tenor, der an einem Tomatensaft nippte. Ich wollte die traute Zweisamkeit nicht stören, aber Olli bemerkte mich freudig und winkte mich mit seinem behaarten Arm heran.

»Mäuslein, frisch gebadet, die Sonne geht auf«, sagte er mit seinem Naturorgan, und der Tenor schaute irritiert in den Tomatensaft.

Ich hockte mich zu den zweien an den Tisch und bestellte mir einen Weißwein.

»Mäuslein, du mußt kräftig essen«, sagte der Finne und schob mir die Speisekarte unter den Busen. »Hast du noch viel vor heute!«

»So?« Wenn ich eine Brille aufgehabt hätte, hätte ich jetzt fragend über den Rand der Gläser geschaut.

»Ja, die Nacht ist noch lang, und wir sind ja nicht zum Vergnügen hier!«

Der Tenor rutschte mit seinem dünnen Ärschlein auf der rustikalen Bank herum und schien nach Kleingeld für seinen Tomatensaft zu suchen.

»Bleiben Sie doch noch und essen mit uns«, sagte ich freundlich zu ihm. Ein ganzes Abendessen allein mit dem zweideutigen Olli würde ich weniger ertragen als eine unverbindliche Dreisamkeit.

Die Kellnerin kam, und Olli bestellte »Kohl und Pinkel«, ein Leib- und Magengericht der Bremer und aller, die es einen Abend lang sein wollen.

Ich dachte an die Blähungen, die man von so was bestimmt bekommt, und suchte mir lieber einen Salat aus. Der Tenor wollte einen Seniorenteller, wegen der leichten Verdaulichkeit. Kalbsnierchen im Reisrand.

Wir sprachen dann beim Essen über Agenturen, Dirigenten, Konzertkarrieren von Kollegen, Vorsingetermine und Wettbewerbe. Es war unverfänglich und nett, und der Abend ging gnädig herum. Ab und zu rieb das finnische

Wildschwein sein Bein an meinem, aber ich zog mich dann immer etwas zurück und tat so, als ob ich nichts bemerkt hätte.

Der Tenor war nach dem dritten Tomatensaft viel gelöster als zu Beginn des Abends, zeigte uns errötend Fotos von seiner Verlobten – einer blassen, blonden, dünnen, strähnigen Kindergärtnerin – und von seinem Foxterrier im heimischen Garten. Ein behüteter Junge war er, kaum Mitte Zwanzig, und für den Beruf, den man ihm ausgesucht hatte, meiner Meinung nach völlig ungeeignet. Er war dabei, verschiedenen Opernagenturen vorzusingen, und ich wußte, daß er nie die Ellenbogen für diesen Job haben würde.

Ganz anders Olli, der feist über sein ganzes unrasiertes Gesicht grinste, als er verkündete, er sei Festspielleiter in der zweitgrößten Kulturszene Finnlands, man habe ihm soeben eine Professur angeboten, und außerdem führe er Regie bei den neuesten Operninszenierungen des Landes.

»Mäuslein, was machst du denn?« fragte er zwischen zwei Gläsern Bier und rieb sein Knie an meinem. »Bist du bestimmt mit einem reichen Mann verheiratet?«

Ich erzählte, daß ich eigentlich in einer Schallplattenfirma jobbe und damit meine Existenz und meinen Alltag abgesichert habe.

»Mäuslein, das machst du aber nicht mehr lange«, sagte Olli. »Ich hole dich nach Finnland.«

Schlagartig wurde mir klar, daß Karrieren wahrscheinlich so beginnen. Ein einflußreicher Mensch mit Macht und Selbstbewußtsein schnappt sich ein Chorgirl, weil er scharf auf ihren Busen oder ihre Beine ist, schleppt sie in seine Höhle, schläft so lange mit ihr, wie er Lust auf sie hat, und gibt ihr zur Belohnung irgendeine mittelgroße Rolle. Bewährt sie sich, wird sie ihn bald nicht mehr nötig haben und andere einflußreiche Menschen finden. Wenn nicht, stößt er sie ab wie einen alten Regenschirm, und sie geht wieder Chorklinken putzen, wenn sie dann noch nicht die Altersgrenze überschritten hat.

Ich hatte absolut keine Lust auf eine mittelgroße Rolle in Finnland und auf eine ebenso mittelgroße Rolle im Leben des selbstbewußten Wildschweins. Also lächelte ich verbindlich und sagte, daß mir sein Angebot sehr schmeichele, daß ich aber »in K. private Bindungen« hätte.

»Also du bist verheiratet?« mutmaßte Olli enttäuscht.

»Nicht ganz«, sagte ich geheimnisvoll.

»Die ist bestimmt verlobt«, gab der Tenor intelligent von sich.

»Mäuslein, du bist keine Frau, die sich verlobt«, sagte Olli. »Du gehst aufs Ganze. Und zwar oft. Sooft es dir Spaß macht.« Und damit griff er mir beherzt in den Nacken. Sollte ich das nun erotisch finden oder was?

»Ich gehe jetzt, muß morgen singen«, sagte der Tenor und schob sein dürres Ärschlein von der Bank.

Vorher hatte er bereits die abgezählten 23 Mark 50, die sein Seniorenteller und die drei Tomatensäfte gekostet hatten, auf seine Serviette gelegt.

Ich wußte nicht, ob ich erleichtert oder besorgt sein sollte über sein Dahingehen. Ein wirklich nicht sehr interessanter Mensch. Am liebsten hätte ich ihm noch eine Gutenachtgeschichte vorgelesen, damit der Junge ohne seine strähnige Verlobte und ohne seinen struppigen Foxterrier heute nacht kein Heimweh bekam.

Olli rutschte wohlig an mich heran.

»Den sind wir los, Mäuslein. Was machen wir jetzt? Ich weiß ein paar gute Kneipen. Die haben noch lange auf!«

Ich hatte keine besondere Lust auf Kneipen, die laut und verraucht waren. Ich hatte unwahrscheinlich große Lust auf einen Spaziergang, möglichst allein. Frische Luft, vorweihnachtliche Stille in den Straßen, nachdenken, nichts reden müssen, und dann ins Bett gehen, allein. Dazu hatte ich Lust. Nur, wie wird man einen angetörnten Fischotter los?

Überhaupt nicht. Nichts zu machen. Keine Chance. Olli wollte mit mir schlafen. Ob jetzt sofort oder erst gegen Morgengrauen, schien ihm egal zu sein. Aber daß es etwa gar nicht passieren sollte, war für ihn ganz ausgeschlossen. Ich gehörte ihm. Das war für ihn völlig klar. Von der ersten Minute an, wo wir auf der Orgelempore nebeneinander gesessen hatten. Olli schien sich immer so seine »Mäusleins« auszusuchen. Und in Ermangelung eines Soprans war seine Wahl ohne Qual auf mich gefallen.

»Bleib hier sitzen, ich gehe pinkeln«, sagte er, stand auf und ging leicht taumelnd in seinem Flanellhemd und seiner spekkigen Hose nach hinten zu den Toiletten.

Einem plötzlichen Reflex folgend, sprang ich auf, sobald er hinter den Rauchschwaden der anderen Gäste verschwunden war. Ich schnappte mir meinen Mantel und verließ fluchtartig das Lokal. Draußen schlug mir die kalte, frische, wunderbare Luft entgegen. Meine Nase prickelte so, daß es schmerzte. Ich hielt mir die Hände vors Gesicht und begann zu rennen. Richtung Dom, dann rechts in irgendeine unbeleuchtete Straße. Nur weg von dem Kerl. Nicht, daß ich Angst vor ihm hatte. Er war ein gutmütiges finnisches Wildschwein. Aber ich hatte keine Lust, mit ihm zu feilschen. Ich hatte ein Recht auf die freie Gestaltung meines Abends. Mit welcher Unverschämtheit er von mir Besitz ergriffen hatte! Ich hastete durch die Dunkelheit, kam zum Fluß hinunter. Es war mir nicht klar, daß es hätte gefährlich sein können, hier um Mitternacht allein herumzulaufen. Ich war viel zu aufgebracht. Freiwild. Genau. Das war ich. Entweder ich hatte einen Doktor am Arm oder einen Kritiker am Bein, oder ich war Freiwild, für jedes hergelaufene finnische Tier zum Bespringen geeignet.

Ja, Kind, in deinem Alter treibt man sich auch nicht mehr allein rum im Leben, sagte Tante Lilli.

Aber WARUM denn nicht? Männer dürfen doch auch mit Ende Zwanzig noch alleine rumlaufen und das Leben genießen. Kind, MÄNNER dürfen manches. DU nicht. Wenn du schon keine Dame bist, dann werd wenigstens nicht zum Freiwild. Du hast doch einen so soliden Beruf. MUSST du denn daraus so ein Zigeunerleben machen? Denk mal. Wenn dich jetzt hier irgendein Kerl überfällt und in die Weser schmeißt, ja glaubst du denn, daß dich morgen irgend jemand VERMISST? Niemand wird dich vermissen. Weil du zu niemandem gehörst. Ist das nicht tragisch?

Tante Lilli, begehrte ich auf, es WERDEN mich Hunderte von Leuten vermissen, wenn ich morgen nicht das Konzert singe. Schließlich stehe ich auf dem Plakat.

Ach, Kind, seufzte Tante Lilli, du verstehst wieder mal gar

nichts. Du bist doch so ersetzbar, ob nun du auf dem Plakat oder...

Sie nannte einige Namen von Konkurrentinnen, die, die ich am wenigsten mag, zuerst. Typisch Tante Lilli. In so einer Situation mir unter die Nase reiben, wie viele andere mittelgute Altistinnen meines Schlages noch durch bundesdeutsche Kirchen ziehen.

Also, wenn dich jetzt jemand in die Weser wirft, wenn du heute nacht nicht in deinem Bett liegst, wird es keinem auffallen. Kein Hahn wird danach krähen! Ob du nun im Bett von Olli liegst oder in deinem, das merkt nur der liebe Gott.

Tante Lilli hatte schon recht.

Einer plötzlichen Eingebung folgend, drehte ich mich abrupt um und trat den Rückweg an. Bloß jetzt nicht bange werden. Das Flußufer war so einsam und dunkel wie bei Eduard Zimmermann, kurz bevor was passiert. Ich zwang mich, tief durchzuatmen und nicht schneller zu gehen, als meine ängstlich zusammengepreßten Lungenflügel es erlaubten. Wenn doch jetzt nur Klaus hier wäre. Kein Penner der Welt würde es wagen, mich in die Weser zu schmeißen. Kein Wildschwein der Welt würde sein behaartes Hinterbein an mir reiben. Und selbst Tante Lilli würde aufhören zu stänkern. Ich wäre eine ehrenhafte Frau, sicher und geborgen, und kein tändelndes Blatt im kalten Winterwind. Klaus. Warum machte ich nicht endlich das, was alle von mir erwarteten. Mich mit ihm verloben oder zumindest ein Liiertsein demonstrieren. Er wäre doch jetzt hier, wenn ich es gewollt hätte! Er würde mich an seinen warmen gefütterten Ledermantel drükken, vermutlich hätte er ein Paar Handschuhe für mich, er würde mit mir zusammen in den milchigen Vollmond schauen und mir einen feuchtkalten Kuß auf die Lippen drükken, und ich würde mir die kalten Tröpfchen aus seinem Bart heimlich abwischen. Aber geborgen würde ich sein. Und wir würden Arm in Arm zum Hotel zurückgehen, dort noch einen Schlaftrunk aus der Minibar nehmen und dann selig zusammen einschlafen. Und morgen früh als Herr und Frau Doktor Klett zusammen am Frühstücksbuffet erscheinen. Jeder würde uns ehren und achten und grüßen, und Klaus würde dem Kellner ein großzügiges Trinkgeld geben.

Kind, warum WILLST du nur so ein Leben nicht.

Ich weiß es nicht, Tante Lilli.

Du LIEBST ihn eben einfach nicht, den Klaus Klett. Das ist es, Kind.

Tante Lilli hatte recht.

Ich liebte ihn einfach nicht, diesen Klaus Klett.

Und den anderen, Kind, was ist mit diesem anderen?

Wen meinst du, Tante Lilli?

Na, diesen älteren, diesen Kritiker.

Du meinst Georg?

Wie auch immer der heißen mag. Liebst du DEN denn, Kind?

Eine heimtückische Gänsehaut überzog mich von hinten und kroch unter meinen Kapuzenmantel in den Nacken hinein. Ich steckte die Hände tiefer in die Taschen und stapfte weiter. Das kalte einsame Ufer machte mir keine Angst mehr.

Ja, Tante Lilli, ich glaube, den liebe ich.

Ja, Kind, willst du denn mit ihm LEBEN? Willst du dich nach seinem Lebensrhythmus richten, willst du deine Interessen den seinen unterordnen?

Typisch Tante Lilli. Von Emanzipation hatte sie noch nie was gehört.

Ach, Tante Lilli, wenn ich so ganz ehrlich bin, liebe ich ihn doch nicht, sagte ich. Wenn ich so ganz ehrlich bin... ich glaube, ich liebe nur mich.

Wenn überhaupt.

Im Hotel lag ein Zettel für mich. Ich fürchtete schon, es sei eine unflätige finnische Beschimpfung oder eine Drohung, entweder gemeinsames Bad oder der Tod, aber es war eine Reihe von Klaus-Klett-Anrufen. Der erste erfolgte um 20 Uhr, der letzte vor wenigen Minuten. Das treudoofe Mädchen an der Rezeption hatte sie alle einzeln notiert. Ich trollte mich auf mein Zimmer, schlich sogar über den Teppichboden des langen Korridors, um das finnische Wildschwein nicht zu wecken, und griff sofort zum Telefon.

»Klaus?«

»Ja, wie schön, daß du anrufst. Ich habe mir Sorgen um dich gemacht. Wo warst du denn so lange?«

»Mit Kollegen einen trinken.«

»Ist es nett?«

»Es geht so.«

»Vermißt du mich?«

»Es geht so.«

Schweigen.

Dann: »Ich hole dich morgen abend am Bahnhof ab!«

»Ja gerne, wenn du magst.« Ich freute mich. So eine nette Geste.

»Wann kommst du denn?«

Ich nannte ihm den Spätzug, den ich nach dem Konzert noch nehmen würde. Schließlich wollte ich am Sonntag zu Hause sein, denn nachmittags mußte ich für ein Weihnachtskonzert ins Bergische Land.

Ich fragte ihn, was er denn so mache den ganzen Abend.

»An dich denken.«

»Und sonst?«

»Ich sitze am Computer, schreibe Rechnungen und so.«

Ich dachte, daß es recht erbaulich sein müßte, am Computer zu hocken und dabei an mich zu denken.

»Jedenfalls freue ich mich, wenn du mich morgen abholst«, beschloß ich das Gespräch (Kind, das ist im Hotel immer dreimal so teuer wie in der Zelle!) und legte auf.

Klaus dachte also an mich.

Und Georg?

Hach, wie es einen in den Fingern jucken kann, wenn so ein blödes Hoteltelefon da rumsteht. Selbst bei 60 Pfennig pro Einheit.

Nein, Kind, sei stark.

Du tust dem Mann bitter Unrecht. Er hält sich an eure Abmachung, da kannst du ihn unmöglich freitags nachts anrufen. Unmöglich. Der setzt sich doch sofort ins Auto und kommt!

Meinst du?

Mein Schweinehund kroch schwanzwedelnd aus seiner Hütte. In seinen gelbgrünen Augen glomm es gefährlich.

Natürlich! Und das wirst du nicht provozieren! Denk an Ulm, wie peinlich das war!

Ja, stimmt. Tschuldigung. Ab in die Ecke, durchtriebenes Hundeschwein!

Ich schaltete den Fernseher ein, lümmelte mich auf das Bett und knabberte an dem Schokolädchen, das wie immer auf dem Kopfkissen gelegen hatte.

Klaus nicht da, Georg nicht da. John Wayne reitet wild rum, schreit und schießt.

Wie langweilig.

Im anderen Programm war jemand zu Gast bei jemand in einer Talkshow. In einer Small-talk-Show. Wie langweilig.

Im dritten Programm schneite es bereits.

Ich fror.

Minibar? Einen kleinen heben?

Nein, Kind. Das kommt nicht in Frage. So haben schon viele Säufer-Karrieren angefangen.

Aber Schokolade liegt da noch drin! (Mehr, schrie der kleine Häwelmann.) Also gut. Weil du heute so einsam bist.

Ich rappelte mich hoch, um der Minibar 650 schwer zu bereuende Kalorien zu entnehmen, da klopfte es schwach an die Tür.

GEORG!!!

»Wer da?« (Rittersmann, Knapp, wer auch immer, kommen Sie rein und fühlen Sie sich ganz zu Hause! Die Diva langweilt sich!)

»Olli! Mäuslein, schläfst du noch nicht?«

Das Mäuslein schlief noch nicht. Es war gerade dabei, sich ein Stück Käse aus der Mausefalle zu holen. Jetzt fühlte es sich ertappt. Käse oder Wildschwein? John Wayne oder Olli? Ich bin immer für live. Olli also.

Er kam grinsend rein, in der Hand ungelogen vier Flaschen Jever Pilsener. Alle vier in einer Pranke.

Mit der freien Hand kniff er mich beherzt in die Wange.

»Mäuslein, ich habe noch Lust auf einen Schlaftrunk mit dir!«

Kein Wort über meinen unfeinen Abgang aus den Friesenstuben. Immerhin war das knapp zwei Stunden her. Vielleicht verjährte in Finnland so etwas schneller. Jedenfalls war das Wildschwein kein bißchen beleidigt. Mit den Zähnen entkorkte es sehr professionell eine Flasche, die anderen wurden am Bettrand drapiert.

»Komm, Mäuslein, wir trinken Versöhnung!«

Meine Schokoladengelüste verwandelten sich höflichst in Biergelüste, und ich setzte die mir dargereichte Pulle an den Hals. Ich überreichte sie ihm wieder, jedoch nur noch halbvoll und mit leichter Schaumkrone geziert.

»Mäuslein, du bist aber trinkfest!«

Fröhliches, zufriedenes Grinsen. Die Pranke, die vorher noch Druckstellen in meiner Wange hinterlassen hatte, zog mich aufs Bett.

Kind, *sei* vorsichtig. Es ist doch völlig klar, was dieser Kerl von dir will.

Ich fiel gegen sein Flanellhemd und versuchte mich aufzurichten. Dabei entfuhr mir ein Rülpser.

Olli lachte dröhnend.

»Mäuslein, du gefällst mir wahnsinnig. Du bist unheimlich in Ordnung, Mäuslein!«

Er warf meinen soeben mühsam aufgerichteten Oberkörper auf das Kissen und seinen eigenen oben drauf. Das Flanellhemd roch nach Schweiß. Sehr männlicher Schweiß irgendwie. So eine Art Holzfällerschweiß, wie man ihn nur mit sehr grünen Deodorants aus dem Werbefernsehen bekämpfen kann.

Olli schien kein Werbefernsehen zu gucken. Er roch nach Schweiß. Und das Verrückte: Es machte mich an!

Georg roch immer wahnsinnig verführerisch nach seinem Georg-Parfum, Klaus hatte auch so das eine oder andere Duftwässerchen. Und dieser finnische Baumfäller roch schlicht, aber kräftig nach Schweiß, und das machte mich an!

Wir wälzten uns eine Zeitlang auf dem Bett herum, kicherten, setzten die Flasche abwechselnd an den Hals, versuchten uns aufzurichten, ließen uns wieder fallen, glucksten, machten zweideutige Bemerkungen niederer Art und benahmen uns wie in einem schlechten Cowboyfilm. Nur daß da im entscheidenden Moment ausgeblendet wird. Hier in Bremen, in meinem Einzelzimmer nach hinten raus, blendete niemand aus. Die Show ging weiter. Obwohl ich das eigentlich gar nicht wollte.

Das Flanellhemd segelte durch den Raum, mein Pulli auch, die speckige Hose landete am Fußende. In meinem Kopf plätscherten zwei Liter Jever-Pils, und an meinem BH zerrten zwei derbe behaarte Wildschweinpranken. Ein Träger riß. Muß ich morgen unbedingt nähen, dachte ich. Habe keinen zweiten dabei. Und ohne BH singen, Kind, das geht nicht. Das dachte ich, als das prächtige große Organ über mich herfiel, das finnische.

Das ist also das Naturereignis. Ein Naturburschenereignis. Muß frau doch alles mal erlebt haben. Wo steht denn geschrieben, daß immer Liebe dabeisein muß. Ich bin doch erwachsen, weiß, was ich tue, und wenn nicht, das ist eben das Leben, ich bin nur einmal jung, und so eine Wünschelrute, so eine finnische, die hatte ich noch nicht in meiner Sammlung.

»Macht es dir Spaß, Mäuslein?« kam es stoßweise von oben.

Ich drehte den Kopf weg, weil die Bierfahne mir die Laune verdarb.

»Riesigen Spaß«, sagte ich und stöhnte ein bißchen. Diese Wünschelrute war so unverschämt groß, daß es schmerzte. Erotik oder Lust? Nicht die Spur. Aggression. Ich stöhnte wieder. Wahrscheinlich war es Wut. War der Waldschrat noch nicht fertig? Anscheinend verfügte er auch noch über die sagenumwobene Ausdauer, die Frauen angeblich zur wollüstigen Raserei bringt. Um diesem Mißverständnis vorzubeugen, stöhnte ich noch ein bißchen mehr, krallte meine Fingernägel in seine Hüften und kniff die Augen zusammen.

Gute Inszenierung.

Olli rollte sich nach kurzer Zeit von mir ab.

Wohin starren, wenn nicht durch Tränen hindurch? Auf das graue Hoteltelefon, die Einheit 60 Pfennig. Hättest du doch angerufen, dann wäre dir diese Nummer erspart geblieben. Die finnische Waldschratnummer.

Olli rülpste und legte seinen Arm auf mich. Ich entdeckte eine kleine Tätowierung. Mit einem tätowierten Kerl hatte ich geschlafen. Mit einem finnischen Kerl, einem ordinären. Ich sprang auf, raste unter die Dusche. Ekel. Nicht in den Spiegel sehen. Es schwirrte in meinem Kopf von zwei Litern Jever.

Und drinnen in meinem Bett lag das finnische Wildschwein und rülpste.

Ich wollte mich gern übergeben. Doch es funktionierte nicht.

Irgendwann fing ich mich. Ging wieder rein ins Zimmer, mein Kopf surrte, das Bett mit dem Wildschwein drehte sich. Der behaarte Arm streckte sich nach mir aus. Die letzte Bierflasche fuhr vor.

»Mäuslein, du bist ganz großartig. Hier, trink, dann fühlst du dich besser.«

Ich trank. Fühlte mich auch prompt besser. Im Fernsehen lief irgendein Schwarzweißwestern. Ohne John Wayne diesmal. Ich starrte auf die verschwommene Mattscheibe.

»Mäuslein, wenn du noch mal Lust hast…«

»Was?« Ich sah ihn entgeistert an. Der behaarte Arm näherte sich mir ohne Bierflasche.

»Ich kann jetzt wieder!«

»Ich aber nicht!« Ich wischte seinen Arm weg. Doch böse sein durfte ich ihm eigentlich nicht. Er würde nie verstehen, warum. Ich hatte doch mitgemacht. Vom ersten Kichern bis zum letzten Stöhnen. Daß alles inszeniert war, war doch nicht sein Problem. Er hatte sich prima amüsiert. Und wenn ich mich nicht amüsiert hatte… tja, Mäuslein, dann darfst du eben nicht schauspielern. Du hättest ja nein sagen können. Wo du doch emanzipiert bist.

Ich bat ihn zu gehen. Das schaffte ich gerade noch.

Er schnappte sich Flanellhemd und Speckhose, kniff mich noch einmal beherzt in die Wange und sagte: »Schlaf gut, Mäuslein, morgen ist auch noch ein langer Tag.« Dann begab er sich splitternackt auf den Flur. Die leeren Bierflaschen ließ er auf meinem Fußboden stehen. Eine von ihnen stand neben dem grauen Telefon, die Einheit 60 Pfennig.

Ich sank auf das Bett.

Georg. GEORG! Was habe ich dir angetan! Ich sterbe vor Sehnsucht, Buß und Reu! Wenn du es wüßtest…

Und bei diesen Gedanken konnte ich endlich heulen. Wenn auch nur ein bißchen. Selbst zum richtigen Tränenbad war ich schon zu abgebrüht.

Ich verachtete mich noch ein bißchen, dann holte ich mir die Schokolade aus der Minibar. Saß im Bett, mampfte die braune Sünde. Auf die kam es nun auch nicht mehr an.

Georg. GEORG!!! SOFORT sollst du reinkommen, mich in den Arm nehmen, mich trösten und mir kein bißchen böse sein. Und sanft in mein Ohr flüstern, daß das doch jedem mal passieren kann. Und daß du das finnische Wildschwein gut verstehen kannst. Und daß du, wenn du ein finnisches Wildschwein wärest, genauso gehandelt hättest.

Mir wurde ziemlich schlecht von der Schokolade.

Ich legte mich zurück und starrte an die Decke.

Morgen ist halleluja angesagt.

Schlaf jetzt, Kind.

Und das schaffte ich dann auch.

In meinem grenzenlosen Ego-Trip schaffte ich es, mit zweieinhalb Liter Jever, einer halben Tafel Schokolade und einer sehr üblen Nummer im Kopf einzuschlafen. Und dabei kein bißchen an das Konzert zu denken.

26

Bremen kann wunderschön sein, aber auch grau. Wenn es nieselregnet, der Weihnachtsmarkt noch geschlossen ist, der Rathausturm graugründumpf in die Wolken ragt und der Tag bis zum Konzert noch genau acht Stunden hat, die herumgebracht werden müssen, dann ist Bremen grau. Ich hatte den Frühstücksraum gemieden, mir war eh noch fürchterlich schlecht, und war fröstelnd ins Freie getreten. Mein erster Blick galt allen parkenden Türkenopels im Umkreis des Hotels. KEINER! Und schon gar nicht mit Bonner Nummer.

So einsam, allein, elend und mies kann man sich also fühlen. Interessant. Muß man alles mal erlebt haben.

Ich ging ins Museum. Dumpfe, schwüle Luft, halbdunkle Räume, gelegentlich gelangweilte Besucher in tropfenden Mänteln. Mein Magen rebellierte. Hunger und Übelkeit im Zweikampf mit dem Schweinehund, der heute morgen völlig verkatert vor seiner Hütte lag und mir das Hinterteil zuwendete.

Noch sieben Stunden bis zum Konzert.

Also dann wollen wir mal Naturvölker gucken. Jede

Menge hölzerne Neger, vor Buschhütten hockend und mit tönernen Gefäßen rumhantierend.

Und da. Affen, Zebras, Elefanten, alle prima ausgestopft. Ein Wildschwein. Ekelhaft. Diese Stoßzähne.

Eine Damentoilette. Ich ging hinein. Mein Spiegelbild. Sehr unerfreulich. Alte, wenn dir jemals wieder elend ist, dann denk an diesen Moment in Bremen im Damenklo des Überseemuseums. Du wirst dich sofort besser fühlen.

Noch sechs Stunden und vierzig Minuten.

Bäh, was ist mir übel. Eine Zigarette im Rauchereckchen des Foyers.

Und dann tapfer weiter die Museumsrunde machen. Heute abend holt mich Klaus am Bahnhof ab. Nur noch etwas mehr als 14 Stunden. Dann werde ich mich an seinen Ledermantel drücken und seinen feuchten Kuß von der Backe wischen und mit ihm noch in eine feine Kneipe gehen oder mit ihm in meiner roten Küche Sherry trinken. Einer hat mich richtig lieb.

Klaus. Noch 14 Stunden.

Ich stand vor den großen Landkarten, auf denen zu sehen war, welche Negerstämme wohin gewandert sind, und die schwarze Schrift floß in sich zusammen. Heulen, Selbstmitleid haben, das kannst du. Dicker Kloß im Hals. In sechs Stunden mußt du aber die Stimmbänder wieder freilegen, hörst du?

Mein Schweinehund krümmte sich vor seiner Hütte. Nichts los mit dem Kerl. Aber gestern abend wilde Orgien feiern. Schweinehund und Wildschwein. Ein richtiges Bestien-Festival.

Ich kriegte den Tag irgendwie herum. Gegen zwei Uhr mittags hatte ich genug ausgestopfte Paviane und Schabrackentapire besichtigt, verließ das Museum auf schneematschigen Pfaden und aß irgendwo einen Salat.

Bremen war tot und beleidigt.

Der ausländische Kellner, der mir das Essen brachte, tat mir genauso leid wie ich vermutlich ihm.

Die Erde ist ein ödes Jammertal. Und angefüllt mit Elend, Angst und Qual.

Der Salat schmeckte nach Seife und eingeschlafenen Füßen.

Ich zahlte und ging. Im Hotel versuchte ich einen Mittagsschlaf. Das Zimmermädchen hatte die Bierflaschen diskret weggeräumt, die halbe Tafel Schokolade lag neben dem grauen Telefon.

Kurz nach drei.

Noch drei Stunden bis zum Konzert.

Noch neun Stunden bis zum Wiedersehen mit Klaus.

Noch wieviel Stunden bis zum Wiedersehen mit Georg???

Wenigstens hatte das Wildschwein mich heute noch nicht belästigt.

Ich sah ein bißchen fern. Eine Kindersendung mit Pumuckl oder wie der Kerl heißt. Laute, häßliche Töne, schrille Farben. Im anderen Programm wanderte eine wakkelnde Kamera durch herbstliche Parkanlagen. Das schwankte so, daß mir gleich wieder schlecht wurde. Im dritten Programm sah man das Sendezeichen, hörte aber immerhin Wolfgang Amadeus Mozart. Ich schloß die Augen und hörte etwas Musik. Danach Haare waschen, schminken, einsingen im geliebten, unpersönlichen Hotelbadezimmer.

Noch eine Stunde bis zum Konzert.

Die Stimme funktionierte überraschend gut. Mein Schweinehund grinste schon wieder. Na also, Alte. Dich haut doch nichts wirklich vom Stuhl, und das macht einen echten Profi aus. Wenn du heute singst, ahnt kein Mensch in der überfüllten Kirche, was in dir vorgeht. Und das Wildschwein? – Das röhrt seine finnischen Naturlaute. Du wirst es freundlich anlächeln und so tun, als sei nichts gewesen.

Ein letzter Blick in den Badezimmerspiegel. Na bitte. Wozu doch so ein Schminktäschchen nützlich ist. Rote, frische Wangen, strahlende Augen, schön rosa Lippen, dezent gepuderte Nase… eine Frau von Welt. Ich eben.

Ich laß mir doch nicht hinter die Fassade gucken. Ich doch nicht.

Damit raffte ich meine Noten, die übliche Plastiktüte mit dem Abendkleid und der Stimmgabel und wanderte über den jetzt geöffneten Weihnachtsmarkt zwischen den Sonntagsspaziergängern hindurch zur Kirche hinüber. Noch eine halbe Stunde bis zum Konzert.

Na bitte, wie habe ich den Tag herumgekriegt?

Fast hätte ich mir noch eine Tüte Popkorn gekauft. Da sah ich ihn. Von hinten. Aber er war es doch? Nein, Quatsch, Blödsinn, Fata Morgana. Kind, geh weiter und denk an dein Konzert.

Er ist nicht hier.

Und wenn, dann bist du sowieso beleidigt. Ihr habt ausgemacht, euch bis Neujahr nicht mehr zu sehen.

Ich blieb stehen. WAR er es?

Wahrscheinlich wünschte ich es mir so sehr, daß ich jetzt jeden zweiten Popelinemantel für den seinen hielt. Blödsinn. Bremer Familienväter haben auch Popelinemäntel. Aber die Haltung! Wie er raucht! Wie er vor dem Plakat steht!

Er WAR es.

Georg. Er stand in Bremen auf dem Rathausmarkt und studierte angelegentlich das Plakat, das gelbe. Und rauchte.

Gänsehaut. WILL ich das jetzt? Wo ich mich gerade so gut gefangen habe? Wo ich den Tag allein herumgekriegt habe, nicht geweint habe, schön eingesungen und gut geschminkt bin? Ich hab meine Fassade doch wieder! MUSS ich jetzt Georg haben?

Popkorn wollt ich mir doch kaufen. Eine Frau von Welt wirkt noch viel lässiger, wenn sie popkornknabbernd auf die Bühne tritt. Mit zitternden Fingern legte ich der Popkornfrau die zwei Mark fünfzig hin, die sie für die lauwarme Tüte duftender Kleinsünden haben wollte.

Kleine Sünden straft der liebe Gott sofort. Beim Aufreißen der Tüte zitterten meine Finger so sehr, daß die kleinen Puffteufelchen mir ins Gesicht und auf den Mantel und von dort aus auf den Bremer Rathausplatzasphalt fielen. Zu Hunderten. Fast alle. Die schlappe Tüte wies nur noch zwei Dutzend Popkörner auf, die den Weg nach draußen nicht so ohne weiteres gefunden hatten. Mit knallrotem Kopf stopfte ich mir wenigstens die in den Mund. Ein Herr war hinzugesprungen, um mir beim Aufsammeln der zweihundert Popkörner behilflich zu sein, aber dann fiel ihm ein, daß die Frau, die hochroten Hauptes an den restlichen Popkörnern herumknabberte, wohl gar nicht bereit war, von der Erde zu essen. Er hielt mitten in seiner Verbeugung inne, grinste schief und machte eine Kehrtwende. Ich schielte zu Georg hin. Wie peinlich. Wie entsetzlich peinlich.

Solch ein verdorbener Auftritt.

Georg aber war taktvoll. Oder blind. Jedenfalls studierte er weiter das gelbe Plakat. Wahrscheinlich lernte er Wort für Wort auswendig.

Ich schritt also mutig in Richtung Kirchentür. Schließlich hatte ich ja was vor. War ja nicht zum Vergnügen hier. Was ich zu ihm sagen sollte, wußte ich nicht bis zu der Sekunde, wo er vorgab, mich zu entdecken. Er sah mich so erstaunt an, als wollte er fragen: »Du hier?«

Es war aber rechtmäßig an mir, erstaunt zu sein, und deshalb sagte ich beiläufig, wobei ich mir einige Popkorns vom Busen pflückte: »Wenn du da rein willst, kannst du 'ne Freikarte haben!«

»Ich habe mir heute vormittag schon eine gekauft. Für 40 Mark. In der ersten Reihe.«

»WAS hast du? WANN? In WELCHER Reihe?« herrschte ich ihn an und biß auf einem Restpopkorn herum.

»Ich wollte auch mal ganz vorne sitzen«, sagte Georg mit unglaublich zweideutigem Schmollmund. »Vielleicht erhöhen sich dann meine Chancen.«

Ich konnte nicht anders. Ich umarmte ihn, daß es krachte. Als ich ihn wieder ansah, hatte er Popkorn an seinem Popelinemantel kleben.

»Wenn du schon in der ersten Reihe sitzt, kannst du den Walkman halten«, sagte ich, kramte ihn aus der Manteltasche und zeigte ihm, daß er auf den roten Knopf drücken müsse. Georg nahm meinen zitternden Zeigefinger und küßte ihn. Mir wurde ziemlich flau, und in der unteren Magengegend und oberhalb meiner flatternden Knie begann es zu prickeln.

Noch 15 Minuten bis zum Konzert.

»Ich muß da wohl jetzt rein...« stammelte ich blöde.

»Ich auch«, lächelte Georg.

Wir schlängelten uns an dem Pulk von Sonntagsspaziergängern, die alle aus lauter Langeweile ins Konzert wollten, vorbei. Ich rauschte schnellen Schrittes in die Sakristei. Georg warf mir eine zarte Kußhand nach und nahm in der ersten Reihe Platz. O gütiger Himmel. Gütiger, verrückter, völlig unkonsequenter Himmel, du. Warum freute ich mich denn so schrecklich?

In der Sakristei, zwischen einem muffig riechenden Schrank (wahrscheinlich hatten die pubertären Meßdiener darin ihre durchgeschwitzten Gewänder untergebracht) und dem Ständer mit den Kerzen, die bei besonderen Feierlichkeiten durch die Kirche getragen werden, stand das finnische Wildschwein und röhrte einige Laute. Wahrscheinlich war das Einsingen. Als ich ihn sah, in seinem verknitterten Frack mit der gelblich schmuddeligen Fliege, durchströmte mich ein solches Glücksgefühl, Georg betreffend, daß ich ein Jubeln nur mühsam unterdrücken konnte.

»Mäuslein!« röhrte das Wildschwein, und ich umarmte ihn stürmisch und küßte seine pickelige Wange, die überraschenderweise nach Rasierwasser roch.

»Bist du mir nicht böse, Mäuslein?« fragte mich Olli überrascht, und ich strahlte ihn an: »Nein, wieso denn?«

Der Finne war eindeutig irritiert, aber bevor er mir einen neuen Antrag, die kommende Nacht betreffend, machen konnte, stürzten die frisch eingesungenen und gemaßregelten Knaben des Chores durch eine Hintertür herein und versammelten sich in der Sakristei, bis diese zu bersten schien. Olli tauchte zwischen ihnen unter, und ich kämpfte mich durch die ungebändigte Jungenherde zum Spiegel, um meine unzweckmäßige Röte noch einmal zu übertünchen.

Der Chorleiter und Kinderrüger ließ sich aus dem Gewühl vernehmen: »Wir gehen jetzt ganz LEISE in die Kirche, EINER nach dem ANDEREN; auch DU, LARS!« Ich wußte nicht, wie Lars diese Aufforderung zu verstehen hatte, aber Lars schien es zu wissen. Er stellte die Kerze, deren Nippel er gerade mit seinem Taschenmesser massakriert hatte, wieder in den Ständer und reihte sich irgendwo ein. Die Jungenhorde trappelte in etwas krummer Reihe nach draußen ins geheimnisvoll beleuchtete Kirchenschiff. Das Raunen des Publikums erstarb. Wahrscheinlich reckte jetzt jeder den Hals, um die lieblichen Buben betrachten zu können. Der Dirigent wischte sich den Schweiß vom Hals und kämmte sich hastig vor dem kleinen Spiegel, den sonst der Pfarrer und Meßdiener vor ihrem Auftritt wohl benutzten. Dann sah er hastig und sichtlich nervös auf uns drei Solisten.

»Ist die Sopranistin immer noch nicht da?«

Panik glomm in seinen Augen. Olli grinste. Der Tenor blickte desinteressiert in seine Notenmappe. Ich sah mich suchend um, als würde ich erwarten, die Dame hinter der Heizung zu entdecken.

»Wie sieht sie denn aus?« fragte Olli interessiert.

»Das WEISS ich doch nicht!« rief der Dirigent in sichtbarer Verzweiflung. »Die hat mir doch eine Agentur geschickt!«

»Anscheinend nicht«, wagte ich vorlaut zu bemerken.

Der Dirigent schluckte dermaßen laut, daß ich fürchtete, er hätte seinen Adamspafel verschluckt. Doch der tanzte noch nervös hinter der makellos gestärkten Fliege, die gegen Ollis hängendes Schmuddelgebilde eine Augenweide war.

»Können Sie die Sopranarie singen?« fragte er plötzlich den Tenor. Der hob erstmalig den Blick aus seinen Noten und sagte: »Natürlich nicht!«

Klarer Fall. Tenöre können nie etwas anderes singen als das, was ihnen ihre Gesangslehrer in mühsamer Kleinarbeit wochenlang eingetrichtert haben.

Olli fing an, in seinen eselsohrigen Noten zu wühlen. »Soll ich?« bot er selbstlos seine Dienste an.

»Ja, KÖNNEN Sie denn so hoch?« fragte hilflos der Dirigent. Ich fand die Frage ausgesprochen blöde.

»Kann ich fisteln!« grinste Olli frech und zwinkerte mir zu.

»Fisteln? Tja, ich weiß nicht...« Verlegen guckte der geplagte Chorleiter mich an. »Und Sie?«

»Ich kann auch fisteln«, gab ich zurück. Zum Glück kannte ich die Arie vom Hören.

»Gut, dann fisteln... ich meine, dann singen Sie das Zeug«, befahl der Chef und fügte noch ein »Ich bitte Sie herzlich« hinzu.

Merkwürdigerweise war ich nicht die Spur nervös, als wir endlich am Altar aufmarschierten und unsere ungewärmten Holzplätze einnahmen. Das Konzert begann; ich schaute in die Sopranarie. Wieso hatte ich mich jemals wegen einer Mezzoarie aufgeregt, wenn ich nun eine Sopranarie vom Blatt singen würde? Vor vollbesetzter großer Kirche? Vor GEORG?

Ich erlebte dieses Konzert wie einen Traum. Als hätte ich Sekt getrunken oder ein paar von Georgs Vorher-Nachher und Zwischendurch-Zigaretten geraucht. Ganz schwebend stand ich auf, sang die Mezzoarie und danach ohne große Umschweife die Sopranarie. Als wenn ich nie was anderes gesungen hätte. Zwischendurch war ich wohl mal eine Terz zu tief geraten, ich hörte Olli die richtigen Töne quietschen und sprang unauffällig bei passender Gelegenheit in die richtige Höhe zurück.

Natürlich waren diese hohen Töne nicht besonders talentiert hervorgebracht, aber ich sang sie, fröhlich, gutgelaunt, überzeugend, so wie ich unter der Dusche anderer Leute Arien zu trällern pflege. Leicht, ohne Talent und ohne Streß. Als ich mich wieder setzte und Ollis Hand mein Knie streifte, sah ich Georgs Gesicht. Anerkennung und Stolz. Ich spitzte die Lippen, und er antwortete mit einer Kußhand. Woraufhin die Dame neben ihm ihn strafend anguckte und etwas von ihm abrückte.

Das Konzert nahm seinen Lauf.

Die Knaben sangen heiser und eifrig, der Tenor näselte steif und arrogant, unser Duett wurde erneut zu einem Zweikampf. Ich ging aber als strahlende Siegerin hervor, denn erstens konnte mir niemand die Gunst des Dirigenten jemals wieder streitig machen, und zweitens war ich ganz einfach besser! Jung und fröhlich und lächelnd und glücklich und musikalisch. Jawoll. Das war *der* alles nicht. Olli röhrte, daß die katholischen Säulen wackelten und die Herrschaften in den vorderen Reihen sich gegen seine Spucketröpfchen mit ihren Programmheften schützten.

Alles in allem ein gelungenes Konzert.

Nachher rannte ich direkt zu Georg. Das Publikum hatte sich noch nicht einmal rausgedrängelt.

»Hauen wir ganz schnell ab?«

»Wohin du willst!«

»Gut, zur Sakristeitür raus, das geht am schnellsten!«

Ich packte ihn am Ärmel und zog ihn hinter mir her. Zwei Minuten später waren wir in den Friesenstuben.

»Gehen wir ganz hinten ins Eckchen!«

Diesmal schob ich ihn.

»Zwei Jever, große, bitte, und schnell!«

Ich war ungeheuer aufgeladen und hätte die Friesenstuben gekauft, wenn ich dadurch schneller ein Bier bekommen hätte.

»Wie war ich?« strahlte ich ihn an und nahm seine Hand.

»Wunder-wunder-wunderbar.«

»Du beflügelst mich eben«, strahlte ich weiter.

»Und du machst mich schrecklich, schrecklich glücklich.«

Wir küßten uns. Über den Tisch hinweg und in aller Öffentlichkeit.

Er schmeckte nach Rauch und nach Georg und nach unzähligen Liebesstunden in meinen gelben Tapeten. Wie *hatte* ich nur freiwillig darauf verzichten können!

Nach dem zweiten Bier hatte ich eine unbändige Lust auf ihn. »Gehen wir?«

»Wohin du willst!«

Eigentlich fuhr mein Zug um 21 Uhr 06. Und Klaus würde ja um Mitternacht am Bahnhof stehen, vermutlich mit einer blauen Gladiole oder einer Flasche Champagner oder einem Verlobungsring oder etwas Ähnlichem.

Aber mein Schweinehund hatte blendende Laune, hockte schwanzwedelnd vor seiner Hütte und sagte unmißverständliche Dinge wie: »Du bist keinem was schuldig, tu, was dir Spaß macht, Georg ist dir am wichtigsten, sei kein Anstands-Langweiler!«

Außerdem beflügelten mich dieses köstliche norddeutsche Bier, mein (wie ich fand) unbeschreiblicher Erfolg und (nicht zu überbieten) Georgs Anblick. Kein Gedanke an den Intercity.

Ich zahlte für uns beide, überhaupt war ich eindeutig der Chef, und zog Georg hinaus und hinüber zum Hotel.

»Eigentlich war ich schon ausgezogen, aber haben Sie doch noch ein Zimmer für kommende Nacht?« fragte ich die Blonde an der Rezeption.

»Für Sie alleine oder auch für den Herrn?«

»Für den Herrn auch.«

»Ein Doppelzimmer oder zwei Einzelzimmer?«

Der Herr steckte sich beiläufig eine Zigarette an.

Alles blieb wieder mal an mir hängen.

»Also, wenn Sie schon so direkt fragen... ein Doppelzimmer.«

»Und soll ich die Anrufe aus K. zu Ihnen durchstellen?«
Kluge Blonde, sie verstand gleich, was Sache war.

»Anrufe aus K.?« stellte ich mich blöd.

»Ein Dr. Klett hat schon zweimal nach Ihnen gefragt.«

»Ich rufe ihn selbst zurück, danke.«

Ich bekam den Zimmerschlüssel, und wir fuhren im Lift nach oben. Völlig ohne Gepäck, wie sich das für zwei heimliche Liebende gehört.

Oben setzte ich mich aufs Bett. Diesmal lagen sogar zwei Gutenacht-Schokolädchen darauf. War ja auch ein Doppelbett. Georg stand am Fenster und rauchte schon wieder.

»Mußt du noch telefonieren?« fragte er taktvoll.

»Später.« (Es war noch nicht 21 Uhr 06, und ich konnte noch nicht den verpaßten Zug vorschieben.)

Wir telefonierten beide nicht.

Wir waren uns selbst genug.

Heiß und innig und unglaublich wild und mit Tränen auf beiden Seiten. Warum ich heulte, wußte ich nicht so genau. Glück, Erleichterung, Reue, was Klaus betraf, oder noch mehr Reue, was das finnische Wildschwein betraf? Oder schlicht und ergreifend Betrunkenheit mit einem Schuß Hysterie – eine durchgedrehte kleine Sängerin, die über ihre Grenzen gestoßen war, in jeder Hinsicht, und das Leben langsam nur noch als Film erlebte, ohne jede Eigenverantwortung zu übernehmen. Wahrscheinlich heulte ich, weil ich spürte, daß das Leben nie wieder so spannend und kurzweilig werden würde. Und Georg heulte vermutlich aus demselben Grunde. In seinem Alter schon erst recht.

Als wir wieder zu uns kamen, aßen wir die Schokolädchen und rauchten eine.

Dann griff ich zum Hörer.

Klaus war entsetzlich enttäuscht. »So so, du hast also den Zug verpaßt. Aus Versehen oder mit Absicht?«

Ganz blöde war er ja nicht, der Klaus Klett.

Ich log und heuchelte rum, der Dirigent habe mich wieder engagiert, die Verhandlungen hätten so lange gedauert... außerdem hätte ich für morgen eine Mitfahrgelegenheit mit einem Cellisten, der aus K. stamme und hier rein zufällig mitgespielt habe... Ich schämte mich vor Georg, so zu lügen, aber in dem Moment glaubte ich selbst an all das Zeug, das ich erfand.

Klaus sagte, es sei aber nett, daß ich noch anriefe, denn da könne er noch eine Verabredung wahrnehmen, die er meinetwegen abgesagt habe.

Ich fand den Spruch wahnsinnig blöd, aber er erleichterte mir das Gewissen. Sollte Klaus doch seine Frau treffen oder wen auch immer. Wahrscheinlich war die Verabredung aber nichts anderes als ein trautes Tête-à-tête mit seinem Computer. Ich wünschte ihm mit süßlichem Unterton einen schönen Abend und er möge doch unbekannterweise seine Verabredung grüßen.

Als er aufgelegt hatte – wohlgemerkt, *er* hatte aufgelegt –, war mir klar, daß ich ihn so bald nicht wiedersehen würde. Vielleicht nie mehr. Kind, du hast ihn dir verscherzt. Einen guten Freund verscherzt. Mehr ist er ja für dich nicht gewesen.

Der Lover, der war hier an meiner Seite. Schweigend steckte er mir eine Zigarette ins Gesicht. Ich schämte mich ein bißchen vor ihm, daß ich Klaus so mies abgefertigt hatte. Aller Glanz, alle Glorie der letzten Stunden wollten in sich zusammensinken. Mein Schweinehund guckte betreten auf seine Vorderpfoten. Kein feiner Akt, wirklich nicht.

Wir starrten ein wenig an die Decke, die weißgetünchte. Unsere Rauchwolken mischten sich in unsere schwefelschwülen Gedanken. Mir war nach einem Sekt.

Ich köpfte eine Flasche mit dem gewissen Extra für 28 Mark und trank zwei Gläser davon hastig aus.

»Ich bin schrecklich mies, nicht?« versuchte ich seine Zustimmung zu bekommen. Meinem Schweinehund tränten die Augen.

Georg lächelte milde, aber schmallippig.

»Er zwingt dich ja zu solchen Eskapaden.«

»Findest du?« Hoffnungsfroh leerte ich ein drittes Glas Sekt.

»Es ist ja wohl sonst nicht deine Art, jemanden so... schnippisch zu versetzen.«

Nein. Nicht meine Art. Georg hatte ich viel herzlicher versetzt. Richtig liebevoll. Mit vielen Umarmungen und einem Abschiedsbeischlaf.

»Er fordert es geradezu heraus«, schnaufte ich. »Eine Verabredung! Unglaublich plumpe Masche!«

»Und wenn er wirklich eine Verabredung hat?«

»Ach was! Mit WEM denn!«

Meine Hybris kannte keine Grenzen mehr. Außer mir selbst fiel mir in ganz K. keine Frau ein, mit der Klaus sich ernsthaft hätte verabreden können. ICH war doch der Stachel in seinem Herzen, und zwar der einzige, verdammt noch mal! Und NACH mir gab es überhaupt keine Frau mehr im Leben eines Mannes.

»Und wenn er wirklich seine Frau trifft?« nahm Georg vermittelnd den Faden wieder auf.

»Ach was, er haßt sie.«

Wir kamen auf keinen grünen Zweig. Aber meine schwefelschwüle Triefstimmung hatte sich in fröhliche Aggression verwandelt. Ich trank ein viertes Glas Sekt, dann sah ich bunte Sterne, und mein Schweinehund sah aus wie Meister Propper: feist und fett und grinsend, mit verschränkten Armen vor der muskulösen Brust und dem Ausdruck im Gesicht: »Mir kann keiner!«

27

Sonntagmorgen in Bremen, der Dom schepperte feierlich, es weihnachtete schon wieder sehr, man lustwandelte über den kalten Rathausplatz, die Buden auf dem Weihnachtsmarkt erwachten und zogen sich die nächtlichen Planen über den Kopf... Georg und ich marschierten Arm in Arm zu seinem Auto, das er »etwas abseits« geparkt hatte, wie sich herausstellte, irgendwo an einer befahrenen Durchgangsstraße nach Heidenoldenhausen oder so ähnlich.

»Darf ich fahren?« fragte ich, angesichts einer vierstündigen Autobahnfahrt.

Er gab mir schweigend den Autoschlüssel. Irgendwie hatten sich unsere Rollen schon gut verteilt.

Ich bestellte die Zimmer, das Bier, fuhr Auto und köpfte den Sekt. Er, er liebte mich eben. Seine Aktivität bestand ausschließlich darin, in meiner Nähe zu sein und das zu tun, von dem er annahm, daß ich es auch tat oder daß es mir gefiele, was er täte. In diesem Falle also, auf dem Beifahrersitz zu hocken, schöne Musik durch die vergleichsweise klägliche Stereoanlage zu jagen und mich alle fünfzig Kilometer mit einer bereits brennenden Zigarette zu versorgen. Die Sonne schien, es war eisig kalt, aber die kahle Landschaft strahlte, und wir taten es ihr nach.

Georg sagte in Höhe des Kamener Kreuzes, daß er noch nie so glücklich gewesen sei wie heute, und ich sagte auch so was Ähnliches. Und quälte der scheppernden Opelkiste 180 Sachen ab. Kurz vor Remscheid begann der Opel bockig zu holpern. Das Autoradio schrillte gerade »Dich, teure Halle, grüß ich wieder!« – aber ich dachte, daß der Opel vermutlich in Kürze wieder die teure Reparaturwerkstatthalle grüßen würde.

»Der Opel bockt.«

Georg schnellte erschrocken nach vorn und taxierte den Benzinanzeiger. Leer.

»O ja, wir haben kein Benzin mehr!«

»Und jetzt?« Ich lenkte die müde Karre zitternd auf den Reservestreifen.

»Ich geh mir welches borgen.«

»Wie macht man das, Benzin borgen gehen?«

Georg stieg aus und wanderte wieder zurück Richtung Bremen. Ich starrte ihm durch den Rückspiegel nach, dem immer kleiner werdenden beigefarbenen Popelinemantel.

Was jetzt? Es ging auf Mittag zu, und abends hatte ich ein Weihnachtskonzert im Bergischen.

Vorher nach Hause, duschen, umziehen, einsingen, Noten, Schuhe, Kleid, Stimmgabel…

Welcher Streß. Mir brach der Schweiß aus. Kleine Sünden straft der liebe Gott sofort. Große auch relativ kurzfristig, wie ich feststellen mußte. Ich saß in dem Opel und schwitzte. Neben mir tobte der Autobahnverkehr. Georg war nirgends mehr zu sehen. Minuten können qualvoll lang sein.

Brünhilde grüßte keine Halle mehr, die Kassette war abgelaufen. Ich hatte auch keinen Bock auf mehr von diesen tremolierenden Damen, die Sieglinde, Flosshilde und Schwertleite heißen und alle viel größeres Stimm- und Körpervolumen haben als unsereiner.

Ich drehte ein bißchen am Radio herum, aber weder adventliche Knabenchöre noch ein unzusammenhängendes modernes Hörspiel, noch die ewigen elektronischen Selbstverwirklichungsergüsse der heutigen Komponisten auf WDR drei konnten mich beruhigen. Ich kaute in wilder Hast zwei oder drei Verdauungsriegel für eine Mark achtundvierzig aus dem Reformhaus, mangels Quark.

Kein Georg. Die böse, böse Uhr. Schon kurz vor drei. Um sechs war Weihnachtskonzert im Oberbergischen... Ich begann zu überlegen.

Falls Georg nun keinen Gönner oder Borger fand... wie lange läuft man von Remscheid bis Immekeppel? Entschieden abgelehnt, der Vorschlag. Daumen raus? An der Autobahn? Wild fuchteln, vielleicht mit einem Klavierauszug winken oder mit dem Abendkleid wedeln? Auf spitzen Schuhen in Panik zur nächsten Raststätte joggen? Dort telefonieren? Taxi! Das würde nur knapp das Honorar von Bremen kosten... Kein Georg. Die Uhr, sie schien das einzige Gerät an diesem Opel zu sein, was noch funktionierte. Sie zeigte ganz, ganz böse Sachen an.

Ich stieg aus, da ich keine Gesundheitsriegel zum Verschlingen mehr fand und Georg die Zigaretten mitgenommen hatte. Irgendwas mußte man doch finden, zum Kauen oder Lutschen. Nichts.

Erbarmungslos vorbeirasende Autos.

Vielleicht, wenn ich mal vorsichtig winkte? Daumen raushalten ist auf der Autobahn verboten.

Den Wink mit dem Bachschen Klavierauszug verstehen schätzungsweise nur fünf Prozent aller bundesdeutschen Autofahrer. Viel zu kleine Chance. Womit also winken?

Ich winkte schließlich zaghaft mit der rechten Hand. Manche winkten verbindlich lächelnd zurück, besonders die freundlichen alten Ehepaare, die selbst einen Opel fuhren und dementsprechend viel Verständnis für mich aufbrachten. Zweimal machte ein Auto Anstalten zu halten, aber es saßen furchterregende wilde Hengste am Steuer, und ich drehte mich jedesmal hastig weg und tat so, als hätte ich es mir anders überlegt.

Außerdem schielte ich ununterbrochen in Richtung Bremen, wo ich Georg am Horizont auftauchen sehen wollte. Kein Georg. Nur dieses Fata-Morgana-Flimmern auf der sonnigen Autobahn.

Da hielt einer. Vielleicht war es ein Mazda, aber ich kann es nicht beschwören. Jedenfalls ein Auto mit einem passabel aussehenden Mann drin, der fragte, nachdem er das Seitenfenster runtergedreht hatte, ob er mir irgendwie weiterhelfen könne, zum Beispiel durch Abschleppen. Ich verkniff mir die zweideutige Frage »mich oder das Auto?« und fragte bescheiden, ob er zufällig nach Immekeppel führe.

»Nach...wohin?«

»Immekeppel. Im Bergischen.«

»Nein. Ich fahre nach Aachen.«

»Nehmen Sie mich mit bis K.?«

»Ja, steigen Sie ein. Und was machen Sie mit Ihrem Opel?«

»Welcher Opel?«

»Na, der Opel da! Oder ist das nicht Ihr Opel?«

»Ach der! Nein, das ist nicht mein Opel!«

»Na, dann steigen Sie ein!«

Ich holte meine kleine Tasche vom Rücksitz und wollte eigentlich noch einen Zettel schreiben. Aber woher nehmen und nicht stehlen, einen Zettel mitten auf der Autobahn?

Ich hinterließ also nichts weiter. Nur meine Gesundheitsriegelpapierchen. Das war Botschaft genug. »Bin nach knappem Hungertod doch noch auf Rettungsboot umgestiegen.« Der nette Mensch in dem Mazda fuhr los, ziemlich schnell und so, daß man meinen konnte, er hätte durchaus einen gewissen Umgang mit seinem Auto. Jedenfalls verwechselte er weder Bremse und Gaspedal, noch quälte er die Gangschaltung, noch guckte er öfter als zweimal pro Minute in den Außenspiegel. Er blinkte nicht, er hupte nicht, er fuhr einfach zügig geradeaus. Und es lief überhaupt keine Musik, weder erschollen Walküren-Gesänge aus den Boxen, noch tropfte seichte Musik aus ihnen. Einfach angenehm und entspannend.

»Wo darf ich Sie denn nun hinbringen?« fragte der nette Mensch. Dabei sah er mich kurz von der Seite an.

»Sie sehen so aus, als hätten Sie es eilig.«

»Stimmt«, sagte ich, »ich muß dringend nach Immekeppel.«

»Dringend? Warum denn dringend?«

»Beruflich. Ich habe da beruflich einen Termin. Um halb sechs muß ich spätestens dasein.«

Er sah auf die Uhr und bemerkte: »Das wird knapp!«

Tatsächlich, es war halb fünf, und der Mensch wollte ja schließlich nach Aachen und nicht nach Immekeppel.

»Soll ich Sie am Rastplatz Remscheid raussetzen?« fragte er. »Da können Sie dann versuchen, einen Wagen anzuhalten.«

Mir wurde blitzartig klar, daß ich am Rastplatz in Remscheid kein Schwein finden würde, was zufällig nach Immekeppel fuhr. Ihn mußte ich rumkriegen, ihn und sonst keinen.

»Hören Sie«, sagte ich, »ich sitze wirklich schrecklich in der Klemme. Wieviel darf ich Ihnen anbieten, damit Sie mich nach Immekeppel fahren?«

Er sah mich wieder von der Seite an, aber nicht mehr so freundlich, sondern eher erstaunt, wenn nicht befremdet.

»Also wenn ich Sie schon nach Immekeppel fahre«, sagte er gedehnt, »also, gesetzt den Fall, ich führe Sie nach Immekeppel... würden Sie mir denn verraten, was da so Wichtiges ist?«

Ich sagte die Wahrheit. Der Mann sah mich zum drittenmal von der Seite an.

»Sängerin? So sehen Sie gar nicht aus!«

»Ich weiß«, freute ich mich.

»Sie sehen eher aus wie ein ganz normales Mädchen«, sagte er. Ich bedankte mich für das Kompliment und kicherte aufgekratzt. Das fand er prima. Plötzlich schien ihm sein eigenes Date nicht mehr so dringlich zu sein.

»O. K. Ich fahre Sie nach Immekeppel. Wenn Sie mich mitnehmen in Ihr Konzert. Ich will Sie erleben«, grinste er.

»Dann müssen Sie hier von der Autobahn runter«, rief ich geistesgegenwärtig. Gerade noch rechtzeitig riß er das Steuer rum. Die Würfel waren gefallen. Mein Retter brachte mich nach Immekeppel. Ohne Noten, aber mit Schuhen und durchgeschwitztem Kleid. Uneingesungen. Aber ich würde rechtzeitig in Immekeppel im hohen Dome erscheinen. Mit Mazda und dazugehörigem netten Fahrer. Hatte ja auch schon lange keinen Herrn Bekannten mehr dabei.

28

Klaus war nun aus meinem Leben geschieden; Georg nicht. Georg wohnte nach wie vor jedem Auftritt bei, die ganze Weihnachtszeit hindurch, und auch sonst wohnte er mir bei, mit schöner Regelmäßigkeit. Ich traf manchmal noch ein paar andere Herren Bekannte, diesen oder jenen, natürlich auch den Mazda-Fahrer, der Meteorologe war und Kröten in seinem kleinen Garten hielt. Einmal besuchte ich ihn – er wohnte mit 34 Jahren noch bei seiner Mutter – und durfte seine Krötensammlung besichtigen. Ich erteilte allen Kröten gute altdeutsche Namen, Walburga, Annetraut, Eberhard und Godfried, was der Mazda-Fahrer entzückend fand und seine schwerhörige Mutter auch. Der Mazda-Fahrer hieß Helmut.

Nach Weihnachten hörte der Konzertstreß auf. Im Januar werden kaum noch Hallelujahs von bundesdeutschen Orgelemporen geschmettert, und die Sänger legen ihre Schals in die Ecke und schmeißen ihre Klavierauszüge in den Schrank.

Georg und ich fuhren einige Tage nach Reit im Winkl, wohnten dort in einer netten Pension und wanderten etwas auf der Winklmoosalm herum. Abends tranken wir Glühwein beim Unterwirt oder saßen händchenhaltend in der Kneipe, die angeblich Maria Hellwig gehört. Es war alles in allem nett und harmonisch, wir verstanden uns gut, besonders nachts.

Einmal gingen wir ins Wellenbad von Ruhpolding, aber ich fühlte mich irgendwie unwohl zwischen all den übermütigen Junghengsten, die ihre durchtrainierten Après-Ski-Körper in die Wogen warfen. Ich war kein bißchen trainiert oder braungesonnenbankt, hatte auch nicht das neueste Bikini-Modell an und fühlte mich genauso alt, wie ich war. Vermutlich noch älter. Etwa so alt wie mein Herr Begleiter. So um die Fünfzig. Womit ich nicht sagen will, daß man sich mit Fünfzig nicht ausgesprochen nett fühlen kann. Man/frau muß nicht mehr schön sein, schlank und sportlich. Frau kann morgens drei Brötchen mit Honig essen und mittags einen Germknödel mit Mohn. Überhaupt. Ich hatte gar keine Lust mehr auf Quark. Nicht die geringste. Beim puren Gedanken an Quark wurde mir irgendwie übel.

Eigentlich war mir die ganze Zeit immer leicht übel, wenn ich mich jetzt so zurückerinnere.

Kind, das ist der Streß, der dir noch in den Knochen sitzt. Du warst ja auch völlig überkandidelt, die ganze Zeit. Jetzt ruh dich mal schön aus, iß tüchtig Vitaminchen und beweg dich an frischer Luft. Und geh früh ins Bett. Wenn's sein muß auch mit dem Kritiker. Ist ja ganz nett soweit, der Mann.

Klar, Tante Lilli, mach ich.

Ich fand es auch gar nicht langweilig. Jedenfalls nicht sehr.

Einmal fuhren wir nach München in die Oper, und zwar Silvester. Es gab »Frau ohne Schatten«, und ich dachte, daß ich das wohl nie wieder sein würde, eine Frau ohne Schatten. Das dachte ich, und ich fand die Luft im Opernhaus zum Schneiden. Das Stück war entsetzlich lang, die Sänger entsetzlich gut – Kind, da siehst du mal, wo deine Grenzen sind! –, und die Story, um die es ging, entsetzlich deprimierend.

Da war eine zartgliedrige Königsfrau, irgendein adlig Blut also, dünnhäutig und im Sopranbereich angesiedelt, die hatte keinen Schatten. Ihre böswillige Amme (Mezzosopran, natürlich!) überredet sie, von irgendeiner einfachen Frau aus dem Volke den Schatten zu kaufen. Szenenwechsel – ein sehr verkommenes Anwesen (Bühnenbild: hauptsächlich Lumpen, alles grau in grau, mir war irgendwie dauernd übel). Ein tumber Bauersmann »mit niedriger Stirne« knechtet sein in Lumpen gehülltes Weib, sie soll ihm ein Brot schmieren, aber dalli, und dann will er mit ihr auf der Matratze Spaß haben. Sie, Sopran, hat keinen Bock auf ihn, Baß-Bariton. Was ich verstehen konnte. Zumal der Sänger ein Finne war. Das Brot hat sie ihm noch geschmiert, laut lamentierend, in Moll und ziemlich dissonant, während er mit Holzbalken hantierte und ab und zu etwas Unverständliches grunzte. Als er dann auf der Matratze weitersingen wollte, erschien die böse Amme mit der eingeschüchterten Blaublütigen, und sie haben die Frau am Herd echt gut überzeugt, daß ihr Leben Mist wär und daß sie auf den Kerl auf der Matratze doch gut verzichten könnte. Sie machten ihr ein handfestes Angebot: ihr Schatten gegen die Befreiung aus finnischer Knechtschaft. Sie könnte sofort gehen, wohin sie wollte, ihr würde es fortan prächtig gehen, sie sollte doch bloß, bitteschön, ihren Schatten dalassen und der Blaublütigen ausleihen.

Der Trick war nämlich, und das begriff ich erst ziemlich spät, daß der Schatten ziemlich wichtig war. Für die Fortpflanzung. Will sagen, wenn man keinen hatte, funktionierte einfach nichts. Und die Blaublütige wollte doch ihrem Kaisergemahl einen Thronfolger schenken. Die Frau am Herd hatte eh keinen Bock auf jede Menge schreiende Blagen in Lumpen, denen sie dann auch noch Brote schmieren müßte, und hat sich auf das Tauschgeschäft eingelassen.

Wie es weiterging, weiß ich nicht mehr. Ich war zu sehr darauf konzentriert, mich nicht zu übergeben. Ich weiß auch nicht, warum mir ausgerechnet in dieser Oper so schlecht war. In der Pause überredete ich Georg, doch lieber ins Sternenbräu zu gehen und etwas zu essen.

Den Jahreswechsel erlebten wir im Auto. Ganz ohne Knallkörper und Sekt, einfach so bei Tempo 90, und aus dem Autoradio kam Glockengeläut. Wir drückten uns gegenseitig das Knie und wünschten uns ein frohes neues Jahr. Ansonsten schwiegen wir viel. Und das war gut. Irgendwie klirrten immer noch diese Operntöne durch meinen Kopf.

Zwei Tage später fuhren wir heimwärts. Ich achtete darauf, daß der Türkenopel immer genug Benzin hatte.

Georg fragte mich, ob wir nun noch einmal das Thema »Zusammenziehen« anschneiden könnten.

»Klar, anschneiden kann man alles«, sagte ich und biß in einen Verdauungsriegel.

Da er nichts sagte, half ich ihm auf die Sprünge:

»Du willst also mit mir zusammenziehen?«

»Nichts lieber als das, geliebte Löwenfrau!«

Irgendwie konnte ich das mit der Löwenfrau nicht mehr hören, aber ich traute mich nicht, ihm das zu sagen.

»In meine kleine Bude im vierten Stock in K.?«

»Wenn es sein muß, auch dahin. Ansonsten steht dir natürlich mein Haus in Bonn zur Verfügung…«

»Mitsamt Tochter?«

»Darüber könnten wir noch reden.«

Aha. Erwischt. Selbst seine Tochter würd er verkaufen. Seine Frau verstoßen, seine Tochter verkaufen, seine Katze vermutlich ertränken, und alles nur, um mich im Alltag genießen zu können. Kind, sei wachsam. Das sieht schwer nach seelischer Abhängigkeit aus. Kind, tu's nicht. Der Mann läßt dich nie wieder los. Du bist doch noch so jung. Kind, das ist der entscheidende Schritt. Tu ihn nicht.

O. K., Tante Lilli, ich tu's nicht.

Dann sag's ihm jetzt auch, los.

Ich sagte es ihm.

Er schwieg und zog einen Schmollmund und schaute auf die Autobahn. Ich schaute auch auf die Autobahn. Mir war irgendwie gar nicht besonders gut.

»Warum kannst du dir denn nicht vorstellen, mit mir zusammenzuleben?« kam es nach einer Weile.

Tante Lilli, was soll ich sagen?

Sag ihm, daß du ihn nicht liebst. Sag ihm, daß du ihn nicht heiraten wirst. Du wartest noch auf den Mann deiner Träume… Aber, Tante Lilli! Sei doch nicht so schrecklich altmodisch! Es GIBT keinen Mann meiner Träume!

»Georg«, sagte ich, »ich warte noch auf den Mann meiner Träume.«

Das war starker Tobak für ihn, aber er fuhr keine Schlangenlinien. Er fragte auch nicht blöde nach, warum ER nicht der Mann meiner Träume sei. Er war's nicht, und das hat er begriffen, und damit war das Thema erledigt.

29

Ein paar Tage später begannen im Sender die Proben für ein modernes Stück. Der Komponist hieß Strohnagel und war eine geschätzte Persönlichkeit. Er komponierte und komponierte, daß es nur so krachte, und das Notenmaterial paßte nicht in den Koffer des Notenkofferschleppers, sondern mußte auf einem Handkarren transportiert werden.

Man konnte die Noten auch nicht in den Händen halten, sondern man benötigte zwei Pulte mit ausziehbarer Blechhalterung. Für das Umblättern waren jedem Sänger zwei Meter zwanzig zugebilligt worden, weshalb die ganze Produktion in die Singakademie verlegt werden mußte.

Das Stück war für sechzehn Sänger, vierzig Kuhglocken, drei Taschenkämme, einen Eimer voll Herbstlaub, Solo-Sopran und Neger. Der Neger war der Sprecher. Man verstand kein Wort, aber das war auch der Sinn des Stückes, und somit war der Neger eine erstklassige Besetzung. Während er schrie, brüllte, tobte und stampfte, lief ihm der Schweiß in Strömen über das Gesicht und in seinen Rollkragen. Die Dramatik war aber gelungen, und wir vom Chor starrten ihn immer gebannt an, wenn er loslegte. Er hatte ein riesiges Notenpult, und alle Schimpfwörter standen dort geschrieben.

Der Solo-Sopran war gestraft: 44 Minuten ununterbrochen hohes Gekreisch bis zum viergestrichenen Baff. Die Dame, deren zitternden Rücken wir nur sahen, hatte unser tiefstes Mitgefühl, aber man munkelte, sie verdiene an dieser Produktion 20 000 Mark, und außerdem habe sie etwas mit dem Komponisten. Da wendete ich mein Mitleid lieber mir selbst zu. Auch wir mußten 44 Minuten brüllen, summen, grunzen, schrille Schreie ausstoßen und albern kichern. Das alles nach Noten, die man kaum lesen kann, da sie aussehen wie eine Menge Fliegenschiß, ist gar nicht so einfach. Auf mich fiel dann ausgerechnet auch noch ein Solo: 14 Takte Kamm blasen. Ich durfte noch nicht mal meinen eigenen benutzen, sondern einen philharmonisch vorgeschriebenen Taschenkamm mit Zellophan drüber. Das juckte ganz fürchterlich an der Lippe und machte kein bißchen Spaß. Zumal ich mich damit der Lächerlichkeit preisgab.

Ein anderes Chormitglied sollte einen Purzelbaum schlagen – wir wählten unseren Jüngsten, der sowieso kein Recht auf Protest hatte. Wieder ein anderer sollte zu gegebener Zeit in dem Eimer mit Blättern rascheln. Das machte der Älteste, der ohnehin bald in Pension ging und nicht mehr singen konnte. Er raschelte sehr pflichtbewußt mit todernster Miene, und zwar genau, wie es in den Noten stand. Schließlich hatte sich der Komponist etwas dabei gedacht, da durfte man nicht rumschlampen. Auf der Eins UND mußte geraschelt werden, und dann wieder auf der Quintole im nächsten Takt. Das konnte man sich gut merken, denn direkt davor fing die Sopranistin an zu kreischen. Falls das im allgemeinen Lärm unterging, konnte man sich noch daran orientieren, daß ihr Kleid gleichzeitig anfing zu zittern. Kurz danach griff das Orchester zu den Kuhglocken, und ein Höllenlärm brach los, als die Jungs zu läuten anfingen. Natürlich konnte man den Effekt mit den Blättern nicht mehr so gut hören, aber Willi, unser Pensionär, raschelte genau im Rhythmus, mit unbewegtem Gesicht, genau wie es der Komponist vorgeschrieben hatte. Das Gemeine an dem Stück war, daß mein Taschenkammsolo ganz nackt und bloß dalag, auf einer Riesenseite voll leerer Notenlinien war nur »Taschenkamm Eins-Solo« vermerkt und dann meine Töne. Erst im Takt zwölf fing der Neger wieder an zu schimpfen und zu gestikulieren, und da war dann egal, was ich blies.

Jedenfalls war die ganze Sache sehr stressig, zumal Walpurgis, meine Nachbarin, ein Streber war und keinerlei Sinn für meinen Humor hatte. Sie hieß eigentlich Walburga, klar, aber ich nannte sie Walpurgis, weil sie eine Hexe war und ein Streber dazu. Statt wie die anderen ein bißchen zu improvisieren und ein bißchen albern zu sein, lernte sie ihre Grunz- und Flötpartie heimlich auswendig und wußte dann in den Proben alles besser als wir. Um so ärgerlicher war sie, daß sie kein Taschenkammsolo gekriegt hatte und mir zwölf Takte lang schweigend zuhören mußte. Weil ich rhythmisch und harmonisch auf meinem Taschenkamm nicht so bewandert war, pfiff sie mir immer von hinten die Töne vor. Das konnte ich gar nicht vertragen und wäre ihr am liebsten mit nacktem Hintern ins Gesicht gesprungen, aber das stand nicht im Stück.

Die Proben dauerten täglich vier Stunden, weil das Stück so anspruchsvoll war, und danach war ich zu Hause noch voll damit beschäftigt, mein Taschenkammsolo zu üben und meine Stimmbänder wieder zu sortieren. Will sagen, ich hatte nicht viel Zeit für Georg und auch sonst ganz wenig Lust auf Zerstreuung. Wahrscheinlich vereinsamt man seelisch völlig, wenn man längere Zeit moderne Musik macht. Keiner versteht einen mehr.

Klaus hatte seit damals nichts mehr von sich hören lassen. Ich dachte manchmal an ihn, weil ich überlegte, einen Psychiater wegen beruflicher Identitätskrise aufzusuchen. Ich war mir aber nicht sicher, ob die Krankenkasse oder die Beihilfe das bezahlen würde, und so ließ ich es erst mal. Ein paarmal traf ich Helmut, den Meteorologen, und besichtigte Godfried, Eberhard, Annetraut und Walburga, die Kröten in seinem Garten. Ich besichtigte bei der Gelegenheit auch immer die nette schwerhörige Mutter, die sich nie an mich erinnerte und sich immer neu erklären ließ: »Das ist die Sängerin, Mama. Die singt in der Singakademie!«

»Schlager oder Operette?« fragte jedesmal die alte Dame, und Helmut lachte und sagte zu mir, daß es keinen Zweck hatte, ihr das zu erklären.

Meine Treffen mit Helmut hatte den Vorteil, daß er anscheinend keinerlei Rittersmann- oder Knapp-Absichten hatte und mir einfach nur amüsiert zuhörte, wenn ich erzählte. Er konnte den ganzen Abend mit seinen dünnen langen Fingern ein einziges Kölschglas halten und ab und zu daran nippen. Er war kein Maßloser: Er aß nicht viel, trank nicht viel, sagte nicht viel, unternahm nicht viel und erlebte anscheinend nicht viel. Sein Leben war seine alte Mutter mit dem Hörgerät und seine vier Kröten. Ich konnte ihn gut leiden, den Helmut, besonders, weil er immer gerade dann Lust und Zeit hatte, mich zu treffen, wenn ich anrief, sich aber ansonsten bedeckt hielt.

Was mich selbst sehr wunderte, war meine absolute Appetitlosigkeit, was Quark anbelangte. Ich dachte, daß mein abnormes Eßverhalten sicherlich mit der modernen Musik zu tun hatte. Bei solch einer schwachsinnigen Komposition konnte einem ja auch der gesunde Appetit vergehen.

Selbst Zigaretten schmeckten mir nur noch in Georgs Anwesenheit, und Alkohol wurde ranzig, wenn er bei mir her-
umstand.

Georg eröffnete mir eines Abends, daß er die Kritik über
Strohnagels »Hommage für Alban Berg« schreiben würde.
Ich zeterte gleich los, daß Alban wirklich was Besseres verdient hätte als diesen Schwachsinn, baute mich breitbeinig
vor ihm auf und blies ihm mein Kammsolo vor. Er schmun-
zelte nachsichtig und sagte, daß man das doch sicherlich im
Zusammenhang hören müsse, um darin den Sinn zu erkennen. Ich schwor ihm bei den Gebeinen meiner Großmutter,
daß das Stück keinen Sinn habe, außer das Publikum zu verarschen.

Er sagte, daß ich hinreißend sei, wenn ich auf dem Kamm
bliese.

Mir blieb die Spucke weg vor Ärger. Ich WOLLTE nicht hinreißend sein, ich WOLLTE nicht auf dem Kamm blasen, ich
WOLLTE dieses Kuhglockengerammel nicht ertragen und
Walpurgis auch nicht. Ich sagte Georg, daß ich eine beruf-
liche Identitätskrise hätte und mein Leben gründlich ändern
wollte und daß diese Veränderung auch ihn beträfe. Ich war in
einer ziemlichen Wut und hatte Lust, alles kurz und klein zu
schlagen, besonders in bezug auf seine unglaubliche Wahr-
nehmungsstörung, daß ich hinreißend sei, wenn ich auf dem
Kamm bliese.

Georg war traurig, daß ich ihn verstoßen wollte, und bot
mir eine Zigarette an. Ich nahm sie, und wir schliefen miteinander, und dann war die Welt wieder in Ordnung. Obwohl er
nie wieder bis zum nächsten Morgen bei mir blieb.

Seit dem Urlaub hatten wir keine ganze Nacht mehr miteinander verbracht. Immer, wenn ich mir wünschte, er möge
jetzt gehen, dann ging er auch. Zwar nicht ohne »geliebte Löwenfrau« und »schlaf gut, ich träume von dir« und solche
Sprüche, aber er ging. Und ich war gern allein. Wenn er weg
war, stand ich ratlos vor dem Kühlschrank und hatte keine
Lust auf Quark. Merkwürdig. Irgend etwas in meinem Leben
hatte sich verändert. Aber was?

30

Der denkwürdige Tag, an dem die Uraufführung des großen Werkes eines großen Komponisten unserer Zeit stattfand, war ein Dienstag. Morgens wurden wir alle noch mal zu einer sehr anstrengenden Generalprobe bestellt. Der Neger und die Sopranistin markierten nur, aber der Schweiß lief trotzdem, und das Kleid zitterte auch. Der Pensionär hatte schon ganz poröse Finger vom vielen Blätterrascheln, aber er hielt tapfer durch; es war sein letzter großer Auftritt.

Walpurgis hatte besonders schlechte Laune an diesem Dienstag. Ich konnte sie kaum ertragen. Ihr Freund Adalbert war in der Musikszene irgendein hohes Tier, jedenfalls wußte Walpurgis immer alles, bevor es noch in der Zeitung stand. Ich beschloß, mal Georg nach Adalbert zu fragen. Womöglich war er noch Georgs Azubi im Kritikenschreiben. Jedenfalls wußte Walpurgis, daß nach der Uraufführung ein Empfang stattfinden würde, bei dem auch das Fernsehen für die »Aktuelle Stunde« ein paar Szenen drehen würde. Wir Chormädels sollten dabeisein, nur so, um im Hintergrund zu stehen, während Strohnagel sein Werk erklärte und der Oberbürgermeister und der Kultusminister ihm die Hand schütteln würden. Die Kritiker waren natürlich eingeladen, und der Pensionär durfte auch kommen, weil es sein letztes Konzert war. Wenn Sendezeit übrig sein würde, dürfe der Pensionär vielleicht auch ein paar Worte sagen. Jedenfalls wußte Walpurgis das alles, und sie bestand darauf, daß wir zu diesem Empfang gehen sollten, obwohl das nicht auf dem Dienstplan stand. Dann war sie noch ganz entschieden dafür, daß wir während des ganzen Stückes stehen sollten. Also wurden die Stühle weggeräumt, auf die wir zwischen unseren Einsätzen immer ermattet gesunken waren. Ich war schrecklich sauer auf sie, denn mir war in letzter Zeit immer leicht übel, besonders bei der heißen Luft im Scheinwerferlicht, und ich war immer sehr froh gewesen, mich kurz setzen zu können. Dann wurde noch das Thema Kleidung angeschnitten. Herr Strohnagel fand, daß der Chor in gemessener Straßenkleidung auftreten sollte. Walpurgis war sofort dagegen. Schließlich hätten wir alle

Abendkleider, und als professionelle Sänger müßten wir auch durch unser Äußeres...

Ihre Ausführungen unterbrach Willi, der Pensionär, der erklärte, er habe keinen gemessenen Straßenanzug, er habe nur seinen Frack. Mit dem sei er fünfundvierzig Jahre aufgetreten, und er sehe nicht ein, sich für sein letztes Konzert einen Anzug zu besorgen. Herr Strohnagel bot ihm an, ihm einen zu leihen, aber Willi wollte keinen Anzug von Herrn Strohnagel anziehen. Die Debatte ging noch ein bißchen hin und her, und dann entschied der Direktor, daß die Damen bedeckte Straßenkleider und die Herren Fräcke anziehen sollten, das würde zum Stück passen. Der Dirigent und der Komponist würden sich äußerlich sowieso durch andere Kleidung vom Chor abheben. Der Dirigent würde einen lila Umhang tragen und der Komponist würde wie immer in weißen Tennisschuhen, weißen verbeulten Hosen und einem weißen Leinenhemd erscheinen, mit weißem Halstuch im nabelweiten Hemdausschnitt.

Mir war das alles ziemlich egal, Hauptsache, die Chose ging schnell zu Ende. Weil sich die Damen nicht einigen konnten, wurde es nun völlig freigestellt, wer was anziehen sollte. Walpurgis bestand auf Abendkleid, ein paar andere spuckten fast aus vor Verachtung und sagten, dieses Stück sei kaum einen Küchenkittel von Woolworth wert, was ich wieder zum Totlachen fand und was Walpurgis kein bißchen erheiterte.

Die Probe dauerte geschlagene vier Stunden.

Das Orchester malträtierte begeistert die vierzig Kuhglocken, und das war ein ohrenbetäubender Krach. Unser Chorgekreisch stimmte rhythmisch wieder überhaupt nicht mit den Vorstellungen von Walpurgis überein, und sie lief in der Pause zum Dirigenten, der mit einer Zigarette vom Herrenklo kam, zog ihn an seinem lila Umhangsärmel beiseite und redete auf ihn ein. Vielleicht handelte sie noch ein Kammsolo aus. Ich hätte ihr unter allen anderen Umständen mein Kammsolo gerne abgetreten, zumal sie die Kammsolopartie wesentlich souveräner beherrschte als ich, aber gerade weil sie Walpurgis war, gönnte ich ihr nicht den Ruhm und Triumph einer Kammsolobläserin, zumal das

Fernsehen Ausschnitte davon in der Aktuellen Stunde bringen wollte.

Obwohl Walpurgis es ausdrücklich untersagt hatte, schnappte ich mir im zweiten Durchgang einen Stuhl und sank zwischendurch mit einer halben Pobacke auf dessen Kante. Dieser Krach, diese Luft, dieses Scheinwerferlicht, diese unerfreuliche Arbeitsatmosphäre, das schlug mir alles schwer auf den Magen. Mein Kreislauf war auch völlig dienstunwillig. Ob ich mal zum Arzt gehen sollte?

Klaus. Ob ich ihn mal anrufen sollte? Ob er mich mal ganz unverbindlich untersuchen würde? Nein, Kind, das geht jetzt nicht mehr. Hast du denn kein bißchen Feingefühl für diesen Mann? Wenn du jetzt als Patientin kommst, hält er das für einen Wink mit dem Zaunpfahl. Er wird dich gleich zum Essen einladen, dich stürmisch umarmen und dir sagen, daß er nur auf diesen Moment gewartet hat. Kind, sei doch vernünftig. Reiß dich zusammen, los, Kammsolo vorbereiten und heb endlich deinen Hintern von dem Stuhl. Guck mal Willi an, den Pensionär, der steht auch die ganze Zeit trotz seiner Krampfadern.

Ich gab mir einen Ruck, stand auf, mir wurde sehr schwarz vor Augen, und ich mußte hastig den Kopf runterhalten, damit wieder Blut hineinflösse. Walpurgis hielt das für eine meiner Albernheiten und zischte mich wütend an. Ich riß mich zusammen und blies mein Kammsolo. Dabei ging mir die Puste aus. Die Töne zitterten gebrechlich. Der Dirigent fand den Sound anscheinend prima, er guckte erfreut zu mir rüber. Noch wütenderer Blick von Walpurgis. Sie würde nachher ohne Abschiedsgruß auf ihren Besen steigen und aus der Singakademie reiten. Oh, wie wenig ich sie doch leiden konnte.

Als die Probe endlich aus war, hallte das entsetzliche Kuhglockengeläut noch lange in meinem Schädel. Ich betete, daß diese Uraufführung gut an mir vorübergehen möge.

31

Kleine Sünden straft der liebe Gott ja bekanntlich sofort, die großen hebt er sich in seinem Terminkalender etwas länger auf, um eine passende Maßnahme zur Abbüßung abzuwarten. Wenn ich darüber nachdenke, wieviel ich im letzten halben Jahr gesündigt hatte und wieviel Spaß mir das Sündigen auch noch gemacht hatte, finde ich das Ausmaß der Strafe ziemlich gerecht. Die ganze Uraufführung war ja schon Strafe, aber das, was mir widerfuhr, war ein Ausbund an Gerechtigkeit.

Als das Signal zum Auftreten erklang, strömten die Menschenmassen auf ihre Plätze. Sektgläser wurden eilig abgestellt, Dämchen rannten noch ein letztes Mal in die Toilette, um ihre modisch aktuellen Fummel über den mageren Knien zurechtzuzupfen, Herren gaben noch die Nerze ihrer Damen an der Garderobe ab, und die ganze alternative Szene mit dem Pomadegel im Haar und den Halstüchern im geöffneten Hemdkragen schob sich plaudernd und mit Händen in den Hosentaschen in den Saal, ohrringbehangen natürlich und mit irgendwelchen besonders männlichen Kettchen geschmückt.

Der Chor lümmelte wie immer im Foyer herum, man rauchte, lachte, gähnte, spielte Karten. Die Damen waren sehr unterschiedlich gekleidet. Walpurgis war in einen leuchtend grünen Tüllsack gehüllt, mit Lippenstiftspuren auf dem Kragen, hahaha. Niemand sagte es ihr, damit sie möglichst vor der Aktuellen Stunde nicht mehr daran rumwischen konnte. Die meisten Weiber waren halbwegs normal gekleidet, in einigermaßen netten Straßenklamotten. Ich hatte nach einigem Hin- und Herüberlegen zu Hause ein solides Kostüm angezogen. Kind, das kaschiert, dachte ich mir, besonders die lange Jacke wird gnädig verdecken, daß der Rock kaum noch zugeht. Kind, du mußt dringend wieder abnehmen. Seit du keinen Quark mehr ißt, hast du einen richtigen Bauch gekriegt. Du kommst in die Jahre, und das ist nicht gut in deinem Alter.

Willi, der Pensionär, hatte wie immer seinen Frack an, der

grünlich schimmerte und am Hintern schon ziemlich abgewetzt war. Auch dieser Bauchpanzer, den Männer immer unter dem Frack tragen, war schon vergilbt, von der matten müden Fliege ganz zu schweigen. Aber die Socken von Willi waren nagelneu, was unschwer zu übersehen war, weil noch das Preisschild daran hing. Keiner sagte es Willi, weil vermutlich in der Aktuellen Stunde keine Socken ins Bild kommen würden.

Ein paar andere Chorherren kamen in Beerdigungsanzügen, zwei jüngere hatten sich auch szenemäßig gekleidet, in enge Lederhosen und mit Plastikkrawatte, und der Junge, der den Purzelbaum schlagen mußte, kam im Jogginganzug. Wir taten alle so, als wären wir nicht aufgeregt, wie gesagt, wir lümmelten rum, gähnten, einige spielten Karten. Man reichte irgendwelche Illustrierte herum, machte sich gegenseitig auf Prinzessin Dianas Umstandsmode aufmerksam oder betrachtete köstliche Bilder von Hackfleischaufläufen im »Journal für die Hausfrau«.

Aus den Sologarderoben drang schrilles Geschrei – die Sopranistin sang sich ein. Der Neger ging laut schimpfend und gestikulierend zum Klo; er war völlig mit seiner Rolle verwachsen. Zum Stück gehörte übrigens noch ein Kinderchor, der war aber erst gegen Abend aus Belgrad angereist, wahrscheinlich hatte das mit der Ausreisegenehmigung vorher nicht geklappt. Die Mädels hatten ein entzückendes, rotweißes besticktes Blüschen an und dazu rote Faltenröcke, die bis zu den Kniestrümpfen reichten. Wir waren eine gelungene Augenweide, als wir auftraten.

Zuerst gingen die Kinder auf die Bühne, gesittet und in Zweierreihen, dann rauschte Walpurgis im grünen Hexenumhang rein. Nach und nach tröpfelten wir hinterher, dann kamen die Männer und ganz am Schluß Willi mit dem Laubeimer. Die Leute klatschten.

Das Orchester mit den Kuhglocken nahm Platz. Die Jungs trugen wie immer Frack und Fliege, bei denen hatte es anscheinend keine Diskussion gegeben. Da niemand ein Instrument bei sich trug außer den Kuhglocken natürlich, war das ein ungewohnter Anblick.

Der Beifall schwoll an, als die Sopranistin, der Neger und

der Dirigent erschienen. Die Solistin hatte ein zauberhaftes wallendes Gewand an, mit viel Lurex auf dem Rücken, so daß wir immer gut sehen konnten, wenn sie anfing zu singen. Der Neger war im weißen Frack mit gelben Schuhen, und das war sehr apart. Der Dirigent hatte den üblichen lila Umhang um, aber schwarze Lackschuhe mit Troddeln dran, zur Feier des Tages. Der Komponist saß unauffällig am Mischpult in den Zuschauerreihen. Man hätte ihn kaum bemerkt, wäre er nicht von einem Scheinwerferspot angestrahlt worden.

Die Lichter gingen aus, die Scheinwerfer an, ich fühlte mich geblendet, und kleine Staubkörner tanzten vor meinen Augen herum. Daß hier nicht mal vernünftig Staub geputzt wird, dachte ich.

Da keine Oboe das »a« gegeben hatte, mußte der Dirigent ein »a« ansummen. Wir brauchten aber eigentlich kein »a«, weil das Gewisper und Gezische der ersten 186 Takte tonlos sein sollte. »Sine voce«, wie in den Noten stand. Wir begannen also zu zischen, die Spucketröpfchen flogen durch das Scheinwerferlicht, und der Dirigent schlug sehr schön übersichtlich den Takt dazu. Ich orientierte mich grundsätzlich an Walpurgis, denn im Zweifelsfall war sie immer richtig, und bis auf mein Kammsolo hatten wir alles synchron. Willi begann, seinen Blättereimer in eine akustisch günstige Position zu schieben, was leise Kratzgeräusche auf dem Bühnenparkett zur Folge hatte. Walpurgis schüttelte tadelnd den Kopf, hörte aber dabei nicht auf zu wispern und zu zischen; sie war eben durch und durch ein Profi.

Die Kinder aus Belgrad sahen sich irritiert um. Sie kannten ja das Stück noch nicht im Zusammenhang, nur ihr Lied »Eia popeia, was raschelt im Stroh« kannten sie, und das war wirklich gut studiert. Es gehörte aber an den Schluß, was die Kinder nicht wußten, weshalb ab und zu eines Luft holte und zum Eia popeia ansetzen wollte.

Ich hätte gern die Reaktionen aus dem Publikum gesehen, aber erstens konnte man gegen das grelle Licht überhaupt nichts erkennen, und zweitens mußte man sich unheimlich auf die Partitur konzentrieren. Der Neger begann zu schimpfen und sich den Schweiß zu wischen; der Dirigent feuerte ihn unwahrscheinlich an durch drohende Gebärden und heftiges

Kopfnicken, wobei seine schulterlangen Haare, die weichgespült waren, ihm nur so um die Ohren flogen. Der Neger hatte keine langen Haare, aber dafür hatte er seine Schweißausbrüche, die gute Wirkung erzeugten. Die Sopranistin hockte angespannt auf ihrem Stuhl und ließ ein Kräuterbonbon auf der Zunge zergehen, während sie mit dem rechten Fuß den Takt nachzuvollziehen versuchte.

Sehr überraschend für alle Beteiligten war die Geräuschkulisse aus dem Lautsprecher über unseren Köpfen. Zuerst hörte man quietschende Autoreifen, dann kam erbärmliches Babygeschrei aus der anderen Ecke der singakademischen Stereoanlage, dann hörte man lange nichts als keuchenden Männeratem. Ganz bestimmt war es Männeratem, Frauen keuchen anders. Irgendwie nicht so lüstern.

Das Zischen begann mich anzustrengen, zumal ich ganz sicher war, daß in dem allgemeinen Lärm meine Bemühungen völlig untergingen. Der verdammte Rock war so entsetzlich eng; ich hatte das blöde Kostüm monatelang nicht mehr angehabt. Hätte ich doch nur den Reißverschluß an der Seite etwas öffnen können, aber das wäre sehr übel aufgefallen, und Walpurgis hätte mir so etwas nie verziehen. Im Lautsprecher mischten sich nun militärische Marschiergeräusche mit dem Keuchen, und das war das Zeichen für die Sopranistin, mit dem Kreischen anzufangen. Ich wurde ziemlich aufgeregt, denn mein Kammsolo näherte sich. Auf Walpurgis konnte ich nicht rechnen. Sie würde eher die Uraufführung platzen lassen, als mir beim Finden meines Einsatzes zu helfen. Ich starrte also auf das flirrende Lurexkleid vor mir und bemühte mich, im Takt zu zählen. Willi begann völlig ungehört mit dem Blätterrascheln. Das tat mir leid für ihn. Ein Mädchen aus Belgrad machte überraschend einen Handstand, was ihr Szenenbeifall einbrachte.

Dann war es plötzlich ganz still, keiner schrie, pfiff oder klatschte, und ich bekam panisches Herzrasen, weil ich dachte, mein Kammsolo versiebt zu haben, aber gerade, als ich anfangen wollte zu blasen, ließ sich ein dünnes Kinderstimmchen vernehmen: »a b cä, die Kotze liefin Schnää.« Ganz ganz reizend, dieses kleine Ostblocksolo, und die Leute lachten wohlwollend. Leider assoziierte mein Magen

bei dem Vers irgend etwas, mir kamen Bilder von rammeln-
den Finnen, in Lumpen gehüllt und mit Leberwürsten drohend, und mir war so entsetzlich schlecht, daß ich mich an
Walpurgis festhalten mußte. Der Neger schrie, die Sopranistin kreischte, und in dem Moment sauste ein Düsenjäger
über die Zuschauerreihen, machte einen ohrenbetäubenden
Krach und schien sich überhaupt nicht wieder entfernen zu
wollen. Wahrscheinlich fand er den Ausgang nicht. Mir
wackelten die Knie, ich wollte mir die Ohren zuhalten, aber
das stand nicht in der Partitur. Ich sah noch aus dem Augenwinkel den Azubi Purzelbäume schlagen, wobei er sich gefährlich dem Orchestergraben näherte, und dann rammelten
die Kuhglocken los, schrill und ohrenbetäubend. Der Dirigent nickte begeistert Zustimmung, nichts konnte ihm laut
genug sein, und der Komponist regelte irgend etwas am
Mischpult. Staubkörner flogen hektisch durch das Scheinwerferlicht, die Kinder aus Belgrad verzogen weinerlich das
Gesicht, und ich, ich krallte mich an Walpurgis' grünes
Nachthemd und knickte einfach ab. Ich landete auf dem Boden, war vollkommen geblendet, konnte nichts mehr sehen,
fühlte nur den kalten Schweiß auf der Stirn und unter der
Kostümjacke kleben. Ganz genaue Erinnerungen habe ich
gar nicht mehr, ich weiß nur, daß ganz plötzlich der Lärm
verstummte und daß der Scheinwerfer auf mich gerichtet
war und daß jetzt mein Kammsolo drangewesen wäre. To-
tenstill war es, ich hörte mich nur selbst nach Luft ringen
und ein erbärmliches Kuhglocken-Nachhall-Ohrensausen in
meinem Kopf.

Das muß so einige Sekunden gedauert haben, und dann
sagte Walpurgis mit ihrem metallischen Sprechorgan laut
und deutlich: »Ihr ist schlecht!«

Ihre Worte hallten in der totenstillen Singakademie wider.
Das Licht ging an, die Staubkörner hörten auf zu tanzen,
zwei Männer aus dem Publikum sprangen auf und rannten,
sich das Jackett zuknöpfend, die Stufen zur Bühne herab.
Der eine war Georg, ich erkannte ihn am gebeugten Gang.
Der andere mußte der Theaterarzt sein, er kam von rechts
außen und hatte eine schwarze Tasche bei sich. Ich mußte
mich leider ein bißchen übergeben, mitten auf die Bühne,

aber die Leute hielten das für den gelungensten Effekt an der ganzen Aufführung und brachen in begeisterten Beifall aus.

Der Neger brachte mir reaktionsschnell sein großes weißes Schweißtuch, das er die ganze Zeit in den Händen geknüllt hatte, und ich werde ihm das nie vergessen. Der Dirigent sah sich fragend nach dem Komponisten um, dieser hob ratlos die Schultern. Die Leute klatschten noch immer, manche waren sogar aufgestanden und schlugen sich die Handflächen wund. Inzwischen war der Theaterarzt gleichzeitig mit Georg auf die Bühne geklettert und kam mit schweren Schritten auf mich zugerannt.

Es war Klaus.

Klaus war heute abend Theaterarzt.

Georg kniete sich neben mich und wollte meine Hand halten, aber da fuhr Klaus aus dem schwarzen Anzug und herrschte ihn an, er möge die Arbeit des Theaterarztes nicht behindern. Georg antwortete gereizt, daß er sich sehr wohl um diese Dame kümmern dürfe, und das Publikum hörte auf zu klatschen und versuchte, dem Dialog zu folgen. Klaus stellte seine schwere schwarze Tasche mit Wucht auf den Boden, bettete meinen Kopf auf seine Anzugjacke und kramte dann in seiner Tasche. Georg nutzte diesen Moment, um meine Hand zu halten und »Liebling, was machst du für Sachen« zu sagen, und das Publikum schaute gebannt zu. Willi hörte nun auf, in seinen Blättern zu rascheln und sagte verärgert: »Dat will ki Mensch mieh hööre!« Klaus schob Georg zum zweitenmal weg und sagte sehr laut, daß das Behindern eines Arztes in Ausübung einer Hilfeleistung strafbar sei und daß er sich auf eine Anzeige gefaßt machen dürfe. Einige Leute lachten, ein paar pfiffen anerkennend, Beifall kam aus den hinteren Reihen. Ich betrachtete Klaus' Gesicht aus meiner Froschperspektive.

Als ich rausgetragen wurde, schwoll der Beifall heftig an, und anerkennende Pfiffe ertönten. Georg ging am Fußende der Trage. Klaus hielt meine Hand und fühlte den Puls, wobei er noch an den Blättereimer stieß. Willi murmelte »Paß up, Jung, häste denn keen Auge im Kopp!«, und Walpurgis gab dem Neger sein Schweißtuch wieder, das er aber nicht mehr haben wollte.

Die Tür zur Bühne schloß sich gerade, als der Belgrader Kinderchor anfing zu singen: »Eia popeia, was raschelt im Stroh.« Kurz darauf schwanden mir endgültig die Sinne.

32

Nun gehöre ich leider Gottes nicht zu den Scheewitzchens und Dornrötzchens und ähnlichen Damen, die in peinlichen Situationen einfach hundert Jahre in irgendeiner Ecke rumliegen und pennen, bis sie ein Prinz oder ein Frosch wachküßt und sie sich dann mangels Erinnerung ein »Wo bin ich?« von den blassen Lippen abringen.

Höchstens fünf Minuten währte der gnadenreiche Schlaf. Dann mußte ich leider mit anhören, was sich meine beiden Retter für einen Dialog lieferten. Ich lag auf einer Pritsche im Erste-Hilfe-Raum und hatte den Ausblick auf ein Foto unseres Chef-Dirigenten.

»Ich habe Ihnen doch gesagt, Sie sollen draußen warten«, sagte der Theaterarzt zum Kritiker.

»Ich denke, es ist mein Recht zu erfahren, wie es ihr geht«, antwortete der Kritiker.

»Sie sehen ja, daß sie noch lebt«, sagte barsch der Arzt. »Wenn Sie schon hier rumstehen müssen, dann reichen Sie mir mal die schwarze Tasche da hinten!«

Ein Stethoskop kam zum Vorschein, und ich wurde abgehorcht.

»Alles in Ordnung soweit«, sagte der Arzt, »machen Sie sich keine Sorgen. Sie überlebt's. Und jetzt sollten Sie wieder auf Ihren Platz gehen, schließlich sind Sie doch beruflich hier!«

Georg verließ tatsächlich den Raum.

»So ein Blödmann!« sagte Klaus zu sich selbst, und da hielt ich es für angebracht, die Augen aufzuschlagen.

»Klaus, ich hör ab jetzt alles mit«, sagte ich.

»Kannst du auch!« sagte Klaus. »Du bist kerngesund. Aber ich empfehle dir, mal zum Gynäkologen zu gehen. Ich hab da so einen bestimmten Verdacht!«

»Was denn für 'n Verdacht?« stammelte ich bang.

»Das soll jetzt kein Verhör sein«, sagte der Doc. »Wenn es mich in irgendeiner Weise betrifft, dann möchte ich, daß du nichts Unüberlegtes tust. Wenn es mich aber nicht betrifft, dann geht mich die ganze Sache nichts an.« Nach einer kurzen Pause fügte er hinzu: »Du kannst mich immer anrufen. Aber versteh mich richtig: Das gilt nur für dich und nicht für diesen älteren Herrn. Wenn die Sache auch ihn betrifft, mußt du dir leider einen anderen Arzt suchen. Ansonsten: Meine Nummer hast du ja. Gute Besserung!«

Und damit verschwand er. Sein Piepser im Hemd hatte sich gemeldet. Wahrscheinlich war schon wieder jemand umgekippt, was nicht verwunderlich war, bei der Musik. Ich rappelte mich auf, guckte in den Spiegel und dachte, so sieht man also aus, wenn man... wenn frau... ach Gott, jetzt muß ich beweisen, daß ich eine richtige Emanze bin. Los, Kind, häng dich jetzt nicht an irgendwen und heule, geh an die frische Luft und dann nach Hause. Bloß jetzt keinem begegnen!

Ich schaffte es tatsächlich, durch den Hintereingang ungesehen zu verschwinden.

Der Spaziergang durch die Abendluft tat gut. Die Gedanken hämmerten im Marschrhythmus in meinem Schädel. Männer. Erst rennen sie einem nach, und im entscheidenden Moment machen sie 'ne Mücke, weil der eine 'ne Kritik schreiben muß und bei dem anderen der Piepser piepst. Im entscheidenden Moment hält keiner um meine Hand an, da muß ich ganz alleine im zu engen Rock nach Hause gehen. Jetzt, an meines Lebens Wende, da bin ich allein und ungeliebt, da trag ich nun ein Kind unter dem Herzen, und keiner der Herren bekennt sich dazu. Klar, sagte Tante Lilli. Kind, das hätte ich dir gleich sagen können. Männer sind alle gleich. (Männer sind alle Schweine, hätte Tante Lilli nie gesagt!)

Tante Lilli, was soll ich jetzt machen?

Auf keinen Fall hängen lassen, sagte Tante Lilli scharf. Geh nach Hause, leg dich ins Bett, schlaf eine Nacht drüber. Morgen gehst du zum Gynäkologen. Eins nach dem anderen. Irgendwie schaffst du das. Es gibt ja das Jugendamt. Du wirst schon nicht auf der Straße landen. Obwohl du das verdient hättest.

Ja, sagte ich zuversichtlich. Ich pack das schon.

Hast du dich bis jetzt für keinen Mann entschieden, dann tu es auch jetzt nicht, Kind. Wie sähe das denn aus. Mitleid brauchst du nicht. Früher, da waren die Mädels drauf angewiesen, daß sie geheiratet wurden, damit man nicht mit dem Finger auf sie zeigte. Aber heute, da gibt es doch ganz andere Möglichkeiten! Es gibt Frauenhäuser oder wie die Dinger heißen...

Du meinst Krabbelstuben, Tante Lilli. Frauenhäuser sind für geschlagene Frauen!

Du weißt schon, was ich meine. Anscheinend kennst du dich ja bestens aus. Nur, tu eines nicht, Kind: Renne keinem Manne nach. Niemals. Und wenn du noch so schwanger bist. Tu's nicht. Hör auf mich. Das fehlte noch, jetzt auf irgendwelche Kerle angewiesen zu sein, nur weil du eine Weile Spaß mit ihnen hattest. Spaß vorbei, jetzt wird's ernst. Und den Ernstfall müssen Frauen doch immer allein aushalten.

Enorm, was Tante Lilli für eine Lebenserfahrung hatte. Ich gab ihr recht, und wir schimpften gemeinsam den ganzen langen Nachhauseweg über die Männer.

Erst rumsülzen, wie toll sie einen finden, und dann im Diminuendo den Abgang machen, sagte ich.

Na ja, du bist ganz typisch drauf reingefallen, bemerkte Tante Lilli spitz. Ist doch klar, was sie von dir wollten. Das war schon zu meiner Zeit so. Männer wollen alle nur das eine, und wenn sie es bekommen haben, dann wirst du als Frau für sie uninteressant.

Tante Lilli schien vergessen zu haben, wie übel ich *ihnen* mitgespielt hatte. Ich wollte sie aber auch nicht daran erinnern. Klar, Tante Lilli. Männer sind alle Schweine.

Wenigstens Georg hätte dir einen Heiratsantrag machen können, zürnte Tante Lilli. Einfach so aus der Garderobe verschwinden! Der ist kein Held!

Aber der Doc hat ihn doch rausgeschickt!

Trotzdem! Ich hätte mehr Format von ihm erwartet! Ein Mann dieses reifen Alters hätte sich nicht von einem wesentlich jüngeren in die Schranken weisen lassen dürfen! Er hätte dich heiraten müssen! Auf der Stelle! Weißt du, was der jetzt tut? Der steht jetzt auf dem Empfang rum, trinkt Champagner und macht Walpurgis schöne Augen!

Nein, Tante Lilli, das glaub ich nicht. Wie kannst du nur so von ihm denken!

Sei nicht so naiv, Kind. Natürlich macht er jetzt Walpurgis schöne Augen! Und läßt sich mit ihr für die »Aktuelle Stunde« filmen!

Ich konnte diesen Gedanken nicht ertragen.

Tante Lilli, sei still! Georg ist nicht so. Du kennst ihn nicht. Er liebt mich wirklich!

Dummes Zeug, Kind. Wenn er dich liebte, wäre er jetzt bei dir und hätte dich geheiratet, spätestens morgen.

Aber er *wollte* mich doch heiratet!

Tja, Kind, das ist nun wirklich ganz allein deine Schuld. Mit einem verheirateten Mann fängt man eben kein Verhältnis an. Nun mußt du die Suppe allein auslöffeln.

Wir gingen eine Weile schweigend nebeneinander her, Tante Lilli und ich. Dann sagte sie: Und der andere, der Doc, der ist auch verheiratet, stimmt's? Der könnte ja schließlich auch der Vater sein!

Oh, wie hatte Tante Lilli recht! Auch er hatte sich verdrückt, nur weil sein Piepser losging. Auch er fühlte sich kein bißchen verantwortlich und ließ mich allein im Regen stehen.

Und der dritte? schimpfte Tante Lilli. Dieser Schwede oder Schotte...

Du meinst den *Finnen*? fragte ich entsetzt.

Tja, höhnte Tante Lilli. Möglich ist doch alles, oder nicht? Denk bloß nicht, du könntest den guten Doktor für irgendwas verantwortlich machen. Der Finne, dieser tätowierte Kerl... Nicht auszudenken. Der zahlt dir noch nicht mal Alimente!

Mein Schweinehund warf sich in seinen Sündenpfuhl voll Tränen und suhlte sich ausgiebig und mit Genuß darin.

Mir kamen vom puren Zuschauen die Tränen.

Der Gynäkologe errechnete einen Termin für Mitte August und strahlte: »Das wird ein Löwe!« Das freute ihn anscheinend. Mich freute das weniger.

Löwenfrau-Löwenkind. Löwenmann? Georg hatte sich seit dem Konzert nicht wieder gemeldet. Klar, er mußte ja auch die Kritik über die Welturaufführung schreiben.

Ich ging nach Hause und schlug die Zeitung auf. »Hommage für Alban Berg« war ein Riesenerfolg gewesen. Die ganze Kulturseite war voll des Lobes über diese sagenumwobene Welturaufführung, bei der Elemente aus dem menschlichen Hier und Jetzt vereint gewesen seien mit den verschiedensten Möglichkeiten akustischer Expressivität im Zeitalter der modernen Klangtechnik. Schon in der »Aktuellen Stunde« sei man begeistert gewesen über die nicht totzukriegende Phantasie des Komponisten, der keine Mühe gescheut habe, alle wirkungsvollen Effekte des Humanbereichs mit seinem künstlerischen Anliegen zu verquicken. Die Aufführung sollte nun in verschiedenen Kulturhochburgen Europas wiederholt werden; Turin, Mailand, Venedig, Tel Aviv und St. Pölten.

Ich rief Walpurgis an, um zu hören, wie der Abend weiterverlaufen sei.

»Es war großartig, ganz großartig«, sagte sie. »Wir gehen schon nächste Woche mit dem Stück auf Tournee, aber du brauchst nicht mitzufahren, du sollst dich erst mal erholen. Wie geht es dir überhaupt? Übrigens bekomme ich nun dein Kammsolo, nachdem es gestern ja ausgefallen ist. Herr Strohnagel sagte, das sei das einzige, was ihn gestern abend geschmerzt habe, ausgerechnet dieses hübsche Kammsolo, das Motive aus ›Lulu‹ von Alban Berg enthält, das habe er doch sehr vermißt. Aber morgen vormittag habe ich mit ihm einen Termin im Studio fünf, da studieren wir das Kammsolo ein. Mach's gut, du, ich muß mich jetzt dringend einblasen, ich hab noch so viel zu tun mit den Vorbereitungen für die Reise...« Sie legte auf.

Wie gut, daß sie auf ihre Frage, wie es mir ginge, keine Antwort erwartet hatte.

Ich rief den Inspizienten an und meldete mich krank.

Dann saß ich da und hörte auf die Stille.

Besonders die Stille in mir drin.

Selbst Tante Lilli war nicht da. Wahrscheinlich einkaufen. Oder sie brachte den Schweinehund ins Tierheim zurück. So was gibt es wahrscheinlich. Besserungsanstalten für verwahrloste Schweinehunde.

Das Telefon läutete nicht.

Warum meldete sich Georg nicht?

Warum fragte Klaus nicht nach meinem Befinden?

Mitte August. Mitte August weniger neun...

Ich rechnete an meinen Fingern rum und kramte den Terminkalender hervor.

Aha. Da war ich in Knispel. Die Nacht, in der ich ihm so dankbar gewesen war.

Sein kann also alles.

Wieso fühlt der Kerl sich nicht verantwortlich? Er kann doch schließlich genauso bis neun zählen wie ich. Ich rief in der Praxis an.

Die übliche kalte Frauenstimme war dran. Ich sagte, daß ich den *Herrn* Doktor zu sprechen wünsche.

»Der *Herr* Doktor praktiziert hier nicht mehr«, belehrte mich die *Frau* Doktor. Ob sie etwas für mich tun könne.

»Nein danke«, stammelte ich und legte auf. Der war also gar nicht mehr in der Gemeinschaftspraxis. Ja, wo sollte ich denn jetzt den Vater meines Kindes finden?

Gar nicht. Falls er überhaupt der Vater deines Kindes *ist*. Reiß dich zusammen, häng dich an keinen Mann, das haben wir doch alles schon gestern besprochen, Kind!

Na gut, aber Georg? fragte ich und griff schon wieder zum Hörer.

Auch nicht Georg! Wenn er sich nicht meldet, *du* läufst ihm nicht nach!

O. K., Tante Lilli, sagte ich. Schön, daß du wieder da bist!

34

Drei Tage später rief Georg an. Er sei wegen der Welturauf-führung sehr beschäftigt gewesen und habe beruflich verrei-sen müssen. Ob er mich besuchen dürfe.

Ich willigte gnädig ein, kam ich doch vor Einsamkeit und Selbstmitleid fast um.

Als Georg kam, streckte ich ziemlich provokativ den Bauch raus.

»Wie geht es dir, liebste Löwenfrau?« fragte Georg und drückte mir ein Buschwindröschen in die Hand.

»Ich bin schwanger«, sagte ich und suchte eine Vase.

Er war ziemlich lange still dort im Wohnzimmer, und als ich wiederkam, drehte er an seinem Hut.

»Willst du dich nicht setzen?« munterte ich ihn auf, den armen unfreiwilligen Vater. So eine freudige Überraschung muß ja auch erst mal verdaut werden. Jedenfalls riß er mich nicht freudig erregt an sein Herz, um sich mit mir zu verlo-ben. Wir saßen uns gegenüber, ich auf dem Katzensofa, er auf Tante Lillis morschem Sessel, und schwiegen.

»Haut es dich um?« fragte ich hoffnungsvoll.

»Ja, ein bißchen«, gab er zu und drehte an seinem Hut.

»Tja, dat kommt von dat«, sagte ich. Irgendwie mußte er doch eine Regung zeigen, wenn schon nicht Freudentränen, dann doch wenigstens die gütige Frage, auf welches Konto er die Alimente überweisen solle. Nichts. Hutdrehen. Typisch Georg. Wo hatte er überhaupt diesen blöden Hut her?

»Georg, kann ich irgendwas für dich tun?« fragte ich auf-munternd. Anscheinend hatte ich die Situation besser im Griff als er. Zeit mußte ich ihm lassen, das war klar. Vielleicht mußte er jetzt noch schnell seine Familienangelegenheiten klären gehen und kam mich danach dann heiraten.

»Nein, danke.« Er stand auf, blickte auf den Fußboden, ging zur Tür und sagte: »Auf Wiedersehen.«

Peng. Weg war er. Ohne: »Löwenfrau, du bist hinreißend, wenn du schwanger bist.« Einfach so. Ohne mir eine Ziga-rette dazulassen. Ich weinte ein bißchen vor lauter Verwun-derung.

Nun saß ich also allein da. Geschah mir ja absolut recht. Beide Männer, die mich einst glühend verehrt und nun in die Ecke geschoben hatten, hatten mich wahrscheinlich längst vergessen, und ich schwor mir, es auch zu tun.

Einige Wochen später ging ich zum Jugendamt und meldete mich dort als ledige werdende Mutter.

Der alte Amtmann hinter dem Schreibtisch wollte wissen, wer der Schuldige sei.

Ich schwieg beharrlich und kam mir dabei ungeheuer edel vor. Johanna auf dem Scheiterhaufen wird sich kaum besser gefühlt haben als ich, die ich tapfer die Herkunft meines Kindes verschwieg und mich dem Leben und seinen Klippen stellte.

»Also wer?« fragte der Inquisitor und blickte mich über seine Brillenränder an.

»Sarich nich«, sagte ich.

»Liebes Frollein«, belehrte mich der Amtmann. »Wenn Sie das nicht sagen wollen, ist das natürlich Ihr gutes Rescht.«

»Prima«, sagte ich. »Dann sind wir uns ja einig.«

»Nicht so schnell«, sagte der Amtmann. »Für *Sie* bin isch ja auch gar nischt verantworrtlisch. Wohl aber für dat Kind.«

»Wieso«, fragte ich. »Wollen Sie mir bei der Auswahl der Höschen-Windeln behilflich sein?«

»Nein, dat nich«, sagte die Autorität hinter dem Schreibtisch. »Aber es ist meine Pflischt, die Gellder einzutreiben, die der mutmaßlische Vater dem Kind schulldet.«

Der mutmaßliche Vater. Der Kerl war ja wohl mit allen Wassern gewaschen.

»Und wenn ich den Vater nicht nenne?« fragte ich.

»Dann müssen die Unterstützungen für dat Kind von den Steuergeldern abgezogen werden«, belehrte mich der Beamte.

»Na also, das ist doch eine Lösung«, freute ich mich.

Der Alte hielt mich nicht auf, als ich ging.

35

Einige Zeit später begann ich, mich nach einem geeigneten Geburtsvorbereitungskurs umzusehen. Ich blätterte in den Broschüren, die man überall im Alete- und Hipp-Regal findet. Alle diese Heftchen enthielten strahlend hübsche Mädels mit Rüschenschürze über dem prallen Bauch, die milde lächelnd einen rosa Teddy in ein reizendes Baby-Körbchen legen oder einfach an einer Gardine stehen und versonnen in die Maiglöckchenbüsche blicken, die da zufällig unter ihrem Küchenfenster wachsen.

Am meisten ärgerten mich die Bilder, wo nachsichtige Männer ihren Frauen vorsichtig an den Bauch faßten oder sogar lauschend das Ohr darauf legten. Welch alberner Kitsch. Mich hätten sie fotografieren sollen, diese Werbefotografen, mich, die ich im Umstandsbadeanzug im städtischen Hallenbad verbissen meine Bahnen schwomm.

Mein Umstandsbadeanzug war leuchtend orange und wurde oben am Hals zugebunden. Ich sah darin aus wie einer jener öffentlich-rechtlich zugelassenen städtischen Müllsäcke, die, wenn sie ordnungsgemäß verschlossen sind, von den freundlichen Müllmännern unentgeltlich mitgenommen werden.

Mich nahm noch nicht mal ein freundlicher Müllmann unentgeltlich mit, so unehelich schwanger, wie ich war.

Gerade als ich das Drogeriegeschäft verlassen wollte, entdeckte ich bei den Duftpröbchen vorn am Eingang eine Dame, die mir bekannt vorkam.

Ich überlegte, woher ich sie wohl kennen könnte, da sprach sie mich an.

»Ach, wie nett, daß ich dich hier treffe«, sagte sie, und ihre kessen Strähnchen wippten. »Georg hat lange nicht mehr von dir gesprochen.«

Es war Freia! Georgs Frau!

»Wie geht es dir!« rief sie fröhlich und musterte mich von oben bis unten. »Aber das sieht man ja, wie es dir geht!« freute sie sich. »Du bist also jetzt verheiratet!«

»Mit wem?« fragte ich blöde.

»Ja, das möchte ich von dir wissen«, strahlte Freia. »Und

Georg würde es sicher auch interessieren. Komm. Wir gehen einen Kaffee trinken, hast du Zeit?«

Klar hatte ich Zeit.

Selten so viel Zeit gehabt. Wir gingen also Kaffee trinken.

Als ich die Zigarette, die mir Freia anbot, ablehnte, sagte sie: »Ach ja, in deinem Zustand besser nicht! Aber sag, wer ist denn nun dein glücklicher Mann?«

Der Ober kam, sie bestellte Kaffee und ich ein Glas Honigmilch. Die spinnen, die Schwangeren.

Wollte sie mich verarschen? *(Kind!)* Wußte sie wirklich nicht, daß Georg abgehauen war?

»Wie geht es Georg?« fragte ich zurück. Erst mal Land gewinnen und Honigmilch schlürfen.

»Ich glaube, gut«, sagte Freia und balancierte eine Süßstofftablette in ihre Tasse. »Wir sehen uns dann und wann wegen Nina. Er ist viel unterwegs, hat auch meines Wissens wieder eine Freundin, sie ist auch Sängerin wie du.«

»Kenn ich die?« fragte ich und versuchte, meinen Herzstich zu verarbeiten.

»Walburga Sowieso«, sagte Freia.

Ich blickte auf den Schmand in meiner Milch. Walpurgis. Ist es denn die Möglichkeit! Walpurgis und Georg. Ich hätte mich gerne totgelacht, aber es tat zu weh.

»Wie hat er die denn kennengelernt?« fragte ich entgeistert.

»Soviel ich weiß, bei diesem Strohnagel-Konzert. Da muß wohl so ein Empfang für das Fernsehen gewesen sein...«

»Ich weiß«, sagte ich.

»Na, und du! Sag doch endlich, wie es *dir* geht! Georg wird sich freuen, wenn ich ihm erzähle, daß ich dich getroffen habe. Heute abend kommt er Nina besuchen. Da kann ich es ihm gleich berichten!«

Freia hatte also keine Ahnung. Alles hätte ich Georg zugetraut, aber ein Chormädel schwängern und dann mit einem anderen Chormädel turteln, deren Macker sein Azubi ist... Pfui Teufel! Ich holte ein paarmal Luft, weil ich den Anfang nicht fand, und dann sagte ich Freia, was für ein seltenes Exemplar von Lumpenhund ihr Georg war. Ich drückte mich allerdings etwas gewählter aus.

»Ich hätte deinen Mann für edler gehalten«, begann ich.

»Wieso? Habt ihr nicht klare Trennungsstriche gezogen?«

»Nö. Er hat gesagt: ›Auf Wiedersehen‹ und ist für immer von mir gegangen.«

»Ja aber… du bekommst doch ein Kind von einem anderen!«

»Das ist nicht mit Bestimmtheit zu sagen.«

»Was… wieso… mit Bestimmtheit…« Sie war offensichtlich verwirrt.

»Na ja«, sagte ich, »es ist sogar ziemlich wahrscheinlich, daß Georg der Vater ist. Wer denn sonst.«

Das war zwar gepetzt und nicht die feine Art, aber der Kerl hatte ja nichts Besseres verdient, als bei der eigenen Exfrau angeschwärzt zu werden. Außerdem mußte ich dringend Walpurgis warnen. Mit der machte er das womöglich auch noch. Wir Frauen müssen zusammenhalten. Ich beschloß, doch noch Alimente von ihm zu fordern. Gleich morgen würde ich zu dem Amtmann gehen und Georg denunzieren.

Bekannter Kritiker schwängert Sängerin! würde dann in der Zeitung stehen und dann, etwas kleiner gedruckt: Sängerin paßt in kein Konzertkleid mehr *Schadenersatz!* Dann wär sein Ruf hin und sein Konto auch und sein Verhältnis zu der blöden Walpurgis erst recht.

Freia nahm meine Hand und sah mich durchdringend an.

»Ja, glaubst du das wirklich?« fragte sie. »Habt ihr denn nie darüber gesprochen… hat er dir nie gesagt…«

»Über das Kinderkriegen haben wir nie gesprochen, es war immer viel zu romantisch, um über die Pille zu sprechen. Aber er hat mich ja auch nie gefragt, der Blödmann!«

Sie lachte schallend. Es war richtig herzig, wie glockenklar diese aparte Frau lachen konnte.

»Aber er *kann* nicht der Vater sein!« rief sie entzückt, und ein paar Kerle am Nebentisch guckten sich nach uns um.

»Wieso nicht?« fragte ich. »Klar kann er. Und wie der kann.«

»Er hat es dir also nie gesagt«, sagte sie zu ihrer Kaffeetasse. »Das sieht ihm eigentlich ähnlich.«

»*Was* hat er mir nie gesagt? Daß er keine Kinder… aber ihr habt doch eine Tochter!« Mir wollte so etwas dämmern, aber es wurde schon wieder dunkel um meinen Verstand.

»Die Tochter ist doch zehn Jahre her«, sagte Freia.

»Na und?« sagte ich böse. »So alt ist er nun auch nicht wieder nicht. Charlie Chaplin konnte noch mit siebzig.«

»Der hat ja auch nichts dagegen unternommen«, antwortete Freia.

»Wie, dagegen unternom…« Jetzt dämmerte es mir wirklich. »Georg hat sich… ste…« Ich wußte im Moment nicht, ob das beim Mann genauso heißt wie beim Kater.

»Na ja, wir wollten nach Nina kein Kind mehr«, sagte Freia. »Ich war immer viel auf Reisen und Georg auch… wir merkten beide, daß unsere Beziehung kein zweites Kind mehr vertragen kann. Und weil diese Entscheidung endgültig war, hat Georg sich… sterilisieren lassen.«

»Nicht so laut«, sagte ich und sah mich nach den Kerlen am Nebentisch um, deren Gespräche seit langem verstummt waren. Die fanden unser Thema viel interessanter.

»Und du glaubtest die ganze Zeit, *Georg* sei der Vater?« fragte sie, ihre Stimme mühsam dämpfend. »Ja, dann mußt du ihn ja für ein ziemliches Schwein halten.«

Die Männer am Nebentisch lachten.

»Genau«, sagte der eine, »Männer sind alle Schweine.«

Freia guckte böse rüber. »Sie halten sich da raus«, sagte sie.

»Na ja, begeistert war ich nicht gerade von seinem Verhalten«, erklärte ich Freia, die sich auf diesen Schrecken erst mal eine zweite Zigarette anstecken mußte.

Ich rauchte eine mit auf diesen Schrecken. Es war die einzige während der ganzen Schwangerschaft, ehrlich, Tante Lilli!

Wir rauchten und sahen uns an. Schließlich fand Freia ihre Sprache wieder.

»Aber ganz ratlos kannst du doch jetzt nicht sein«, sagte sie. »Da muß doch nun ein anderer in Frage kommen.«

»Ja, aber der meint, *Georg* sei der Saubeutel«, sagte ich. »Der hat sich schon vor Monaten zurückgezogen, den hab ich nämlich wegen Georg sitzenlassen.«

»Ach du Scheiße«, sagte Freia, und ein Kerl am Nebentisch raunte: »Wörter kennt die!«

»Ja dann nichts wie hin zu ihm und ihm alles erklärt!« rief Freia. »Noch ist Polen nicht verloren!«

Ich wußte nicht, wie ich in diesem Zusammenhang die politischen Hintergründe der Ostblockkrise zu verstehen hatte und sagte nur: »Nee, du, der hat auch seinen Stolz, und ich übrigens auch. Mach ich nicht. Ich schaff das schon alleine.«

»Wie, du willst es ihm gar nicht *sagen*?«

»Nö. Warum auch. Er ist sowieso verheiratet.«

»Ach du Scheiße«, sagte Freia wieder, und diesmal lachte keiner von den Kerlen am Nebentisch. Die waren inzwischen echt betroffen, die Jungs.

»Du machst aber auch dauernd Sachen«, sagte Freia entgeistert. »Zwei verheiratete Männer… gleichzeitig…«

»Nein, das war nicht gleichzeitig«, beruhigte ich sie. »Immer abwechselnd war das. Du denkst ja schlimm von mir!«

Ich verschwieg ihr, daß es sogar drei waren, denn Tante Lilli trat mich unter dem Tisch, und außerdem stand das finnische Wildschwein aus Termingründen überhaupt nicht zur Debatte.

»Du *mußt* es ihm aber sagen«, rief Freia aus. »Vielleicht *liebt* er dich! Vielleicht läßt er sich scheiden!«

»Ja, versuchen sollte man es«, sagte der eine Kerl neben uns. »Noch ist Polen nicht verloren!«

»Das hätte er sich eher überlegen können«, sagte ich bokkig. »Schließlich weiß er seit Januar, daß ich schwanger bin. Er hat die Schwangerschaft sogar diagnostiziert. Und Georg war dabei. Beide sind sie stiften gegangen!«

»Beide halten sich gegenseitig für den Vater! Klar, daß sie dem anderen den Vortritt lassen wollten!« Freia war begeistert von ihrer eigenen Kombinationsgabe.

»Das ist ja wie im Roman«, sagte der andere Kerl am Nebentisch.

»Diagnostiziert?« fragte Freia. »Ist der andere denn Arzt?«

»Klar«, schnaufte ich.

»Wie heißt der denn?« fragte der eine Kerl am Nebentisch. »Vielleisch kenn ich den. Un dann sarisch dem mal de Meinung.«

»Den Teufel werden Sie tun«, drehte ich mich wütend zu ihm um. »Die Meinung sagen könnte ich ihm schon alleine. Will ich aber nicht.«

Richtig, Kind, du schaffst das schon!

36

Als der Sommer ins Land zog und die Maiglöckchenbüsche unter den Küchenfenstern der Schwangeren zu blühen aufhörten, als die städtischen Freibäder öffneten und zur überfüllten Pipigrube wurden, beschloß ich, nicht länger als öffentlicher Müllsack die Herzen meiner Mitmenschen zu erfreuen. Ich hatte inzwischen die Ausmaße eines frühpubertären Flußpferdes angenommen und sorgte mich etwas um meine Figur.

Ich besuchte also einen Kurs für Schwangeren-Gymnastik. Das erste, was mich freudig überraschte, als ich den düsteren Kellerraum betrat, war der Anblick von sehr vielen dicken Bäuchen. Nun war ich endlich nicht mehr im Mittelpunkt allgemeiner Erheiterung. Im Gegenteil: Niemand beachtete mich, als ich mit einiger Anstrengung auf einer freien Matratze in der Mitte des Raumes Platz nahm.

Ich sah mich im Halbdunkel um. Viele schwangere Frauen hockten oder lagen da, alle mit mehr oder weniger drallem Vorbau. Was mich befremdete, war die Anwesenheit der vielen Männer. Was wollten die denn hier? Zugucken? Meinetwegen. Aber warum fleezten sie sich auch auf den Matratzen rum?

Die Hebamme betrat den Raum. Sie trug einen weißen Kittel und Badeschlappen. Sie war klapperdürr und hatte einen Mund wie eine von Helmuts Kröten.

In der Hand hatte sie einen wollenen Schlüpfer.

»Bevor wir heute mit der Entspannung anfangen«, sagte sie humorlos, »will ich Ihnen ein unentbehrliches Kleidungsstück für die erste Zeit vorstellen.«

Wir reckten die Hälse, um den Schlüpfer besser sehen zu können. Besser wäre es gewesen, sie hätte Licht gemacht. Sie erklärte, daß der Schlüpfer aus reiner ungefärbter Schafswolle sei und daß der Säugling ungestraft etwa siebzigmal reinpinkeln könne, bevor der Schlüpfer zu stinken anfinge. Man dürfe den Schlüpfer aber auf keinen Fall waschen, da er sonst seine ungeschorene Qualität verlöre und außerdem einliefe. Man solle ihn an der Luft trocknen lassen und sich am besten mehrere dieser Schlüpfer anschaffen, damit der Säugling sie abwechselnd vollpinkeln könnte.

Die Kursteilnehmer nickten, und der bucklige Kerl vor mir auf der Matratze kritzelte alles in ein Notizbuch. Ein Pärchen neben mir diskutierte leise.

Ich fand ihn auch ganz erstaunlich, diesen Schlüpfer Nimmerstink, und beschloß, mir diese Anschaffung mal durch den Kopf gehen zu lassen. Während die Hebamme noch Erklärungen dazu abgab, ging das Höschen durch alle vierzig Hände, wurde befühlt und beschnuppert. Ich befühlte es auch, als ich an der Reihe war. Es war ein ziemlich trockenes wollenes Alternativdessous.

Die Hebamme hieß Rheingarten-Schlotterkamp und war demnach eine verheiratete berufstätige Frau. Wie schön für sie. Sie begrüßte mich als »Neues Gesicht« und sagte dann, daß ich auch gerne beim nächstenmal meinen Partner mitbringen dürfe.

»Ich werd's ihm ausrichten«, sagte ich.

Wir begannen dann mit den Entspannungsübungen. Frau Rheingarten-Schlotterkamp sagte, daß wir uns über die Seite auf den Rücken legen sollten.

Allgemeines Wälzen und Stöhnen auf den Matratzen. Schließlich lagen alle flach auf dem Rücken, die Männer auch.

»Nun fühlen wir im unteren Lendenbereich…« befahl Frau Rheingarten-Schlotterkamp. Ich hob den Kopf, um zu gucken, wo der Lendenbereich sich befinden könnte. Die anderen fühlten alle irgendwo unterhalb ihrer Erdkugel herum.

Der Mann, der neben mir lag, war ein bärtiger Typ mit roten Haaren. Er fühlte auch auf seinem Lendenbereich herum. Seine Socken stanken bestialisch, und ich rümpfte die Nase.

»Gibt es eigentlich auch Socken aus ungefärbter Schafswolle?« fragte ich Frau Rheingarten-Schlotterkamp, die gerade zur Kontrolle des Lendenfühlgriffes vorbeikam.

»Socken? Warum? Wahrscheinlich gibt es die, ich werde mich mal erkundigen«, sagte sie und bückte sich, um meine Hände fünf Zentimeter weiter bauchwärts zu schieben.

»Ich meine, Socken für werdende Väter«, sagte ich, und Frau Rheingarten-Schlotterkamp sagte, daß mal jemand die Fenster öffnen solle. »Bei so vielen Teilnehmern ist hier einfach schlechte Luft«, erklärte sie.

Der rothaarige Typ neben mir fühlte teilnahmslos an seinem Zwölffingerdarm herum. Die Hebamme korrigierte seine Haltung.

»So, jetzt atmen wir alle mal tief in den Bauch«, rief Frau Rheingarten-Schlotterkamp und ein allgemeines Pusten und Seufzen war zu hören.

»Was ist«, sagte sie, »hebt oder senkt sich der Bauch beim Einatmen?«

Das Pusten und Keuchen wurde durch eine Denkpause unterbrochen.

»Senkt«, sagte dann eine Baßstimme.

»Quatsch, hebt«, sagte eine andere Männerstimme.

»Sie können jetzt wieder ausatmen«, gestattete Frau Rheingarten-Schlotterkamp.

»Wenn jetzt die Wehen kommen«, sagte Frau Rheingarten-Schlotterkamp, »dann versuchen wir alle, ganz tief und gleichmäßig zu atmen.«

Das versuchten wir alle. Besonders der Typ mit den stinkenden Socken. Er lag mit geschlossenen Augen auf der Matte und atmete ungeheuer fest ein und aus. Dabei krallten sich seine Hände in sein Flanellhemd.

»Die Wehe kooommmmt«, rief Frau Rheingarten-Schlotterkamp, »wir atmen tiieef in den Baaauuch!«

Ich spürte keinerlei Wehe, aber ich atmete, genau wie die anderen. Jedesmal beim Einatmen schlug mir diese Stinksockenwolke von nebenan ins Gesicht. Ich hoffte, daß während der Entbindung weit und breit kein alternativer Vater zu sehen sein würde.

»Jetzt hecheln wir, weil wir noch nicht pressen dürfen«, sagte Frau Rheingarten-Schlotterkamp. Wir hechelten.

»Wann dürfen wir denn pressen?« fragte ein Mann am Ende des Raumes. Ihm wurde das Hecheln langsam zu blöd.

»Sie dürfen erst pressen, wenn die Hebamme es Ihnen erlaubt«, erklärte Frau Rheingarten-Schlotterkamp. »Wir entspannen jetzt wieder... und atmen tiieef in den Baaauuch...«

»Die Wehe hat echt nichts gebracht«, sagte der rothaarige Stinksockeninhaber neben mir und setzte sich auf.

»Wir setzen uns jetzt wieder«, sagte die Hebamme, »jeder

so, wie es ihm bequem ist. Die Frauen können sich an die Männer lehnen.«

Mangels Mann lehnte ich mich an eine Yucca-Palme.

»Die Männer massieren jetzt den Frauen die Rücken«, schlug Frau Rheingarten-Schlotterkamp vor. Allgemeine Geschäftigkeit brach aus, begeistertes lüsternes Stöhnen und Seufzen. Ich rieb mein schmerzendes Rückgrat etwas an der Yucca-Palme, aber da stürzte Frau Rheingarten-Schlotterkamp hinzu und rettete ihre Pflanze.

»Ist hier *noch* jemand ohne Mann?« fragte sie drohend in die Dunkelheit. Niemand war ohne Mann. Alle waren damit beschäftigt, sich gegenseitig den Rücken zu kneten und lüstern zu seufzen.

»Dann bin ich heute Ihr Mann«, sagte die Hebamme zu mir und setzte sich zu mir auf die Matratze.

Ich durfte ihr dann den mageren Rücken massieren, und sie sagte, genauso solle ich das zu Hause meinen Partner machen lassen, damit er wüßte, wie er mir bei der Geburt helfen könne.

»Die Männer müssen beschäftigt werden, sonst machen sie schlapp«, sagte sie leise. »Die Geburt kann oft Stunden dauern, und die Hebamme kann nicht immer bei Ihnen sein. Dann ist es wichtig für Ihren Mann, daß er nicht nervös wird. Also beschäftigen Sie ihn.«

»Ist klar, mach ich«, sagte ich. Wie gut, daß ich dieses Problem nicht haben würde.

Frau Rheingarten-Schlotterkamp sprang leichtfüßig in ihre Badeschlappen und rief: »So, setzen Sie sich entspannt hin und lassen Sie uns gemeinsam überlegen, wie wir die Stunden der Geburt gestalten können.«

»Wir können ein Radio mitnehmen«, sagte ein langhaariger Typ an der Wand.

Die Frau, deren Ohrgehänge aus zwei Plastiktelefonhörern bestand, nickte zustimmend. »Au ja, geile Musik hören, das wird ein feeling, echt easy«, sagte sie.

»Das ist zum Beispiel eine Idee«, sagte Frau Rheingarten-Schlotterkamp. »Bitte bedenken Sie, und das sagte ich eben schon zu unserer neuen Teilnehmerin, daß die Geburt sich sehr lange hinziehen kann. Die Hebamme und der Arzt können nicht ständig in Ihrem Raum sein. Da müssen Sie selbst die Eröffnungsphase gestalten.«

»Nee, is klar«, sagte der Langhaarige.

»Sie sollten sich auch etwas zu essen mitnehmen«, sagte die Hebamme. »Besonders die Männer brauchen zwischendurch eine Stärkung.«

»Wir machen 'ne Hausgeburt«, sagte eine Strähnige, deren Latzhosenmann sich gerade eine Zigarette drehte. »Da kann ich ja 'ne Pizza backen.«

»Wenn Sie noch dazu kommen«, lächelte Frau Rheingarten-Schlotterkamp hintergründig. »Gut, weitere Beiträge?«

»Wir spielen immer Mau-Mau«, sagte eine Brillenträgerin hinter mir. »Da geht die Zeit gut rum.«

»Auch eine gute Idee«, lobte die Hebamme.

»Was ist mit einem heißen Bad?«

Auch dieser Vorschlag fand begeisterte Zustimmung. Ich kam langsam zu der Überzeugung, daß so eine Geburt ein prima kurzweiliges Ereignis sei, und überlegte, ob ich nicht ein paar Nachbarn und Kollegen zur Hausmusik einladen sollte. Ein paar Geigen und Klarinetten würden sich bestimmt noch kurzfristig auftreiben lassen. Mau-Mau-Spielen finde ich nämlich ziemlich langweilig.

»So, nun wollen wir eine neue Entspannungsübung lernen«, regte Frau Rheingarten-Schlotterkamp an. »Wir setzen uns alle auf unsere Hände.«

Das taten wir, und meine Hände wurden ziemlich platt unter meinen 86 Kilogramm.

»Spüren Sie Ihren Gesäßmuskel? Spielen Sie einmal damit!«

Wir hoppelten etwas auf unserem Hintern herum und lebten den Schmerz in den Händen aus.

»Sehr gut«, lobte die Hebamme. »Und nun kommt eine Übung, die können die Männer leider nicht mitmachen.«

Ich blickte schadenfroh in die Runde. Aha. Endlich waren die Jungs mal überfordert.

»Wir suchen jetzt mal unseren Beckenbodenmuskel«, befahl Frau Rheingarten-Schlotterkamp.

»Ja wo isser denn?« witzelte ein Typ an der Tür.

»Sie *haben* den eben nicht!« sagte Frau Rheingarten-Schlotterkamp. »Den haben nur die Frauen.«

»Und wo?« fragte ich interessiert.

»Tja, sehen Sie«, sagte die Hebamme, »ich kann Ihnen alles zeigen, einen Kopfstand kann ich Ihnen vormachen und eine Bauchatmung kann ich Ihnen demonstrieren, aber Ihren Bekkenbodenmuskel, den müssen Sie ganz allein finden. Suchen Sie mal! Das gilt jetzt nur für die *Frauen*«, rief sie genervt, als einige Jungs schon wieder konzentriert auf ihren Latzhosen rumfühlten.

Ich beobachtete die anderen Mädels. Ihre Gesichter waren so angespannt, als würden sie auf Hühnerkacke beißen. Manche bewegten sich wieder wie beim Gesäßmuskel-Reiten.

»Nein, Sie dürfen sich *nicht* bewegen«, rief Frau Rheingarten-Schlotterkamp und drückte ein Mädchen an der Schulter. »Wenn Sie sich bewegen, ist es falsch. Den Beckenbodenmuskel kann man nicht sehen, man kann ihn nur spüren.«

»Das ist, wie wenn du das Pinkeln abwürgst«, sagte die Bebrillte hinter mir, die während ihrer Geburten immer Mau-Mau spielte.

»Warum soll ich denn das Pinkeln abwürgen?« fragte ich. Ich erkannte nicht den Sinn der Übung.

»Sie sollen ja den Beckenbodenmuskel *entspannen*«, belehrte uns die Hebamme. »Das können Sie natürlich erst, wenn Sie ihn gefunden haben, und dazu müssen Sie damit spielen.«

Ich versuchte, ein bißchen mit meinem Harnleiter zu spielen, und fand die Übung ziemlich schlüpfrig. Mir war das peinlich, und ich hörte auf mit dem Quatsch.

»So, und zum Schluß wollen wir noch einmal entspannen«, sagte Frau Rheingarten-Schlotterkamp. Alle hörten auf, in Hühnerkacke zu beißen, und die Männer waren froh, wieder integriert zu werden. Sie hatten echt gelitten während der letzten Übung, weil sie nicht mitmachen durften.

»Wir legen uns über die Seite auf den Rücken.«

Allgemeines Wälzen und Stöhnen, wie am Anfang. Der rothaarige Stinksockeninhaber neben mir wälzte sich auch über die Seite auf den Rücken, als hätte er Drillinge im Bauch.

Dann schaltete Frau Rheingarten-Schlotterkamp einen Kassettenrekorder ein. Es ertönte indische oder südnepalesische Musik, ich kenne mich da bei der Konkurrenz nicht so aus. Alle lagen ganz still da und ließen sich von den Krummhörnern und Panflöten in den Schlaf dudeln. Als ich schon fast schlief, sagte Frau Rheingarten-Schlotterkamp:

»Die Augen sind geschlossen, die Stirn liegt ganz entspannt und ohne Falten.«

Der Rothaarige neben mir befühlte seine Stirn und checkte das mit den Augen ab. Alles O.K. Sie waren geschlossen.

»Der Unterkiefer fällt uns auf die Brust«, sagte Frau Rheingarten-Schlotterkamp. »Wir atmen ruhig und gleichmäßig.«

Die Panflöte jodelte im Fünftonbereich herum, das Krummhorn verendete gerade im Pianissimo. Man hörte die Kursteilnehmer atmen. Mit gleichmäßiger Penetranz schlug mir das Stink-Aroma entgegen.

»Die Zunge liegt breit und flächig im Mund.«

Enorm, was sich Frau Rheingarten-Schlotterkamp alles einfallen ließ.

»Wir spüren die Lippen, die locker aufeinanderliegen. Die Schneidezähne berühren sich nicht.«

Klar, echt gut durchdacht, dieses Entspannungsprogramm. Wenn sich die Zähne nicht berühren, kann man sich im hysterischen Wehenkrampf auch nicht die Zunge abbeißen, dachte ich.

»Nun öffnen wir die Augen wieder... wir öffnen den Mund... wir heben den Kopf... wir bewegen unsere Arme, wir rollen uns über die Seite langsam zum Sitzen... die Männer helfen den Damen beim Aufstehen...«

Ich rappelte mich an der Yucca-Palme hoch. Frau Rheingarten-Schlotterkamp entging das nicht. Sie schien diesen Gummibaum sehr zu lieben. »Und Sie vergessen nächstes Mal nicht, Ihren Mann mitzubringen!« sagte sie zu mir.

»Ist klar, mach ich«, sagte ich.

37

Ein paar Tage später traf ich Helmut. Er kam gerade aus einem Geschäft mit der Aufschrift »Kleintierzoohandlung« und hatte Würmer oder Salatblätter für seine Kröten gekauft. Er freute sich sehr, mich zu sehen, und musterte verstohlen meinen Bauch.

»Wann ist es denn soweit?« fragte er.

»In drei Wochen«, sagte ich. Ich erzählte ihm, daß es echt stressig sei, die ganzen Vorbereitungen zu treffen, zumal ich mit meinem Bauch nun nicht mehr die Möbel für das Kinderzimmer transportieren könne, geschweige denn nach dem Motto »Selbst ist der kleine Heimwerker« zusammenbauen. Helmut biß sofort an; er schlug vor, mir bei diesen Arbeiten zur Hand zu gehen, da er ohnehin gerade nichts zu tun habe.

In der Hoffnung, seine Kröten würden inzwischen nicht vor Hunger verenden, quetschte ich mich in seinen Mazda, und wir fuhren in die Stadt, um ein Kinderbettchen und einen Wickeltisch zu kaufen.

»So 'n Buggy-Gefährt brauche ich auch noch«, sagte ich, weil ich gerade draußen auf dem Zebra-Streifen eines sah.

Wir gingen also in die »Affenschaukel«, einen großen Babyladen hinter Hertie, und ließen uns beraten. Außer uns waren noch andere schwangere Pärchen da und beluden ihren Einkaufswagen mit Frotteehöschen, Erstlingsmützchen und schalldichten Bettlaken. An einem Stand entdeckte ich auch die alternativen Nimmerstink-Baumwollhöschen und pries Helmut deren Vorzüge an. Die Verkäuferin überzeugte uns aber, daß Pampers doch der einzig wahre Nässeschutz seien und letztendlich doch das Hygienischste.

»Mit irgendwas muß man anfangen«, sagte ich zu Helmut und bugsierte so eine praktische Familiensparpackung mit 88 Höschenwindeln Marke »MAXI-SUPER-ELASTIC« in unseren Einkaufswagen. Helmut fragte, ob mein Kind vermutlich zwischen 12 und 24 Kilo wiegen würde. Wenn nicht, sollte ich es zuerst mit »MINI-SUPER-ELASTIC« versuchen. Ich räumte ein, daß ich zwar mit einem Elfpfünder rechne, aber daß vermutlich zuerst die kleineren Windelhöschen reichen würden. Dann führte uns die Verkäuferin zur Abteilung Wickeltisch und Kinderbett. Es gab die herzallerliebsten Sachen dort. Zum Beispiel faszinierte mich ein Hochbett mit Rutsche, aber Helmut wagte zu bemerken, daß mein Kind vermutlich in den ersten Monaten noch nicht rutschen wollte.

Wir entschieden uns dann für einen Stubenwagen für 157 Mark, da die Verkäuferin meinte, man solle nicht am Anfang zu viele Anschaffungen machen, man bekäme ja schließlich auch noch viel von der Verwandtschaft und von Freunden geschenkt.

»Klar«, sagte ich, »und nachher stapeln sich die Kinderbetten bis unter die Decke, das sind dann nur Staubfänger.«

Die Wickeltische waren alle so teuer, daß ich beschloß, meinen Schreibtisch zu Hause umzufunktionieren. Ob in den Schubladen nun Notenblätter und Stimmgabeln herumflogen oder Plastikwindeln und Cremedöschen, das war dem Schreibtisch egal.

Höchst erfreut stellte ich fest, daß ja nun bereits die wichtigsten Anschaffungen getätigt seien, da erinnerte mich Helmut an den Buggy.

»Ach ja, einen Buggy brauchen wir noch«, sagte ich zu der Verkäuferin.

»Für wen?« fragte sie zurück.

»Na ja, für ihn hier«, sagte ich und tippte auf meinen Bauch.

»Da brauchen Sie einen Kinderwagen, in dem das Baby liegen kann«, sagte die freundliche Verkäuferin geduldig. Sie hatte gleich kapiert, daß sie es hier mit absoluten Greenhörnern zu tun hatte. Wir wurden also durch einen langen Gang geführt, an dessen Ende alle möglichen Modelle von Kinderwagen parkten.

»Da können Sie sich in Ruhe umsehen«, sagte die Verkäuferin. »Wenn Sie Fragen haben, komme ich gerne zu Ihnen.« Und ging einen Herrn beraten, der sich einen Autositz für sein Neugeborenes kaufen wollte.

Wir sahen uns also in Ruhe um. Ich fand die großrädrigen Schlitten schick, die eine tolle Federung hatten und zu denen man unbedingt hochhackige Pumps und ein Wildlederkostüm anziehen mußte, weil man sonst nicht zu dem Modell paßte. Helmut sagte, daß sie vielleicht nicht ganz meinen

Preisvorstellungen entsprächen, und damit hatte er ausnahmsweise recht. Dann gab es da die guten deutschen, stabilen, praktischen Kombis, die in Stiftung Warentest durchaus mit drei plus bestanden hatten und die man in Rosa, Hellblau und Graumeliert haben konnte. Sie waren geräuscharm, zusammenklappbar, hatten einen erstaunlich geringen Wendekreis, die Bezüge waren rutschfest und wasserdicht, außerdem bei 30 Grad im Handwaschbecken zu reinigen, und es gab im passenden Design einen Sonnenschirm und ein Regenverdeck dazu. Ganz enorm, was sich die Jungs von der Marke »Klapperstorch« da ausgedacht hatten! Leider kosteten diese bleifreien Turbodiesel mit Allradantrieb auch ihre 700 Mark, und ich ging doch zu den alternativen Tragetüchern aus reiner Baumwolle für 24 Mark 30 hinüber. Unsere Verkäuferin hatte dem Herrn inzwischen einen Babysitz fürs Auto verkauft, und er klemmte das Ding unter den Arm, da es nicht in seine schwarze Aktentasche paßte, und wandte sich zum Gehen. Für einen Moment blieb mir das Herz stehen.

Es war Klaus.

Ich hatte ihn nur eine Sekunde lang von vorn gesehen, aber jetzt, wo ich seinem breiten Rücken nachstarrte, erkannte ich ihn am Gang. Klaus Klett. Was machte der Kerl mit einem Baby-Sitz?

Mir wurde so zittrig um die Knie, daß ich mich auf eine Laufstallkante setzen mußte.

Die Verkäuferin brachte mir schleunigst einen Stuhl. »Ist Ihnen nicht gut?« fragte sie teilnahmsvoll. »Das haben wir hier öfter. Gerade jetzt, wo es so heiß ist…«

Ich atmete schwer und fühlte mein Herz rasen.

Klaus. Er war also noch in K. Warum hatte er sich nie gemeldet, der verdammte Schuft? Warum mußte ich hier mit Helmut stehen und alternative Umhängetücher aus reiner Baumwolle kaufen? Warum kümmerte sich der Drückeberger nicht um die Mutter seines Kindes? Ich wäre ihm gerne nachgelaufen, aber das ging absolut nicht mit meinem dicken Bauch. Außerdem hätte mir das Tante Lilli nie erlaubt.

Helmut kam und fragte, ob ich mich für ein Tragetuch entschieden hätte. In plötzlicher Wut auf Klaus, der mir gefälligst in Zukunft Alimente zahlen würde, sagte ich, ich nähme doch den Turbo-Diesel mit Allradantrieb, Fernsteuerung und eingebauter Stereoanlage, und zwar in echtem Leder. Die Verkäuferin bedauerte, daß dieses Exemplar bereits vergriffen sei, und so kaufte ich das zweitteuerste mit Sonnenschirm und dazu passenden Gartenstühlen für 898 Mark. Die Rechnung gehe an Praxis Dr. Klett, sagte ich wütend.

»Das ist aber ein Zufall«, meinte die Verkäuferin. »Der Babysitz von dem Herrn da vorhin ging auch an einen Herrn Doktor Klett; er zahlte nämlich mit Euro-Scheck.«

»Ich weiß«, grunzte ich und erhob mich ächzend aus dem Stuhl. Auf die gleiche Rechnung gingen noch der Wickeltisch in Pink, drei Garnituren Bettwäsche (Helmut und ich wählten welche mit knutschenden Elefanten drauf), vier Erstlingsausstattungen, ein Pinkeltopf (obwohl die Verkäuferin versicherte, den würde ich vorerst nicht brauchen), eine Spieluhr, (der Mond ist aufgegangen in F-Dur), ein Wärmestrahler (im Hochsommer nicht dringend notwendig, aber trotzdem!), ein Schlafsack, ebenfalls mit knutschenden Elefanten drauf, vier Leibchen, vier Paar Socken, zwei T-Shirts Größe 62 mit progressiven Aufdrucken drauf, vier Strampelhosen in Bleu, ein Fieberthermometer, acht Nuckelflaschen mit kiefergerechter Saugerformung, vier Beruhigungssauger mit Musik, ein Brummkreisel, zwei Malbücher, eine Holzeisenbahn. Dazu noch eine Milchpumpe, ein Sterilisationsgerät, eine Rassel, ein Beißring, ein Teddy, eine Käthe-Kruse-Puppe antik, ein Dreirad, ein Plüschtier. Helmut mahnte mich mehrmals zur Vernunft, Tante Lilli zeterte ungehört Protest, aber ich kaufte, kaufte, kaufte trotzdem.

Endlich war ich schweißgebadet, mußte mich erneut setzen, bestellte mir einen handgepreßten Orangensaft (die Verkäuferin fragte Helmut, ob ich das öfter hätte) und ließ dann ein Taxi vorfahren. Als ich mich und meinen Bauch schon fast in das Taxi bugsiert hatte, rief ich dem völlig perplexen Helmut zu, er möge noch eine Kinderbadewanne mit Thermometer und Schwimmente dazuschreiben lassen.

Dann fuhr ich nach Hause und fühlte mich ungeheuer gut. –

38

Drei Tage später klingelte bei mir das Telefon.

»Praxis Dr. Klett, ich verbinde.«

»Verbinden Sie ruhig«, sagte ich und versuchte mich zu entspannen, wie ich das bei Frau Rheingarten-Schlotterkamp gelernt hatte.

»Klett«, sagte die kalte Frauenstimme, und ich sagte »Na und?«

»Sind Sie das mit dieser Rechnung aus dem Baby-Laden?«

»Ja klar«, sagte ich und kaute an den Fingernägeln.

»Wieso schicken Sie die Rechnung in meine Praxis?« fragte Frau Klett, diese blonde gefühlsarme Irene.

»Weil da doch wohl ein gewisser Klaus Klett arbeitet«, antwortete ich und spuckte einen Nagel auf den Teppich.

»Wenn Sie meinen Ex-Mann meinen, der arbeitet hier schon lange nicht mehr«, sagte Irene und keifte plötzlich: »Ina, ich telefoniere!«

»Ich auch«, sagte ich, weil mich der plötzliche Krach erschreckt hatte.

Ina schien sich getrollt zu haben, denn Irene sprach wieder in Zimmerlautstärke.

»Was kann ich also für Sie tun?«

»Die Rechnung an Klaus Klett weiterschicken.«

»Ich habe seine Adresse nicht«, sagte Irene.

»Sie haben seine ADRESSE nicht?« fragte ich völlig entgeistert. Was, wenn ich selbst jetzt von meinem Kindergeld die Rechnung würde bezahlen müssen? Der Opa im Jugendamt würde mir keine drei Mark fünfzig beisteuern, dessen war ich sicher.

»Ja, aber Sie müssen doch die Adresse von Ihrem Ex-Mann haben«, stöhnte ich.

Sie stichelte: »Hat er Sie in Verlegenheit gebracht?«

»Ja«, sagte ich, »erst war er beethövlich, dann wurde er mozärtlich, dann führte er mich mit Liszt über den Bach auf die Haydn, dort konnte er sich nicht mehr brahmsen, nun kriege ich einen Mendelssohn und weiß nicht wo Hindemith!«

Irene lachte hysterisch in den Hörer.

»Ach, Sie sind die Sängerin, er hat mir von Ihnen erzählt.«

»So? Was hat er Ihnen denn von mir erzählt?« schnaufte ich.

»Daß er Sie liebt und daß er sie heiraten wird, aber das ist mindestens fünf Monate her, und wie es scheint, hat es ja nicht funktioniert mit der Heiraterei. An mir hat's nicht gelegen. Er hat auf die Praxis verzichtet und ich auf ihn. So einfach war das. INA, ich TELEFONIERE!!!«

»Er hat auf die Praxis verzichtet?«

»Ja, er hat gesagt, er liebt Sie, und mein Geld ist ihm schnuppe, und er wird Sie heiraten, und ist abgehauen.«

»Ja, aber er *hat* mich nicht geheiratet«, staunte ich.

»Ihr Pech«, sagte Irene. »Jedenfalls kann ich mit der Rechnung nichts anfangen. Ich schicke sie Ihnen zu, wie ist denn Ihre Adresse?«

»Armenhaus, Hungergasse eins B«, sagte ich und legte den Hörer auf.

Morgen würde der Gerichtsvollzieher kommen und den Kuckuck auf meinen verstimmten Engelbert und auf meine Wärmflasche kleben.

39

Eine Woche vor dem errechneten Geburtstermin ging ich mit Helmut zum Wickelkurs. Ich hatte dermaßen Angst vor einem Solo-Auftritt in diesen Kreisen, daß ich Helmut einfach *gezwungen* hatte, mich zu begleiten. Ich köderte ihn mit einem Abendessen. Helmut, der sowieso nichts anderes vorhatte, als seine Kröten umzutopfen, kam bereitwillig mit. So ein Wickelkurs hätte ihn schon immer interessiert, sagte er, und seine Mutter mit dem Hörgerät dachte, wir gingen ins Kino, und wünschte uns viel Spaß. Wie Helmut ihr meinen dicken Bauch erklärt hatte, weiß ich nicht, aber es ist nicht unwahrscheinlich, daß sie ihn gar nicht bemerkt hatte, weil sie auf einem Auge blind und auf dem anderen kurzsichtig war.

Wir gingen also in die Klinik, wo ich zu entbinden gedachte

(es war Sankt Chlodhildis bei den Schwestern zur Guten Nacht), und drängelten uns mit den anderen schwangeren Pärchen in den Raum, an dem »Wickelkurs – Anfänger und Fortgeschrittene« stand. Schwester Friedeburg, eine rüstige Endsechzigerin, hatte eine Badewanne über zwei Stühle gebaut und begann mit ihrer Vorstellung. Über der Badewanne hing ein Kreuz. Trotzdem zog Schwester Friedeburg die geschlechtslose Gummipuppe ganz nackt aus und hob sie vorsichtig in die Wanne.

»Ist ja kein Wasser drin«, sagte eine Besserwisserin im Hängerchen.

»Das brauchen wir auch nicht für unsere Demonstration«, sagte Schwester Friedeburg, »zumal Julchen sich sehr leicht erkältet.«

Wir sahen dann alle andächtig zu, wie Julchen mit einem Radiergummi abgeseift wurde, außer zwischen den Beinen, aber da gab es sowieso nichts wegzuradieren.

Helmut reckte interessiert den Hals, um ja nichts zu verpassen.

Die Luft war schon wieder zum Schneiden, aber wenigstens war niemand ohne Schuhe da. Außerdem gab es nicht allzu viele Alternative, denn hier in Sankt Chlodhildis bei den Schwestern zur Guten Nacht gab es keine Kreißsäle mit roter Bettwäsche und auch keine Doppelbetten, noch nicht mal Popmusik war erwünscht, vom Mau-Mau-Spielen ganz zu schweigen.

Nun durften alle mal der Reihe nach Julchen anfassen, und zwar nicht, wie Schwester Friedeburg es absichtlich falsch demonstrierte, am Arm oder am Bein, sondern mit *beiden* Händen ganz sanft am Kopf und am Gesäß. Wir probten das alle, und ich fand, daß Julchen kalt und wächsern sei und viel zu leicht. Mein Baby würde einen Flaschenzug über dem Wickeltisch brauchen, und den würde ich Klaus Klett auch noch auf die Rechnung schreiben.

Helmut hob auch Julchen hoch, aber er reichte es schnell weiter, weil er Angst hatte, jemand könnte ihn zu lange ansehen.

Helmut war wie ich: schüchtern, schrecklich schüchtern! Wir lernten dann, wie man Julchen wickelt, und zwar mit

Pampers, was das Einfachste ist, wie Friedeburg verächtlich sagte, aber auch mit der guten alten Stoffwindel. Das war ihre ganze Leidenschaft, und sie packte Julchen dermaßen fachmännisch ein, daß wir alle baff waren vor Staunen. Ein paar Freiwillige wollten die Tricks mit den Seemannsknoten lernen, aber ich hatte mich ja schon für die SUPER-MINIS im praktischen Spar-Pack entschieden, die bei Klaus auf der Rechnung standen.

So gab es eigentlich nicht mehr viel zu lernen, und wir beschlossen zu gehen. Ich wollte Helmut zum Griechen einladen, wie ich es versprochen hatte.

In der Tür stieß ich mit einem weißbekittelten Mann zusammen. Blöder Kerl, der! Sah der nicht, daß ich schwanger war?

»Entschuldigung«, sagte er eilig, und ich brummte: »Das will ich meinen.«

Er war schon fünf Meter weiter, als ich wie von der Tarantel gestochen herumfuhr (soweit das in meinem Zustand möglich war): Es war schon wieder Klaus. Klaus Klett.

Hab ich ihn erwischt, dachte ich, jetzt kriegt er die Rechnung!

Er fuhr auch herum, blieb stehen, starrte auf mich und dann auf Helmut.

»Guten Abend«, stammelte er und guckte auf Helmut und dann auf mich und dann auf meinen Bauch und dann auf Helmut. Er hatte ein Stethoskop um den Hals und Jeans unter seinem weißen Kittel und weiße Schuhe an. Echt schick.

»Tach«, sagte ich und legte die Hände auf meinen Bauch, das war eine schützende Geste für das ungeborene Leben und bedeutete: »Rühr uns bloß nicht an!«

»Kann ich dich einen Moment sprechen?« fragte Klaus.

»Na ja, einen Moment haben wir übrig, nicht wahr, Helmut?«

Helmut meinte, er wolle noch nach dem Öl in seinem Mazda sehen, und verließ fluchtartig die Klinik. Klaus zog mich in einen kleinen Raum, in dem eine Kaffeemaschine stand, und scheuchte zwei Schwestern raus.

»Warum sind Sie nicht schon längst mit den Laborwerten oben?« herrschte er sie an, und sie drückten ihre Zigaretten aus, nahmen ein paar Listen unter den Arm und verdrückten sich.

»Ich habe dich erst nächste Woche hier erwartet«, sagte Klaus.

»Wie, erwartet«, sagte ich. »Gibst du 'ne Party?«

»Nein, aber ich wollte bei der Geburt dabeisein«, sagte Klaus.

»Na, du hast ja Nerven«, schimpfte ich los. »Bei der Geburt dabeisein, damit ich dich beschäftigen kann und mit dir Karten spiele, damit du nicht so nervös bist! Kommt nicht in Frage! Ich kann mir mein Radio allein mitbringen!«

»Du bist nicht mehr mit dem Kritiker zusammen, nicht wahr?« sagte Klaus und legte seine Pranke auf meine Schulter.

»Nee«, sagte ich.

»Und wer ist der Kerl von vorhin?«

»Mein Freund Helmut. Er züchtet Kröten, und seine Mutter ist schwerhörig.«

»Lebst du mit ihm zusammen?«

»Nein, er lebt mit seiner Mutter und den Kröten zusammen.«

»Liebst du ihn?«

»Wen?«

»Diesen Krötensammler.«

»Nee. Wie kommst du darauf?«

Klaus drehte sich um und atmete ein paarmal tief durch.

»Warum bist du nicht mehr mit Lalinde zusammen?« fragte er, wobei er mit dem Finger über das Heizungsrohr neben dem Waschbecken strich.

»Och, das hat sich so ergeben«, sagte ich. »Ich wurde schwanger, und er hatte mehr Bock auf Walpurgis.«

»Ja, ich weiß«, sagte Klaus. »Ich habe ihn beobachten lassen.«

»Du hast *was*?«

»Na ja, ich habe einen Detektiv beauftragt, ihm mal ein bißchen auf die Finger zu sehen. Es war übrigens derselbe Detektiv, den Irene vorher für mich engagiert hatte, als ich mit dir zusammen war. Er ist uns auch tagelang gefolgt. Irene wußte ziemlich gut Bescheid, der Kerl war sogar mit in Ulm.«

Verhältnisse waren das! Herr Punti und sein Knecht

Matula. Ein Detektiv also. Georg war entlarvt. Der Schürzen- jäger, der verantwortungslose.

»Er scheint sich nicht für das Kind verantwortlich zu füh- len?« fragte Klaus.

»Ist er auch nicht«, antwortete ich zweideutig.

Klaus verstand das natürlich nicht, denn *das* konnte sein Schnüffler Matula unmöglich rausgekriegt haben.

»Du bist wohl zu stolz, um von ihm Geld zu fordern?« bohrte Klaus weiter.

»Ich will die Knete nicht«, sagte ich trotzig. Eigentlich galt das mehr ihm, Klaus.

»Ihr seid schon seit fünf Monaten nicht mehr zusammen, stimmt's?« ging das Verhör weiter.

»Jetzt stell ich mal Fragen«, begehrte ich auf. »Warum bist du denn so spurlos verschwunden? Warum hast du nicht mal gefragt, ob du vielleicht mal ein Lätzchen beisteuern kannst? Warum bist du sogar zu feige, deiner Irene deine Adresse da- zulassen? Warum läufst du hier im Krankenhaus im weißen Kittel rum, verscheuchst die Schwestern von der Kaffeema- schine und kaufst in der ›Affenschaukel‹ einen Babysitz?«

Letzteres wollte ich eigentlich nicht sagen, aber nun war es mir eben mal so rausgerutscht.

»Woher weißt du das mit dem Babysitz?« fragte Klaus überrascht.

»Knecht Matula«, erwiderte ich vielsagend.

Klaus nahm sich eine Tasse Kaffee, trank einen Schluck daraus und hielt sie dann mir hin. Mir war eher nach einem Bier mit Himbeersaft (die spinnen, die Schwangeren).

»Jetzt paß mal auf«, sagte Klaus. Er hockte sich auf die Tischkante, wobei er ein paar Karteikarten zerdrückte. »Ich habe deinen Georg beobachten lassen, als mir der Verdacht kam, daß er dich gar nicht heiraten will.«

»Er... mich? Ich... *ihn*!« höhnte ich dazwischen. »Au- ßerdem, wer heiratet denn heute noch? Kein Schwein!«

»Laß mich ausreden, du Giftnatter«, sagte Klaus.

Bei »Giftnatter« fiel mir was ein. Helmut hantierte ja drau- ßen an seinem Mazda herum.

»Ich müßte mal eben den Helmut informieren, daß wir hier was zu besprechen haben.«

Ich ging auf den Parkplatz, um Helmut zu seinen Kröten zu schicken. Ich sagte ihm, daß wir morgen zum Griechen gehen würden und er solle seine Mutter grüßen.

Klaus hatte inzwischen seinen Kittel ausgezogen. In Jeans und Turnschuhen sah er wirklich aus wie Götz George in lieb.

»Also, der Georg hat sich nicht mehr um dich gekümmert, aus welchen Gründen auch immer«, nahm Klaus den Faden wieder auf.

Ich schob meinen Bauch hinter die Tischkante und trank einen Schluck Kaffee. Um mich gekümmert! So 'n Quatsch! Ich konnte mich alleine um mich kümmern.

»Ich habe mir das eine Weile angesehen und so meine Schlüsse gezogen«, fuhr Klaus fort. »Nachlaufen wollte ich dir nie wieder, das habe ich mir geschworen. Aber ich habe gedacht, daß du dich mal bei *mir* melden würdest, nachdem die Geschichte mit Lalinde vorbei war. Deshalb habe ich gewartet.«

»Pah«, machte ich nur verächtlich. Zum Essen hätte er mich wenigstens zwischendurch mal einladen können.

Es mußte ja nicht das Daitokai sein. Ein einfacher Gyros-Grieche hätte es auch getan.

»Dann habe ich mich von Irene getrennt, weil ich keine halben Sachen mache. Sie hat in die Scheidung eingewilligt, weil ich keine Schwierigkeiten mit der Praxis gemacht habe. Die konnte sie ganz allein behalten.«

»Mitsamt Ina«, warf ich ein.

»Mitsamt Ina«, sagte Klaus. »Woher weißt du denn von Ina?«

»Matula«, sagte ich vielsagend.

»Die Scheidung hat mich sechs Wochen gekostet und mein ganzes Giro-Konto«, fuhr Klaus fort. Der arme Junge. Und nun noch die Rechnung von der »Affenschaukel«. Er tat mir richtig leid.

»Dann habe ich mich nach einem passenden Job umgesehen«, erzählte Klaus weiter. »Weil ich wußte, daß für dich nur K. in Frage kommt, hab ich den Gedanken an eine Praxis vorerst aufgegeben und bin nun Oberarzt in dieser Klinik.«

Das schien karrieremäßig ein Abstieg zu sein. Wahrscheinlich hatte er mich deshalb nicht mehr ins Daitokai eingeladen.

»Ich habe eine Vierzimmerwohnung in Klettenberg gemietet und halbwegs gemütlich eingerichtet«, beendete Klaus seinen lückenlosen Halbjahresbericht.

»Und du denkst, daß ich dir auch nur ein Wort davon *glaube*«, sagte ich und trank einen Schluck Kaffee. »Auch nur ein einziges Wort.«

Er stand von den Karteikarten auf und sagte: »Komm, ich fahre dich nach Hause.«

Na bitte, gab sich ja schnell geschlagen, der liebe Klaus. Als wir über den Parkplatz gingen, blieb ich plötzlich stehen.

»Sorry, Chef, in diesen Anmacher-Schlitten mit den ledernen Nußschalen passe ich zur Zeit nicht. Da kann ich meine Beckenbodenmuskeln nicht easy genug entspannen«, sagte ich.

»Es gibt keinen roten BMW mehr«, antwortete Klaus und führte mich quer über den Parkplatz.

Um diese späte Abendstunde standen dort nicht mehr viele Autos. Ganz hinten bei den reservierten Abstellplätzen für »Ärzte des Hauses« parkte verlassen ein grauer Familienopel, so ein Kombigerät, geräumig und nicht besonders windschnittig.

Den schloß er auf und bugsierte mich vorsichtig auf den Rücksitz.

Der Beifahrersitz war nämlich blockiert.

Mit besagtem Babysitz.

Ende

Die Handlung und die Personen dieses Romans
sind selbstverständlich völlig frei erfunden.
Ehrlich!

Die Frau in der Gesellschaft

Claudia Keller
Der Flop
Roman
Band 4753
Kein Tiger in Sicht
Satirische
Geschichten
Band 11945

Hannelore
Krollpfeiffer
Telefonspiele
Roman
Band 12423

Fern Kupfer
Zwei Freundinnen
Roman
Band 10795
Liebeslügen
Roman
Band 12173

Anna von Laßberg
Eine Liebe in Bonn
Roman. Band 12760

Doris Lerche
Der lover
Band 10517
**Eine Nacht
mit Valentin**
Erzählungen
Band 4743
**21 Gründe,
warum eine Frau
mit einem Mann
schläft**
Erzählungen
Band 11450

Hera Lind
**Ein Mann
für jede Tonart**
Roman
Band 4750
**Frau zu sein
bedarf es wenig**
Roman
Band 11057
Das Superweib
Roman
Band 12227

Hera Lind
Die Zauberfrau
Roman
Band 12938

Gisela Schalk
**Frauen in den
besten Jahren**
Kurzgeschichten
Band 12073

Lea Wilde
**Männer aus
zweiter Hand**
Roman
Band 13084

Dorit Zinn
**Mit fünfzig
küssen Männer
anders**
Roman
Band 12939

Fischer Taschenbuch Verlag

fi 21 / 9 b